LE SOPHA
Conte moral

CRÉBILLON FILS

LE SOPHA

Préface, notes,
bibliographie et chronologie
par
Françoise JURANVILLE

GF-Flammarion

PRÉFACE

Un jour de lourd ennui, le Sultan des Indes Schah-Baham, petit-fils du grand Schah-Riar, le héros des *Mille et Une Nuits*, propose que chacun, dans sa cour, dise de ces contes dont il est si friand. Le sort désigne le jeune Amanzéi, qui raconte une de ses vies antérieures, quand Brama, pour le punir de ses dérèglements, le fit sopha. Dans cette aimable prison, l'âme forte de ses facultés inaltérées, libre de voyager d'un divan à un autre, nonchalamment à l'affût d'une improbable délivrance (un couple devant, pour cela, s'échanger sur lui ses prémices), il aura pris le temps de satisfaire sa leste curiosité, tout en méditant sur ce qui d'ordinaire se dérobe — masques tombés de la comédie sociale, voiles ôtés des corps, désirs et cœurs mis à nu.

Lorsque, en 1742, Crébillon offrit au public, avec *Le Sopha*, un roman aux couleurs orientales, il n'en était pas à son coup d'essai. Huit ans plus tôt, il avait fait paraître une « histoire japonaise » elle aussi grave et gaie : *L'Écumoire ou Tanzaï et Néadarné*. Dans les deux cas, le succès fut au rendez-vous. Le plaisir du scandale avait sa part dans cet accueil, l'écrivain poussant loin l'érotisme et l'irrévérence. Mais le déguisement oriental ajoutait à ces charmes ; Crébillon jouait en maître avec une mode.

La fureur de l'Orient battait alors son plein. Fêtes, contes, romans, théâtre, décoration, arts, étaient

contaminés par l'engouement, et prodiguaient un
Orient que n'encombrait aucun souci d'exactitude.
Ainsi Watteau et Boucher s'adonnaient-ils, ce dernier
avec passion, à des « chinoiseries », tandis que Rameau
composait des *Indes galantes* à la géographie des plus
accommodantes.

Cet appétit pour un Orient essentiellement fantas-
matique avait son histoire. Depuis la fin du
XVIIᵉ siècle, les rigueurs du classicisme lassaient. Un
désir d'évasion légère sollicitait d'autres satisfactions.
Il avait d'abord élu le pays des fées : dans les dernières
années du Grand Siècle, le conte merveilleux, à destination plus ou moins enfantine, avait joui de toutes les
faveurs. En cette fin de siècle, débordant sur les
débuts du XVIIIᵉ, ce besoin d'enchantement avait
trouvé un autre exutoire : des récits de missionnaires
jésuites et de voyageurs — tels Tavernier, Bernier ou
Chardin — revenus de Turquie, de Chine, de Perse
ou des Indes, avaient élargi les horizons du rêve ; les
esprits curieux s'étaient ouverts à ces mondes aux
saveurs étranges. Surtout, en 1704, un événement
décisif s'était produit : Antoine Galland avait
commencé à livrer au public sa traduction, à la fois
partiale et heureuse, des *Mille et Une Nuits*. Cette
relative adaptation du recueil oriental, aux parfums de
magie et de sensualité, avait connu la plus grande
fortune. La littérature s'était mise au goût du jour, et,
parée d'un exotisme enjoué, laissait libre cours à une
impertinence habillée de fantaisie.

Ainsi était né un genre littéraire. Des récits vifs et
délurés mêlaient, à un Orient de pacotille, un érotisme
espiègle et un propos piquant. La métaphore étrangère drapait une parodie de la vie française ; les polis-
sonneries, dans l'esprit Régence ou Louis XV, bien
loin des langueurs orientales, se voilaient volontiers de
gaze ; la satire visait de ses pointes les travers de la
société. Un merveilleux souriant pimentait parfois de
sa fausse ingénuité des contes ou des romans décidément à lire entre les lignes... Les *Lettres persanes* de
Montesquieu, en 1721, avaient déjà porté haut les

possibilités du genre. Crébillon, avec ses fictions orientales, allait s'illustrer de même, suscitant à son tour imitations et hommages, du très proche *Angola* de La Morlière, aux *Bijoux indiscrets* de Diderot. Voltaire pour sa part, dans *La Princesse de Babylone*, en 1768, n'évoquerait-il pas *Le Sopha*, parmi les lectures de son héroïne ?

Mais Laclos et Stendhal aussi, feraient leurs délices du *Sopha*. Pas plus que les *Lettres persanes*, le roman de Crébillon ne saurait se réduire à la judicieuse exploitation d'une veine à succès. Rien de plus dix-huitième, de plus crébillonien, de plus pleinement *spirituel*, que ce « conte moral » subtil et mutin, donnant à penser sans peser.

Le pouvoir des contes

Dérisoire doublure de son illustre aïeul, affamé d'histoires, auditeur obtus d'un récit qu'il interrompt sans cesse en tyranneau épais, le Sultan du *Sopha* permet à Crébillon d'aborder plaisamment un thème fort sérieux : la puissance des fictions, avec la manière d'en jouer, et de convertir ce pouvoir en art.

Pour atteindre les hommes, divertir leur ennui, capter leur attention, les ouvrir à du sens, voire limiter les effets dévastateurs de leur pulsion de mort, il faut parler à leur imaginaire. Il faut leur offrir des paraboles, des apologues, des contes. Nul n'échappe à cette enfance éternelle, brin de folie que La Fontaine appelle « pouvoir des fables », et qui n'a de secrets pour la profonde Schéhérazade. De cette attente de fictions, le Sultan du *Sopha* est l'exemple grotesque, miroir grossissant de nos propres faiblesses d'hypocrites lecteurs, avides, sans doute moins de rêve, que de fuite et d'excitation. Imbattable en féerie, lecteur béat du seul recueil des *Mille et Une Nuits*, Schah-Baham nous dépasse, probablement. Mais qui ne saurait se reconnaître un peu, dans cet auditeur assoiffé de merveilleux, gourmand de gaillardises, assommé par les réflexions ? « Divertissez-moi, et trêve, s'il vous plaît, de toutes ces morales qui ne finissent point », dit notre *alter ego* de caricature.

Cette ironie qui nous vise à travers Schah-Baham n'épargne pas le conteur Amanzéi — et l'écrivain, son créateur. Ses auditeurs, dans la fiction, ne sont pas de tout repos. L'un est borné, impatient et bavard ; l'autre, la Sultane, fine et spirituelle, méprise le genre. Dès lors, ils sapent, ou critiquent rudement l'art de conter de celui qui devrait les charmer. Amanzéi joue-t-il, à l'instar de l'habile Schéhérazade, d'effets de coupure et d'annonce, en suspendant le cours de son récit à un moment crucial ? Le Sultan a tôt fait de lui signifier son indifférence, ou de lui rappeler ses préro-gatives. Plus encore, Amanzéi laisse-t-il entrevoir la fin de son histoire ? Les époux désaccordés se retrouvent, pour marquer leur déception (« Quoi ! c'est là tout ? »), et permettre au roman de se clore sur une pirouette élégamment ironique : « Ah ! Ma grand-Mère ! continua-t-il en soupirant, ce n'était pas ainsi que vous contiez ! »

Et pourtant — ou par là même —, Amanzéi et Crébillon n'ignorent pas l'art de conter, il s'en faut. Déjà, les fréquentes interruptions du Sultan aèrent le récit, le scandent, et ménagent la place pour un com-mentaire à trois voix qui disputent du fond, mais aussi de la forme. Quelle valeur attribuer aux contes ? pour-quoi, dans une histoire, tout n'est-il pas intéressant ? quelle part accorder aux dialogues ? se demandent ensemble Amanzéi, le Sultan et son épouse. Surtout, Amanzéi et Crébillon offrent à l'envi, l'un à ses lec-teurs, l'autre à ses auditeurs, ce qu'ils attendent, en réclamant des fictions : un voyage en terre imaginaire. Le bonheur de se laisser transporter dans l'univers qu'ouvre la moindre fiction, trouve en effet, dans *Le Sopha*, de singuliers échos. Tout y est voyage. Ainsi du prétexte oriental, qui pare le roman du charme de quelques mots et noms aux accents exotiques. Ainsi du conte d'Amanzéi, fantaisiste récit de la transmigra-tion de son âme, un temps, dans un sopha, et de ses libres transports d'un divan à un autre.

Ce voyage de sopha en sopha, qui donne au conte sa structure et son tempo, est commandé par un impératif esthétique et moral : se refuser à cet ennui qui obsède le Sultan, mais aussi Amanzéi, Crébillon, et tout auteur d'un roman-liste — tel Duclos et ses *Confessions du comte de* ★★★, parues quelques mois plus tôt. Pour éviter l'écueil de la monotonie, l'art consiste à user de contrastes. Rythmes et portraits s'entrechoquent, dans *Le Sopha*. S'y enchaînent, obéissant aux savants caprices d'Amanzéi et de son créateur, voyages indistincts, séjours prolongés, brefs, longuement détaillés ou juste évoqués, auprès de ce que l'humanité peut offrir de médiocre, de meilleur ou de pire, en fait d'hommes et de femmes. Après un temps passé chez Fatmé, la fausse dévote au sopha des plus sollicités, à peine se pose-t-on auprès d'une anonyme « femme vertueuse » au sopha inoccupé, que l'on accompagne la courtisane Amine et son abjection sur les sophas délabrés ou ornés qu'elle partage abondamment. Se rafraîchit-on dans un havre de paix, auprès de Phénime et Zulma, à leurs amours épanouies, succède l'expérience maladroite et honteuse du grave Moclès sur le sopha d'Almaïde. Le conte épouse alors un autre cours. Il ne faut pas moins de dix chapitres en forme de comédie-ballet entrecoupée d'un intermède, pour que l'on quitte la petite maison et le sopha de Mazulhim, avec les femmes qui s'y étendent — la douce Zéphis, Zulica la mondaine —, et le complice qui le venge de ses déboires — l'élégant et cruel Nassès. La sophistication perverse cède enfin la place aux amours juvéniles de Zéïnis et Phéléas : le sopha de la belle adolescente délivre l'âme d'Amanzéi, au moment où celle-ci, éprise de tant de charmes, désirait le moins sa libération. Mais était-ce bien sa délivrance, qu'allait chercher cette âme auprès d'une courtisane, ou dans la petite maison d'un libertin ?

L'érotisme

Juvénile, pervers, délicat, honteux, épanoui, brutal ou masqué, l'érotisme est partout présent, dans *Le*

Sopha. La curiosité sexuelle, que satisfait l'âme voyageuse d'Amanzéi, et qui réveille l'écoute du Sultan, est aussi ce qui pousse le lecteur à ouvrir un roman dont le titre est prometteur. A la façon d'une marquise de Merteuil attendant son amant dans sa petite maison (« je lis un chapitre du *Sopha,* une lettre d'*Héloïse* et deux contes de La Fontaine, pour recorder les différents tons que je voulais prendre », écrit l'héroïne de Laclos), c'est d'abord l'érotisme, que recherche le lecteur dans le roman de Crébillon. Il est amplement servi.

Le décret de Brama condamnant l'âme d'Amanzéi à se couler dans la prison de sophas n'est pas des plus sévères. Le « supplice » est plutôt délice, de l'aveu même du condamné : « le plaisir d'être à portée d'entrer dans les lieux les plus secrets, et d'être en tiers dans les choses que l'on croirait le plus cachées » ne saurait être compté pour rien. Ironique sanction, que cet arrêt céleste qui permet à une âme dissipée — comme au lecteur — d'assouvir son désir de percer les secrets d'alcôve, et de se placer dans une situation éminemment perverse. La jouissance du tiers voyeur n'est pas grand-chose ici, comparée aux raffinements scabreux nés du décret divin. Immiscé dans l'intimité de couples qui l'ignorent, Amanzéi est présent sous la double espèce d'une âme intelligente, et d'un corps-sopha qui reçoit sur lui les corps qui s'ébattent. La relation à trois imposée à des couples qui pensent n'être que deux, voire un, trouve ainsi à s'illustrer de la manière la plus piquante. L'écrivain, le conteur, le lecteur s'en amusent (« Ah Nassès ! répondit-elle, en se laissant aller sur lui, et sur moi ») ; ils en sourient de même, lorsque le tiers mutin, devenu amoureux, connaît enfin son supplice, à faire le lit des voluptés d'autrui.

Le fond de l'histoire est déjà risqué. Crébillon et son conteur ne s'en tiennent pourtant pas là. En effet, ce n'est pas seulement de façon diffuse, que le récit d'Amanzéi est osé. Le détail de la rencontre érotique, l'anatomie, les gestes, les ratés, l'émoi, les gradations, l'extase, sont l'objet d'allusions fort précises. Encore faut-il les décrypter.

L'érotisme participe d'une stratégie de dévoilement, qui affecte avant tout le langage. Il est affaire d'êtres qui parlent. Il habille et déshabille les corps, certes ; mais ce jeu de la chair et de l'esprit s'exerce aussi et d'abord sur les mots qu'il s'agit, plaisir égal, de voiler ou dévoiler.

Cette relance de l'*éros* par la parole vaut évidemment pour l'écrivain et le lecteur, pour le conteur et ceux qui l'écoutent : aux uns de susciter, aux autres de recevoir, les mots de feu d'un récit érotique. Elle vaut également pour les couples que l'âme légère d'Amanzéi surprend dans leur intimité. Ces couples conversent, et s'arrachent des paroles ; ils forcent l'aveu érotique, et trouvent dans la confidence, qu'ils l'exigent ou s'y plient, le meilleur aiguillon de l'*éros*. La curiosité sexuelle s'y aiguise, le désir s'y expose ; surtout, c'est parce qu'elle est arrachement d'un secret, que la confidence est pourvue d'une charge érotique. Les voiles du silence et de la pudeur sont levés, pour que soit atteint cela même qui se cache — les mots que l'on ne (se) dit pas, comme ce que du corps on ne montre pas. L'érotisme surgit d'une violence exercée sur l'autre, et de la gêne, de la honte que l'on réveille en lui. « Dispensez-moi, de grâce, du reste d'un récit qui blesserait ma pudeur, et qui, peut-être, troublerait encore mes sens », demande, vainement, Almaïde à Moclès. Crébillon n'a attendu ni Laclos, ni Sade, ni Baudelaire, ni Bataille, pour marquer ce qui se joue de violence dans l'érotisme, et souligner la part qu'y a l'esprit, et avec lui la parole. Que font Clitandre et Cidalise, dans *La Nuit et le Moment*, sinon s'extorquer des confidences qui affûtent le pouvoir de l'un, l'inquiétude de l'autre, et le désir de tous deux ? Dans *Le Sopha*, la confidence érotique offre la même emprise. Y succombent Almaïde face à Moclès, Zéïnis face au jeune Phéléas, et, d'une autre façon, Zulica face à Nassès.

En dévoilant des mots qu'elle arrache à la pudeur du silence, la confidence intime, comme tout récit érotique, porte le feu. Il n'est pas nécessaire, pour

autant, que ces mots soient crus. L'érotisme voile et
dévoile ; il préfère, à la nudité du discours obscène, les
détours coquins d'un propos gazé ; l'agression l'intéresse moins que la stratégie. *Le Sopha* n'est pas *La
Philosophie dans le boudoir*. Crébillon n'est assurément
pas Sade ; il n'est pas davantage un auteur porno-
graphique. Au défi verbal, il oppose, à l'image de
Voisenon, La Morlière ou Laclos, le jeu avec les mots.
Périphrases, litotes, métaphores, termes à double
entente, habillent de fine gaze les évocations les plus
vives. L'allusion voilée donne à deviner sans flou, mais
dit les choses les plus lestes à mots couverts. La bienséance y gagne ; l'érotisme n'y perd certes pas.
« Quoique la tunique de gaze qui était entre elle, et lui,
ne le laissât jouir déjà que de trop de charmes, [...]
moins satisfait des beautés qu'elle offrait à sa vue, que
transporté du désir de voir celles qu'elle lui dérobait
encore, il écarta enfin ce voile que la pudeur de Zéïnis
défendait encore faiblement » : à la façon de Phéléas,
le lecteur du *Sopha* trouve, dans le voile que son
imagination soulève, le ferment de sa volupté. Il
décrypte comme on déshabille. La nudité a besoin du
vêtement pour être érotique. La gaze qui dérobe un
corps, ou recouvre un propos, en créant de l'énigme,
avive le désir.

Cette énigme autour d'expressions plus ou moins
transparentes, qui attise le feu, est plaisir de l'esprit,
subtilité ludique. Invitant à lire entre les lignes, requé-
rant de se comprendre à demi-mots, elle tisse des liens
de connivence gaie entre celui qui la conçoit et celui
qui la déchiffre. A la manière de l'ironie, qui demande
que l'on prenne les mots à rebours de ce qu'ils affir-
ment, le discours gazé investit les termes décents d'un
sens érotique. Le décalage, la subversion, font naître le
sourire. Le décryptage aiguise et flatte la finesse ; aussi
est-il sans grâce pour les balourds. Insensible aux
charmes de la gaze, se pliant mal aux lois du genre
(« c'est-à-dire que... », ne peut-il s'empêcher d'avan-
cer), le Sultan ne voit que « galimatias » dans les allusions voilées qu'Amanzéi soumet à la sagacité inégale
de ses auditeurs.

« J'aime assez les choses claires. » Le pauvre Sultan du *Sopha* manque décidément de chance, car c'est en tout domaine, qu'Amanzéi et Crébillon convient leur public au jeu du décryptage. Le roman érotique est aussi un « conte moral ». A la suite de l'âme légère qui se meut à son gré de sopha en sopha, ce ne sont pas seulement des secrets d'alcôve, que l'on perce, et des propos gazés, que l'on déchiffre ; c'est également la comédie humaine, que l'on se plaît à démasquer.

Un « conte moral »

On aurait tort ici de s'inquiéter. Le sous-titre du *Sopha* ne confesse aucune visée moralisatrice ; l'auteur n'a nulle idée de prêcher ; il s'agit toujours de plaisir de l'esprit. Le « conte moral » ne s'oppose pas au roman érotique. Le titre même du *Sopha* n'évoque-t-il pas, tout à la fois, en ce seul mot, des promesses coquines et *sophia*, la sagesse grecque ? Méditant sans lourdeur sur les hommes, cultivant sans ennui l'amour de la pensée, Crébillon nous propose de traquer allègrement, avec Amanzéi, dans les palais ou dans les alcôves de ce très bas monde, ce que l'on y croise le moins : le vrai, le beau, le bien.

La candeur ou l'emphase ne sont pas de mise, pour cette quête mordante et enjouée qui ne respecte rien. Le regard est féroce ; mais le manque d'illusions sur les hommes, qu'ils soient puissants ou misérables, ne s'accompagne d'aucun fiel, d'aucun pathos, d'aucune morosité. Crébillon, dans *Le Sopha*, comme, quelques années plus tôt, dans *Tanzaï et Néadarné*, s'en donne à cœur joie, sous des habits orientaux qui ne trompent personne. Dans ce jeu de massacre amusé, l'impertinence politique occupe une place de choix. Fantoche tyrannique et capricieux, ignorant à l'extrême, gaffeur impénitent, le Sultan est avant tout le roi des sots ; de l'espèce, il a la suffisance, l'éprouvant babil (« Quoique en tout un an il ne lui arrivât pas une seule fois de penser ; à peine, en tout un jour, lui arrivait-il de se taire une minute. »), et l'opacité sans failles : le souverain fermé aux délicatesses de l'esprit, qu'il soit gaze ou ironie — « où veut-on que j'aille deviner cela ? » —, manifeste le même talent devant les subtilités du cœur... Si le Sultan est un bouffon, il se trouve en bonne compagnie ; la vaste comédie du monde social n'appelle aucune déférence. Grimaces et appétits se disputent la scène, n'épargnant aucun milieu : courtisanes et courtisans, mondains et parvenus, libertins et bramines, sacrifient aux mêmes idoles.

Le constat n'est pas mince, et l'on ne saurait faire bon marché de ces impertinences. Les libertés qu'il prit coûtèrent même assez cher à Crébillon (quelques jours de prison après *Tanzaï et Néadarné*, trois mois d'exil cette fois), pour qu'il s'en souvînt longtemps. Toutefois, il ne faudrait pas se méprendre sur la portée de ces audaces. On est loin ici de la virulence militante d'un Voltaire ou d'un Diderot. L'irrévérence de Crébillon est d'abord distance tonique, refus d'un regard dévotieux sur les hommes, quelle que soit la fonction qu'ils occupent. Surtout, le désir de Crébillon est ailleurs : c'est à scruter, comme le Duc dans *Le Hasard du coin du feu*, « le for intérieur », c'est à sonder les cœurs et les reins, à dégager ce qui meut les hommes et distingue certains, que le moraliste en lui trouve son domaine.

« Elle avait étudié avec soin son sexe et le nôtre, et connaissait tous les ressorts qui les font agir. » Crébillon prête volontiers aux personnages de ses romans, à l'héroïne des *Égarements du cœur et de l'esprit*, mais aussi à un Clitandre, une Cidalise, voire aux fantaisistes Moustache et Jonquille de *Tanzaï*, son goût de l'investigation et sa finesse d'écoute. Nombre de héros crébilloniens se plaisent à déchiffrer « la marche du cœur ». Certains, tel le Duc précité, poussent même si loin la pénétration, qu'ils entreverraient presque notre moderne inconscient : « et pensez-vous que ce sentiment, tout sourd qu'il était dans votre âme, y fût absolument sans effet ? » Dans *Le Sopha*, ce plaisir et cette acuité se retrouvent, chez Amanzéi, la Sultane,

Nassès, Zéphis ou Zulica. On anticiperait pourtant, si l'on transformait en divan freudien le sopha crébillonien. Plus encore, d'ailleurs, qu'il ne prête son écoute, Crébillon offre, en moraliste, un regard sur les hommes.

Ce dont il marque la force, à l'instar de La Fontaine ou de La Rochefoucauld, est la vanité humaine. Omniprésente, inépuisable, maîtresse de la jungle sociale et de la comédie érotique, elle mène le monde. Hommes, femmes, grands et petits, sont les esclaves de son pouvoir. Elle est enflure, hauteur de la basse Amine dès que le sort la favorise, fatuité insolente du parvenu Abdalathif « jouant perpétuellement le Seigneur », fatuité persifleuse du petit-maître Mazulhim, ridicule d'un vieux bramine gonflé d'importance. Elle est sensibilité à la flatterie ; combien s'y aliènent, de Fatmé avec sa cour, à Moclès et Almaïde. Elle est singerie, dévote imposture d'une Fatmé, affectation d'une Zulica. Elle est besoin d'écraser l'autre, de médire, d'humilier ; « vous ne cherchez qu'à vaincre, et vous ne voulez pas aimer » : ce qu'elle dit au seul Mazulhim, Zéphis pourrait le signifier à bien d'autres, dans *Le Sopha*.

Certains échappent cependant à la reine vanité, ou ne succombent pas à son emprise. Les âmes nobles existent dans le roman, de même que les esprits lucides. Arrachant de minces parcelles à l'écrasante vanité, quelques figures lumineuses permettent à Crébillon de faire, en contrepoint — car la chose en ce monde est si rare —, l'éloge de la simplicité. Elle se nomme Zéphis, Phénime, Zulma, Zéïnis, Phéléas, ou reste dans l'anonymat, comme « la femme vertueuse ». Elle est la riposte avenante, limpide, modeste, « sans fard », aux vacuités clinquantes.

Simplicité de cœur et de manières n'est pas bêtise, à beaucoup près. L'ample galerie de sots que dépeint *Le Sopha* fait la part belle aux vaniteux. La Fontaine, ici encore, est tout proche. L'« Imprudence, babil, et sotte vanité » que stigmatise le fabuliste a pour écho, dans le roman de Crébillon, la « sotte vanité » du vieux bramine. Suffisance et insuffisances ont ensemble étroit parentage. Cela est vrai d'un Schah-Baham : « On ne pouvait pas avoir moins d'esprit ; et, (ce qui est assez ordinaire à ceux, qui par cet endroit, lui ressemblent) on ne pouvait pas s'en croire davantage. » Cela vaut tout autant pour le tranchant Abdalathif, manquant d'esprit, mais regorgeant de certitudes.

Crébillon semble se délecter à peser la bêtise humaine et à en détailler les variantes. A la « sotte admiration » de la cupide Amine fascinée par ce qui brille, répond l'abrutissement de Dahis, l'amant efficace de Fatmé : « Il était du nombre de ces personnes malheureuses, qui ne pensant jamais rien, n'ont jamais aussi rien à dire, et qui sont meilleures à occuper qu'à entendre. » A croire, par là même, que la pensée est un bonheur, comme le savoir est une joie, et l'esprit un plaisir : « Aucun des plaisirs qui sont dépendants de l'esprit, ne touchait le Sultan », nous est-il dit. Les âmes nobles, ici aussi, goûtent, et dispensent à qui sait s'ouvrir, de rares félicités. Ainsi de la Sultane « qui par son esprit, faisait les délices de ceux qui, dans une Cour aussi frivole, avaient encore le courage de penser, et de s'instruire. » Peindre abondamment la sottise, chez Crébillon, est souligner, en même temps, la grâce exquise de la vie spirituelle et des heureux élus qui la cultivent.

Ces éloges en contrepoint, qui honorent l'esprit et la simplicité, dans une foire aux vanités hospitalière aux sots, accompagnent une quête qui donne au conte d'Amanzéi son fil conducteur : ce que traque son âme dans les alcôves, ce que traque son créateur dans chacun de ses romans, est la présence de l'amour véritable. Crébillon trouve ici son objet, presque sa passion. Ce qui l'occupe au-delà de toute chose, est l'art d'aimer, qui unit étroitement le moraliste et l'érotique en lui. Dans *Le Sopha* comme ailleurs (que l'on pense aux étranges *Lettres de la marquise*), cet art s'esquisse largement *a contrario* : la peinture de l'amour absent ou gauchi domine. Mais, de même qu'il est des âmes nobles, il est des cœurs épanouis.

Si la relation érotique est fréquente en ce monde, l'amour ne se rencontre guère. Le voyage de sopha en sopha nous invite surtout à mesurer sa fugacité, à compter ses ennemis, ses dévoiements, de la vénalité d'une Amine, à la rustrerie sexuelle qui, chez Fatmé, Dahis, Abdalathif, le Sultan, répartit hommes et femmes en ces « manœuvres d'amour » et « machines à plaisir » qu'évoquera, cruelle, la marquise de Merteuil. La bêtise sexuelle peut ne pas être, et la cupidité céder la place à l'épargne de soi : la froideur libertine est refus de l'amour, fiasco indifférent d'un Mazulhim, dépravation d'une Zulica, lassitude glacée d'un Nassès. A l'opposé de ces défigurations, il existe d'autres périls. La désincarnation est un mirage ; à nier le sexe, on risque l'obsession d'un Moclès « tyrannisé par l'idée des plaisirs », et l'embarras sensuel de la prude Almaïde. Quant à la pesanteur gourmée d'un Zâdis, elle est dignité fatale. L'amour sombre dans le ridicule empesé, autant qu'il déserte brutaux, pervers et dévots.

L'amour véritable est ami de la simplicité, et vient habiter les cœurs nobles du *Sopha*. Il a la bonté discrète et enjouée de l'anonyme entr'aperçue ; mais l'*agapè* sans *éros* ne saurait retenir longtemps l'âme espiègle d'Amanzéi. L'amour « tendre, et vrai » de Zéphis prend ses traits de douceur et de générosité ; mais à élire un libertin sans retour, sa passion « délicate » se condamne à l'absence de réciprocité. Les amours partagées de Zéïnis et Phéléas ont le charme de leur candeur, de leurs pudeurs, et de leur sensualité ; mais la quête d'Amanzéi et Crébillon ne trouve pas, auprès du couple final mué en trio de comédie, son point d'achèvement. Le dépucelage ironiquement libérateur de jouvenceaux déliant, contre son gré, l'âme éprise d'Amanzéi, offre au conte la sortie souriante d'une taquine pirouette ; l'accomplissement de l'amour véritable, lui, se rencontre ailleurs, dans *Le Sopha*.

C'est auprès de Phénime et Zulma, que se goûtent les très rares délices de « l'amour le plus vrai », craintif dans ses premiers émois, généreux dans ses abandons, épanoui dans la durée. « Ils avaient même joint à toutes les délicatesses, à toute la vivacité de la passion la plus ardente, la confiance, et l'égalité de l'amitié la plus tendre » : peut-être n'est-ce pas tout à fait un hasard, si le conte d'Amanzéi et le roman de Crébillon délivrent au chapitre VII, chiffre béni, la clef d'un bonheur qui unit, en ces parfaits amants, *éros* et *agapè*.

Bonheurs d'écriture

Il n'est pas non plus indifférent que le roman et le conte ne s'achèvent pas sur les pleines amours de Phénime et Zulma, même si ces félicités entrevues n'ont rien de sirupeux, et si elles ne suscitent en l'âme d'Amanzéi qu'admiration et joies. Lier la délivrance d'une âme à un double dépucelage interdisait d'emblée une telle fin, et supposait que *Le Sopha* ne dît pas son dernier mot avec l'amour épanoui. Que le sommet du roman ne soit justement pas sa chute, que nous soyons invités à lire encore, et à trouver le fin mot de l'histoire dans un dépucelage accompagné de plaisir et d'amour, n'est sans doute pas insignifiant. Qui sait si ce n'est pas au lecteur lui-même, qu'est proposée la délivrance d'un dépucelage heureux. Si le monde est d'abord un océan de vanités et de sottises, si l'amour véritable y est chose très rare, il s'agit tout autant de pouvoir savourer le goût précieux du bonheur, que d'apprendre à faire bon visage au milieu des hommes. Perdre ses illusions n'est pas perdre le sourire et l'affabilité. Se déniaiser n'est pas se renfrogner. L'éducation s'appelle aisance, le regard sur le monde, humour, l'arme irrésistible, maniement du verbe. A l'écrivain lui-même, comme à certains des personnages qu'il avance dans sa fiction, d'en témoigner.

On sourit souvent, mais on rit aussi, à la lecture du *Sopha*. Ne dédaignant pas de frôler la farce, avec les balourdises réjouissantes du Sultan, prenant ses aises pour déployer, avec Nassès et Zulica, les finesses d'une étincelante comédie, usant d'ironies de situation, s'amusant de mots et de clins d'œil, ne dorlotant ni auteur, ni conteur, ni lecteur, Crébillon fait feu pétillant de tout bois. Alerte et picotant — de cette causticité dont s'inquiète un Sultan —, l'esprit porte de sa légèreté vivifiante la narration, que celle-ci soit prêtée au conteur Amanzéi, ou qu'elle ouvre, de son anonyme Introduction, le roman. Cet esprit s'offre comme vérité, plaisir et lien. Aux lecteurs, aux auditeurs, d'entrer gaiement dans la danse des hommes, et de n'être, à leur tour, ni dupes, ni boudeurs. L'esprit est convivialité ; il invite à la complicité d'un rire ou d'un sourire ; il noue conversation. Il n'est guère étonnant, dès lors, qu'on le rencontre encore auprès de ceux qui savent, en maîtres de la sociabilité, en artistes du dialogue, entrer brillamment dans la ronde des mots.

L'esprit de repartie d'une Sultane, d'une Zulica, d'un Mazulhim, d'un Nassès, l'ironie tranquille, sèche, railleuse ou policée des uns et des autres, sont le fait d'acteurs du monde rompus à la circulation du verbe et des personnes. Mot d'esprit et jeu de société s'allient et se confondent. Cet amour de l'échange verbal sera celui de tout un siècle gai, profond et urbain, qui cherchera jusque dans ses romans, à la façon d'un Diderot, l'écho somptueux de ses conversations. Chez Crébillon, indigne fils d'un père dramaturge (comme on est loin, avec lui, du tragique paternel, mais comme on est proche du théâtre !), ce n'est pas seulement dans *La Nuit et le Moment* ou *Le Hasard du coin du feu*, que le roman se transforme en dialogue. Presque tout *Le Sopha* se fait écriture de l'oral. Ce roman n'est-il pas un « conte » ? Quelle place reste-t-il, hormis les quelques pages liminaires, pour une écriture qui ne porte pas la narration d'Amanzéi auprès de ses deux auditeurs ? Mais *Le Sopha* pousse le paradoxe plus avant. Le roman semble trouver peu à peu, dans le pur échange verbal, l'objet prioritaire de son investigation. Déjà, les commentaires du trio, qui interrompent le fil du récit d'Amanzéi, ménagent, par intermittence, l'espace d'un dialogue au sein du roman. Surtout, la narration même d'Amanzéi tend à effacer la présence du conteur dans ce qu'il rapporte ; le récit se mue alors en compte rendu de conversations : les couples surpris sur les sophas aiment, eux aussi, à se parler, s'interrompent d'ailleurs souvent, et ne manquent pas, lorsqu'ils en viennent à s'arracher des confidences, d'être à leur tour des narrateurs de leur propre histoire...

Ainsi le conte d'Amanzéi devient-il, une fois atteint le sommet des amours de Phénime et Zulma, ce « recueil de conversations » dont se plaint le Sultan, et ce « fait dialogué » que se plaît à reconnaître la Sultane. Avec Moclès et Almaïde, avec Nassès et Zulica, le maniement du verbe s'impose comme choix stratégique, pour ces personnages, et pour le conteur qui laisse le dialogue avoir force d'action. Le sopha d'Almaïde se gagne par le sophisme de Moclès. Quant à Nassès, c'est en maître comédien doublé d'un meneur virtuose, qu'il dispose d'une femme possédant à merveille son rôle et ses répliques, et l'amène, sur la scène de leur dialogue, à déployer ses talents d'actrice, pour mieux lui enlever le masque et lui souffler le texte de sa vie. Si les amours de Phénime et Zulma constituent le sommet lumineux du roman, un autre paroxysme, brillant cette fois, nous est proposé avec l'étourdissant duo de Nassès le tacticien et Zulica la fausse prude. Au duel subtil, au jeu du dialogue à fleurets de moins en moins mouchetés, triomphe, non celui qui joue (c'est ici le cas de tous deux), mais celui qui sait que l'autre se joue de lui.

Le lecteur savoure en gourmet ces passes d'armes entre acteurs éprouvés de la comédie sociale, compositeurs talentueux de leur propre partition. Le verbe travaillé d'une Zulica confine à l'art. Est-elle si éloignée de l'écrivain polisseur de mots et de phrases, lorsqu'elle puise à son gré, selon les circonstances, dans le jargon mondain, le tour majestueux, l'ironie ou le discours de l'âme sensible ? Le romancier sculpteur de styles, qui dispense à Moclès l'embarrassé une phrase enchevêtrée, à Schah-Baham des mots patauds, à Zâdis une cérémonieuse grandiloquence, n'est pas sans ressembler, même si lui travaille en solitaire, troque la scène sociale pour la fiction, les salons pour le papier, et la voix pour l'écriture, aux maîtres confirmés de la mondanité.

« Je ne sais si Zéïnis imagina que quand une porte est fermée, il est inutile de se défendre, ou, si craignant moins d'être surprise, elle-même se craignit plus ; mais à peine Phéléas fut-il auprès d'elle, que rougissant moins de ce qu'il faisait que de ce qu'elle appréhendait qu'il ne voulût faire, avant même qu'il lui demandât rien, d'une voix tremblante, et d'un air interdit, elle le supplia de vouloir bien ne lui rien demander. » « Voilà sans contredit, s'écria-t-elle, une belle phrase ! Elle est d'une élégance, d'une obscurité, et d'une longueur admirables ! Il faut, pour se rendre si intelligible, furieusement travailler d'esprit. » : ce n'est pas du seul Meilcour, que se gausse, ironique, la mondaine héroïne des *Égarements du cœur et de l'esprit* ; Crébillon est le premier à sourire, par le biais de ses personnages les plus affûtés, des raffinements sinueux de son style. A tout le moins, l'écrivain s'imposa sur la scène du monde littéraire en ciseleur complexe. Le plaisant de l'histoire, est qu'il taquina Marivaux pour ce même amour des minuties, le pasticha dans *Tanzaï*, s'attira la riposte blessée de celui-ci dans *Le Paysan parvenu*, et subit à son tour le pastiche railleur de Diderot : *Les Bijoux indiscrets* ne sont pas tendres, pour la « langue inintelligible » de « Girgiro l'entortillé »...

Pourtant, ce tour subtil de la phrase crébillonienne n'est pas plus vide que n'est vaine la phrase de Proust. L'écriture précieuse et précise vise à se couler dans tous les méandres d'une investigation qui se propose, en même temps, à la jouissance et au libre examen du lecteur : le long déploiement de la phrase explore les moindres sinuosités, les tournures alternatives libèrent l'interprétation, et les « plus » et les « moins » ne pèsent pas uniquement des œufs de mouche dans des balances en toile d'araignée. Il y a déjà un grand bonheur, à se laisser porter par le tempo savant de ces phrases qui s'étirent et de ces termes qui se répondent. Mais cet amour de l'analyse, de la nuance, et de la liberté, qui forge un style, n'allonge pas nécessairement la phrase de Crébillon. La ciselure peut se faire plus rapide, et recourir à d'autres outils : « Soit qu'il imaginât qu'il ne pouvait différer sans se perdre, soit (ce qui est plus vraisemblable) qu'il crût n'avoir besoin de rien de plus auprès d'elle, il voulut tenter ce qui (et encore par le plus grand hasard du monde) ne lui avait jamais manqué qu'une fois. » La prose de l'analyste sait devenir encore plus concise, se dépouiller de parenthèses et de subordonnants, et se réduire à la plus simple expression : « Soit respect, soit timidité, enfin il s'arrêta ».

La phrase de Crébillon, qu'elle se déploie ou se condense à l'extrême, s'impose avant tout comme un rythme. L'amour de l'esprit — finesse d'analyse et jubilation du verbe — imprime un rythme qui laisse percevoir, dans l'écriture, la présence heureuse d'une intériorité. Le style se fait pur plaisir, et ce plaisir est un rythme. Aussi retrouve-t-on, dans l'humour de la narration, ces effets de reprises de tours ou de termes qui, structurant la phrase, lui conférant une spirituelle géométrie, la rendent rebondissante et vive. Ainsi du récit gazé des assauts et fiascos d'un libertin avantageux auprès d'une libertine jouant les prudes : « Malgré ces terribles menaces de Zulica, Mazulhim voulut achever de lui déplaire. Comme entre autres choses, il avait la mauvaise habitude de ne s'attendre jamais, et qu'elle avait apparemment celle de ne jamais attendre personne, il lui déplut en effet, à un point qu'on ne saurait imaginer. » Ce plaisir à laisser les mots revenir s'accompagne parfois d'une certaine désinvolture, chez Crébillon. Cette prose si déliée, si attentive, s'autorise, de temps en temps, d'étranges répétitions, tel un « si je vous le dis, dit-elle », paraissant relever davantage de la négligence, que du procédé.

La prose alerte de Crébillon aime sa liberté. Elle

aime également chanter le bonheur des amants véritables, et rehausser alors la beauté de ses phrases d'échos sonores, de cadences binaires, de scansions régulières, qui disent l'harmonie, et font régner la poésie au sein du roman : « Lui parlait-elle d'une chose indifférente ? sans qu'elle le voulût, même sans qu'elle s'en aperçût, sa voix s'attendrissait, ses expressions devenaient plus vives. Plus elle s'imposait de contrainte avec lui, plus elle lui marquait d'amour. Rien de son Amant, ne lui paraissait indifférent »...

Mais si Crébillon n'ignore pas la musique pure de la poésie, c'est très rarement qu'il en use. Le vrai amour n'est-il pas, lui-même, chose d'exception ? Ne s'agit-il pas de savoir tout autant apprécier le goût fugace du bonheur, que s'offrir légèrement à la quotidienneté ? Peut-être ces multiples vers blancs, ces surabondants alexandrins en contexte fort prosaïque, dont Crébillon nourrit la trame du *Sopha*, sont-ils invitation au sourire. Le lecteur pourra se plaire à les compter, et s'amuser des petits pastiches d'un La Fontaine, d'un Racine, d'un Corneille et de la cadence paternelle, que nous propose un fils averti et joueur, entré gaiement, par l'écriture, dans le théâtre du monde.

Françoise JURANVILLE.

NOTE SUR L'ÉTABLISSEMENT DU TEXTE

Crébillon a publié, en février 1742, ce roman sous le titre suivant : *LE SOPHA, CONTE MORAL. A Gaznah, De l'Imprimerie du Très-Pieux, Très-Clément et Très-Auguste Sultan des Indes. L'an de l'Hégire 1120.* C'est le texte de cette édition originale que nous avons retenu. Si nous avons modernisé la graphie et l'orthographe (et dû corriger quelques fautes flagrantes), nous avons gardé, du texte, distribution des majuscules, syntaxe, ponctuation, présentation des dialogues, alinéas. Le souci n'est pas seulement d'ordre historique. Il y va d'un style. L'écriture ciselée de Crébillon appelle tout particulièrement que l'on soit fidèle à ses beautés.

Toutefois, l'édition de 1742 — comme les suivantes — comporte maintes coquilles. Nous avons éliminé les plus choquantes, en tenant compte, pour ce faire, d'abord de rectifications opérées dans une édition parue en 1749 ; en cas de coquille tenace, nous avons pris appui sur l'édition de 1772 (publication des œuvres complètes de Crébillon), pour effectuer des corrections. En de rares circonstances, lorsque la ponctuation, ou les majuscules (après interjection, dans des dialogues dont la présentation pouvait prêter à ambiguïté) rendaient, dans ces éditions, la lecture du roman excessivement malaisée, nous avons modernisé. Quant aux curieuses négligences qui altèrent parfois la prose travaillée de Crébillon, nous les avons évidemment laissées.

F. J.

LE SOPHA
Conte moral

INTRODUCTION.

Il y a déjà quelques siècles qu'un Prince nommé Schah-Baham régnait sur les Indes. Il était petit-fils de ce magnanime Schah-Riar, de qui l'on a lu les grandes actions dans les Mille et une Nuits ; et qui, entre autres choses, se plaisait tant à étrangler des femmes, et à entendre des contes : celui-là même, qui ne fit grâce à l'incomparable Schéhérazade, qu'en faveur de toutes les belles histoires qu'elle savait.

Soit que Schah-Baham ne fût pas extrêmement délicat sur l'honneur, soit que ses femmes ne couchassent point avec leurs Nègres ; ou (ce qui est, pour le moins, aussi vraisemblable) qu'il n'en sût rien ; il était bon et commode mari, et n'avait hérité de Schah-Riar, que de ses vertus, et de son goût pour les Contes. On assure même, que le Recueil des Contes de Schéhérazade, que son auguste Grand-Père avait fait écrire en lettres d'or, était le seul Livre qu'il eût jamais daigné lire.

A quelque point que les Contes ornent l'esprit, et quelque agréables, ou quelque sublimes que soient les connaissances et les idées qu'on y puise, il est dangereux de ne lire que des Livres de cette espèce. Il n'y a que les personnes vraiment éclairées, au-dessus des préjugés, et qui connaissent le vide des Sciences, qui sachent combien ces sortes d'ouvrages sont utiles à la société ; et combien l'on doit d'estime, et même de vénération aux gens qui ont assez de génie pour en

faire, et assez de force dans l'esprit pour s'y dévouer,
malgré l'idée de frivolité que l'orgueil et l'ignorance
ont attachée à ce genre. Les importantes leçons que les
Contes renferment, les grands traits d'imagination
qu'on y rencontre si fréquemment, et les idées riantes
dont ils sont toujours remplis, ne prennent rien sur le
vulgaire de qui l'on ne peut acquérir l'estime, qu'en lui
donnant des choses qu'il n'entend jamais ; mais qu'il
puisse se faire honneur d'entendre.

Schah-Baham est un exemple bien mémorable de
l'injustice des hommes à cet égard. Quoiqu'il sût l'origine de la féerie, aussi bien que s'il eût été de ces
temps-là ; que personne ne connût plus particulièrement le célèbre Pays du Ginnistan [2], et ne fût plus
instruit sur les fameuses dynasties des premiers Rois
de Perse ; et qu'il fût, sans contredit, l'homme de son
siècle, qui possédât le mieux, l'Histoire de tous les
événements qui ne sont jamais arrivés, on le faisait
passer pour le Prince du monde le plus ignorant [3].

Il est vrai qu'il narrait avec si peu de grâces, (chose
d'autant plus désagréable, qu'il narrait toujours) qu'il
était impossible qu'il n'ennuyât pas un peu : surtout
n'ayant jamais pour Auditeurs, que des femmes et des
Courtisans, personnes, qui communément aussi délicates, que superficielles, s'attachent plus à l'élégance
des tours, qu'elles ne sont frappées de la grandeur, et
de la justesse des idées. C'est, sans doute, d'après ce
que l'on pensait de Schah-Baham dans sa propre
Cour, que Scheik-Ebn-Taher-Abou-Feraïki, Auteur
Contemporain de ce Prince, nous l'a dépeint dans sa
grande Histoire des Indes, tel qu'on va le voir ci-
dessous ; c'est à l'endroit où il parle des Contes.

Schah-Baham, premier du nom, était un Prince
ignorant et d'une mollesse achevée. On ne pouvait pas
avoir moins d'esprit ; et, (ce qui est assez ordinaire à
ceux, qui par cet endroit, lui ressemblent) on ne pouvait pas s'en croire davantage. Il s'étonnait toujours de
ce qui est commun, et ne comprenait jamais bien que
les choses absurdes, et hors de toute vraisemblance.
Quoique en tout un an il ne lui arrivât pas une seule

fois de penser ; à peine, en tout un jour, lui arrivait-il
de se taire une minute. Il disait pourtant de lui modestement, qu'à l'égard de la vivacité d'esprit, il n'y prétendait pas ; mais que pour la réflexion, il ne croyait
pas avoir son pareil.

Aucun des plaisirs qui sont dépendants de l'esprit,
ne touchait le Sultan : tout exercice, quel qu'il fût, lui
déplaisait ; et cependant il n'était pas désœuvré. Il
avait des oiseaux, qui ne laissaient pas de l'amuser
beaucoup ; des Perroquets, qui grâce aux soins qu'il
prenait de leur éducation, étaient les plus bêtes Perroquets des Indes ; sans compter des Singes auxquels il
donnait une assez grande partie de son temps ; et ses
femmes, qui après tous les animaux de sa Ménagerie,
lui paraissaient fort propres à le divertir.

Malgré de si grandes occupations, et des plaisirs
aussi variés, il fut impossible au Sultan d'éviter
l'ennui [4]. Il n'y eut pas jusques à ces Contes fameux,
objets perpétuels de son étonnement et de sa vénération, et dont il était défendu, sur peine de la vie, de
faire la critique ; qui à force de lui être connus, ne lui
fussent devenus insipides. Il les admirait toujours ;
mais il bâillait en les admirant. L'ennui enfin le suivait
jusque dans l'appartement de ses femmes, où il passait
une partie de sa vie à les voir broder, et faire des
découpures [5] : arts pour lesquels il avait une estime
singulière, dont il regardait l'invention comme le chef-
d'œuvre de l'esprit humain, et auxquels il voulut enfin
que tous ses Courtisans s'appliquassent.

Il récompensait trop bien ceux qui y excellaient,
pour qu'il y eût dans tout l'Empire, quelqu'un qui les
négligeât. Broder, ou découper, étaient alors dans les
Indes, les seuls moyens d'arriver aux honneurs. Le
Sultan ne connaissait aucune autre espèce de mérite ;
ou du moins, ne doutait pas qu'un homme, qui avait
de pareils talents, n'eût à bien plus forte raison, tous
ceux qu'il faut pour être un bon Général, ou un
excellent Ministre. Pour prouver à quel point il en
était persuadé, il avait élevé à la place de premier
Vizir, un de ces Courtisans désœuvrés, de ceux qui, ne

sachant à quoi employer leur temps, le passent à
ennuyer les Rois de leur présence, et réciproquement
à s'ennuyer de la leur. Celui-ci, qui avait été longtemps confondu dans la foule, se trouva heureusement
pour lui, un des premiers Découpeurs du Royaume,
lorsqu'il plut à Schah-Baham de révérer la découp-
pure ; et sans être comme beaucoup d'autres, obligé
de faire des brigues, il ne dut, qu'à la supériorité de ses
talents, l'honneur éclatant de découper auprès de son
Maître, et la première place de l'Empire.

Entre toutes les femmes du Sultan, on distinguait la
Sultane-Reine, qui par son esprit, faisait les délices de
ceux qui, dans une Cour aussi frivole, avaient encore
le courage de penser, et de s'instruire. Elle seule y
connaissait [6], et y soutenait le mérite ; et le Sultan
lui-même osait rarement n'être pas de son avis,
quoiqu'elle n'approuvât, ni ses goûts, ni ses plaisirs : il
se contentait, lorsqu'elle le raillait sur ses Singes, et sur
ses autres occupations, de lui dire qu'elle était caus-
tique ; défaut que les sots ne manquent jamais de
trouver aux gens d'esprit.

Un jour Schah-Baham étant avec toute sa Cour
dans l'appartement de ses femmes, où il regardait
découper avec une attention incroyable ; et ne pouvant cependant vaincre l'ennui qui l'accablait : Je ne
m'étonne point, dit-il, en bâillant, si je m'endors ! nous
ne disons mot ! Oh ! je voudrais de la conversation,
moi !

Eh ! de quoi voulez-vous qu'on vous parle ?
demanda la Sultane. Que sais-je ? reprit-il ; suis-je fait
pour deviner cela ? Ne suffit-il pas que je veuille qu'on
me parle de quelque chose, sans que je sois encore
obligé de dire ce que je voudrais qu'on me dît ? Savez-
vous bien que vous n'avez pas, à beaucoup près, tant
d'esprit que vous vous croyez ? que vous rêvez plus
que vous ne parlez, et qu'à cela près de quelques bons
mots, que les trois quarts du temps je n'entends seulement pas, je vous trouve, on ne peut pas plus stérile ?
Pensez-vous, par exemple, que si la Sultane Schéhérazade vivait encore, et qu'elle fût ici, elle ne nous fît pas

d'elle-même, et sans en être priée par ma tante Dinar-
zade, les plus beaux contes du monde ? Mais vraiment, à propos d'elle, je pense une chose ! Quelque
mémoire qu'elle eût, il est impossible qu'elle ait retenu
tous les contes qu'elle avait appris ; que quelqu'un ne
sache pas précisément ceux qu'elle avait oubliés ;
qu'on n'en ait pas fait depuis elle, ou qu'actuellement
même on n'en fasse pas. Cela n'est pas douteux, Sire,
dit le Vizir ; et je puis assurer Votre Majesté, que non
seulement j'en sais, mais que j'ai même le talent d'en
faire de si bizarres, que ceux de feu Madame votre
grand-mère, n'ont rien qui les puisse surpasser.

Vizir, Vizir, dit le Sultan, c'est beaucoup dire ! ma
grand-mère était une personne d'un rare mérite.

En effet, s'écria la Sultane, il en faut beaucoup pour
faire des Contes ! ne dirait-on pas, à vous entendre,
qu'un Conte est le chef-d'œuvre de l'esprit humain ?
Et cependant, quoi de plus puéril, de plus absurde ?
Qu'est-ce qu'un Ouvrage (s'il est vrai toutefois qu'un
Conte mérite de porter ce nom ;) qu'est-ce, dis-je,
qu'un Ouvrage, où la vraisemblance est toujours vio-
lée, et où les idées reçues sont perpétuellement renver-
sées ; qui s'appuyant sur un faux et frivole merveilleux, n'emploie des êtres extraordinaires, et la
toute-puissance de la Féerie ; ne bouleverse l'ordre de
la Nature, et celui des Éléments, que pour créer des
objets ridicules, singulièrement imaginés, mais qui
souvent, n'ont rien qui rachète l'extravagance de leur
création ? Trop heureux encore si ces misérables
fables ne gâtaient que l'esprit ; et n'allaient point par
des peintures trop vives, et qui blessent la pudeur,
porter jusques au cœur des impressions dangereuses ?

Propos de *Caillette* [7], dit gravement le Sultan,
grands mots qui ne signifient rien : ce que vous venez
de dire, a d'abord l'air d'être beau ; il saisit, il faut
l'avouer ; mais avec le secours de la réflexion, il est
impossible que... au fond, il ne s'agit ici que de savoir
si vous avez raison ; et comme je voulais vous le dire,
et que je viens de le prouver, c'est ce que je ne crois
pas : car, ce n'est pas pour faire le bel esprit, assuré-

ment ; mais puisqu'un Conte m'a toujours amusé, il
est clair qu'il faut qu'un Conte ne soit pas une chose si
frivole. Ce ne sera certainement pas à moi qu'on fera
croire qu'un Sultan peut être une bête. D'ailleurs,
c'est-à-dire par parenthèse, il est tout aussi clair
qu'une chose merveilleuse, j'entends par là une de ces
choses... que je dirais bien si c'était de cela qu'il fût
question... mais parlons de bonne foi ; que nous
importe, après tout ? Je soutiens, moi, que j'aime les
Contes, et qu'au surplus je ne les trouve plaisants que
quand ils sont, ce qu'on appelle entre gens sensés, un
peu gaillards. Cela y jette un intérêt d'une vivacité... si
vive ! au reste, j'entends, je comprends bien : c'est
comme si vous me disiez, que vous savez des Contes,
et que vous en faites. Voilà véritablement ce qu'il me
faut. Je pensais, que pour rendre les jours moins longs,
il faudrait que chacun de nous racontât des histoires :
quand je dis des histoires, je m'entends bien ! Je veux
des événements singuliers, des Fées, des Talismans :
car, ne vous y trompez pas, au moins ! Il n'y a que cela
de vrai. Eh bien ! nous convenons donc tous de faire
des Contes ? Mahomet veuille m'assister ! mais je ne
doute pas que, même sans son secours, je n'en fasse
de meilleurs que qui que ce soit ; et la raison de cela,
c'est que je sors d'une maison, où l'on n'ignore pas
que l'on en sait faire, et sans vanité, d'assez bons.

Au reste, comme je suis sans partialité quelconque,
je déclare que l'on parlera chacun à son tour ; que ce
sera le sort qui décidera les places, et non ma volonté ;
que j'entends que tout le monde ait la liberté de me
faire des Contes, et que chaque jour on parlera une
demi-heure, plus ou moins, selon qu'il me conviendra.

En achevant ces paroles, il fit tirer au sort toute sa
Cour : malgré les vœux du Vizir, il tomba sur un jeune
Courtisan, qui après en avoir reçu la permission du
Sultan, commença ainsi :

PREMIÈRE PARTIE

CHAPITRE PREMIER

Le moins ennuyeux du Livre[8].

Sire, votre Majesté n'ignore pas que, quoique je sois son sujet, je ne suis pas la même Loi qu'elle, et que je ne reconnais pour Dieu que Brama.

Quand je le saurais, dit le Sultan, qu'est-ce que cela ferait à votre conte. Au reste, ce sont vos affaires ; tant pis pour vous, si vous croyez Brama, il vaudrait mieux cent fois, que vous fussiez Mahométan. Je vous le dis en ami, n'allez pas croire au moins que ce soit pour faire le Docteur, car, au fond, cela ne m'importe guère. Après.

Nous autres sectateurs de Brama, nous croyons la métempsycose, continua Amanzéi, (c'est le nom du conteur). C'est-à-dire, pour ne point embarrasser mal à propos votre Majesté, que nous croyons qu'au sortir d'un corps, notre Ame passe dans un autre, et successivement ainsi, tant qu'il plaît à Brama, ou que notre Ame soit devenue assez pure pour être mise au nombre de celles qu'enfin il juge dignes d'être éternellement heureuses.

Quoique le Dogme de la métempsycose soit, parmi nous, généralement établi, nous n'avons pas tous les mêmes raisons, pour le croire certain, puisqu'il y a fort peu de gens à qui il soit accordé de se souvenir des différentes transmigrations de leur Ame. Il arrive ordinairement, qu'au sortir du corps où une Ame était emprisonnée, elle entre dans un autre, sans conserver aucune idée, soit des connaissances qu'elle avait acquises, soit des choses auxquelles elle a eu part.

Ainsi, nos fautes sont perpétuellement perdues pour nous, et nous recommençons une nouvelle carrière avec une Ame aussi neuve, et aussi susceptible d'erreurs, et de vices, que lorsque Brama la tira pour la première fois, de cet immense tourbillon de feu, dont, en attendant sa destination, elle fait partie.

Beaucoup d'entre nous, se plaignent de cette disposition de Brama, et je doute qu'ils aient raison. Nos Ames destinées pendant une longue suite de siècles, à passer de corps, en corps, seraient presque toujours malheureuses, si elles se souvenaient de ce qu'elles ont été. Telle, par exemple, qui après avoir animé le corps d'un Roi, se trouve dans celui d'un reptile, ou dans le corps d'un de ces mortels obscurs que la grandeur de leur misère, rend plus à plaindre encore, que les animaux les plus vils, ne soutiendrait pas, sans désespoir, sa nouvelle condition.

J'avoue qu'un homme qui se voit dans le sein des richesses, ou élevé au rang suprême, s'il se souvenait de n'avoir été qu'un insecte, pourrait abuser moins de l'état heureux, ou brillant où la bonté de Brama, l'a mis. A considérer, cependant, l'orgueil, la dureté, l'insolence de ces gens nés dans la bassesse, et élevés par la fortune, l'on peut croire, à la promptitude avec laquelle ils perdent le souvenir de leur premier état, que d'un corps à un autre, leur humiliation se déroberait plus rapidement encore à leurs yeux, et n'influerait en rien sur leur conduite.

L'Ame, d'ailleurs, se trouverait nécessairement surchargée du grand nombre d'idées qui lui resteraient de ses vies précédentes, et plus affectée peut-être de ce qu'elle aurait été, que de ce qu'elle serait, négligerait les devoirs, que le corps qu'elle occupe, lui prescrit, et troublerait enfin, l'ordre de l'Univers, au lieu d'y contribuer.

Mon cher Ami, dit alors le Sultan, Mahomet me pardonne, si ce n'est pas de la morale que ce que vous venez de me dire ? Sire, répondit Amanzéi, ce sont des réflexions préliminaires, qui, je crois, ne sont pas inutiles. Fort inutiles, c'est moi qui le dis, répliqua Schah-

Baham. C'est que tel que vous me voyez, je n'aime pas la Morale, et que vous m'obligerez beaucoup de la laisser là.

J'exécuterai vos ordres, répondit Amanzéi ; il me reste cependant à dire à votre Majesté, que Brama permet quelquefois que nous nous souvenions de ce que nous avons été, surtout quand il nous a infligé quelque peine singulière, et ce qui le prouve, c'est que je me souviens parfaitement d'avoir été Sopha [9].

Un Sopha ! s'écria le Sultan, allons, cela ne se peut pas. Me prenez-vous pour une Autruche, de me faire de ces contes-là ? J'ai envie de vous faire un peu brûler pour vous apprendre à me dire, et affirmativement, de pareilles balivernes.

Votre clémente Majesté a de l'humeur aujourd'hui, dit la Sultane : il est dans son Auguste caractère de ne douter de rien, et elle ne veut pas croire qu'un homme ait pu être Sopha. Cela n'est pas relatif à ses idées ordinaires.

Croyez-vous ? répliqua le Sultan, terrassé par l'objection, il me semble pourtant que je n'ai pas tort. Ce n'est pas cependant que je ne pusse... Mais, par-bleu, j'ai raison. Je ne saurais en conscience, croire ce que dit Amanzéi : est-ce donc pour rien que je suis Musulman ?

A merveille, répondit la Sultane ; hé bien ? écoutez Amanzéi, et ne le croyez pas. Ah oui ! reprit le Sultan, ce ne sera point parce que la chose est incroyable, qu'il faudra que je ne la croie pas, mais, parce que fût-elle vraie, je ne dois pas la croire. Je comprends bien, cela fait une différence. Vous avez donc été Sopha, mon enfant ? Cela fait une terrible aventure ! Hé, dites-moi, étiez-vous brodé ?

Oui, Sire, répondit Amanzéi ; le premier Sopha dans lequel mon Ame entra, était couleur de rose, brodé d'argent. Tant mieux, dit le Sultan, vous deviez être un assez beau meuble. Enfin, pourquoi votre Brama vous fit-il Sopha plutôt qu'autre chose ? quel était le fin de cette plaisanterie ? Sopha ! Cela me passe.

C'était, répondit Amanzéi, pour punir mon Ame de ses dérèglements. Dans quelque corps qu'il l'eût mise, il n'avait pas eu lieu d'en être content, et sans doute, il crut m'humilier plus en me faisant Sopha, qu'en me faisant reptile.

Je me souviens qu'au sortir du corps d'une femme, mon Ame entra dans celui d'un jeune homme. Comme il était minaudier, coquet, tracassier, médisant, grand connaisseur en bagatelles, uniquement occupé de ses habits, de sa toilette, et de mille autres petits riens, à peine s'aperçut-elle qu'elle eut changé de demeure.

Je voudrais bien, interrompit Schah-Baham, savoir un peu ce que vous faisiez pendant que vous étiez femme ; cela doit faire un détail fort curieux [10]. J'ai toujours cru que les femmes avaient de singulières idées. Je ne sais si je me fais bien entendre, mais je veux dire qu'on a de la peine à deviner ce qu'elles pensent.

Peut-être, répondit Amanzéi, serions-nous plus éclairés là-dessus, si nous leur croyions moins de finesse. Il me semble que, lorsque j'étais femme, je me moquais beaucoup de ceux qui m'attribuaient des idées réfléchies, pendant que le moment seul me les faisait naître, qui cherchaient des raisons où je n'avais pris de lois que du caprice, et qui pour vouloir trop m'approfondir, ne me pénétraient jamais. J'étais vraie, dans le temps que je passais pour fausse, on me croyait coquette, dans l'instant que j'étais tendre, j'étais sensible, et l'on imaginait que j'étais indifférente. On me donnait presque toujours un caractère qui n'était pas le mien, ou qui venait de cesser de l'être. Les gens intéressés à me connaître le plus, avec qui je dissimulais le moins, à qui même, emportée par mon indiscrétion naturelle, ou par la violence de mes mouvements, je découvrais les secrets les plus cachés de ma vie, ou les sentiments les plus vrais de mon cœur, n'étaient pas ceux qui me croyaient le plus, ou qui me saisissaient le mieux, ils ne voulaient juger de moi que suivant le plan qu'ils s'en étaient fait, s'y trompaient sans cesse, et croyaient m'avoir bien connue, quand ils m'avaient définie à leur gré.

Oh ! je le savais, dit le Sultan, on ne connaît jamais bien les femmes, et comme vous dites, il y a long-temps, pour moi, que j'y ai renoncé ; mais, laissons là cette matière, elle aiguise trop l'esprit, et elle est cause que vous m'avez fait un grand préambule dont je n'avais que faire, et que vous n'avez pas répondu à ce que je vous demandais. Il me semble que je voulais savoir ce que vous faisiez pendant que vous étiez femme.

Il ne m'est resté de ce que je faisais alors, qu'une idée fort imparfaite, répondit Amanzéi. Ce dont je me souviens le plus, c'est que j'étais galante dans ma jeunesse, que je ne savais ni haïr, ni aimer, que née sans caractère, j'étais tour à tour, ce qu'on voulait que je fusse, ou ce que mes intérêts, et mes plaisirs me forçaient d'être, qu'après une vie fort dérangée, je finis par me faire hypocrite, et qu'enfin je mourus en m'occupant malgré mon air prude [11], de ce qui, dans le cours de ma vie, m'avait amusée le plus.

Ce fut apparemment du goût que j'avais eu pour les Sophas, que Brama prit l'idée d'enfermer mon âme dans un meuble de cette espèce. Il voulut qu'elle conservât dans cette prison, toutes ses facultés, moins, sans doute, pour adoucir l'horreur de mon sort, que pour me la faire mieux sentir. Il ajouta que mon âme ne commencerait une nouvelle carrière, que quand deux personnes se donneraient mutuellement, et sur moi, leurs prémices.

Voilà, s'écria le Sultan, bien du galimatias, pour dire que... N'allez-vous pas avoir la bonté de nous expli-quer cela ? demanda la Sultane. Pourquoi pas ? reprit-il, j'aime assez les choses claires. Cependant si vous n'êtes pas de mon avis, je consens qu'Amanzéi soit aussi obscur qu'il le voudra. Grâce au Prophète ! il ne le sera jamais pour moi.

Il me restait assez d'idées, et de ce que j'avais fait, et de ce que j'avais vu, continua Amanzéi, pour sentir que la condition à laquelle Brama voulait bien

m'accorder une nouvelle vie, me retenait pour longtemps dans le meuble qu'il m'avait choisi pour prison,
mais la permission qu'il me donna de me transporter
quand je le voudrais de Sopha en Sopha, calma un
peu ma douleur. Cette liberté mettait dans ma vie, une
variété qui devait me la rendre moins ennuyeuse ;
d'ailleurs, mon Ame était aussi sensible aux ridicules
d'autrui que lorsqu'elle animait une femme, et le plaisir d'être à portée d'entrer dans les lieux les plus
secrets, et d'être en tiers dans les choses que l'on
croirait le plus cachées, la dédommagea de son supplice.

Après que Brama m'eut prononcé mon arrêt, il
transporta lui-même, mon Ame dans un Sopha que
l'ouvrier allait livrer à une femme de qualité qui passait pour être extrêmement sage, mais s'il est vrai qu'il
y ait peu de Héros pour les gens qui les voient de près,
je puis dire aussi, qu'il y a pour leur Sopha, bien peu
de femmes vertueuses.

CHAPITRE II

Qui ne plaira pas à tout le monde.

Un Sopha ne fut jamais un meuble d'antichambre,
et l'on me plaça chez la Dame à qui j'allais appartenir,
dans un cabinet séparé du reste de son Palais, et où,
disait-elle, elle n'allait souvent que pour méditer sur
ses devoirs, et se livrer à Brama avec moins de distraction. Quand j'entrai dans ce cabinet, j'eus peine à
croire à la façon dont il était orné, qu'il ne servît jamais
qu'à d'aussi sérieux exercices. Ce n'était pas qu'il fût
somptueux, ni que rien y parût trop recherché ; tout y
semblait, au premier coup d'œil, plus noble que
galant, mais à le considérer avec réflexion, on y trouvait un luxe hypocrite, des meubles d'une certaine
commodité, de ces choses enfin que l'austérité
n'invente pas, et dont elle n'est pas accoutumée à se
servir. Il me sembla que j'étais moi-même, d'une couleur bien gaie pour une femme qui affichait tant
d'éloignement pour la coquetterie.

Peu de temps après que je fus dans le cabinet, ma
Maîtresse entra, elle me regarda avec indifférence,
parut contente, mais sans me louer trop, et d'un air
froid, et distrait, elle renvoya l'ouvrier. Aussitôt qu'elle
se vit seule, cette physionomie sombre, et sévère
s'ouvrit ; je vis un autre maintien, et d'autres yeux, elle
m'essaya avec un soin qui m'annonçait qu'elle ne
comptait pas faire de moi, un meuble de simple
parade. Cet essai voluptueux, et l'air tendre, et gai
qu'elle avait pris d'abord [12] qu'elle s'était vue sans

témoins, ne m'ôtaient rien de la haute idée qu'on avait d'elle dans Agra.

Je savais que ces Ames que l'on croit si parfaites, ont toujours un vice favori, souvent combattu, mais, presque toujours triomphant ; qu'elles paraissent sacrifier des plaisirs, qu'elles n'en goûtent quelquefois qu'avec plus de sensualité, et qu'enfin elles font souvent consister la vertu, moins dans la privation, que dans le repentir. Je conclus de cela, que Fatmé était paresseuse, et je me serais alors reproché de porter mes idées plus loin.

La première chose qu'elle fit après celle dont je viens de parler, fut d'ouvrir une armoire fort secrètement pratiquée dans le mur, et cachée avec art à tous les yeux, elle en tira un livre. De cette armoire elle passa à une autre, où beaucoup de volumes étaient fastueusement étalés ; elle y prit aussi un livre qu'elle jeta sur moi avec un air de dédain, et d'ennui, et revint avec celui qu'elle avait choisi d'abord, se plonger dans toute la mollesse des coussins dont j'étais couvert.

Dites-nous un peu, Amanzéi, interrompit le Sultan, était-elle jolie, votre femme raisonnable ?

Oui, Sire, répondit Amanzéi, elle était belle, plus qu'elle ne le paraissait. On sentait même qu'avec moins de modestie, ces airs évaporés qui inspirent le mépris à la vérité, mais qui excitent les désirs, elle aurait pu ne le céder à personne. Ses traits étaient beaux, mais sans jeu, sans vivacité, et n'exprimant que cet air vain, et dédaigneux, sans lequel, les femmes de ce genre, croiraient n'avoir pas une physionomie vertueuse. Tout en elle annonçait d'abord, l'abandonnement, et le mépris de soi-même. Quoiqu'elle fût bien faite, elle se tenait mal, et si elle marchait noblement, c'est parce qu'une démarche lente, et posée, convient à des personnes occupées des objets les plus sérieux. La haine qu'elle témoignait pour la parure, n'allait pas jusques à cette négligence, qui rend presque toujours, les vertueuses dégoûtantes : ses habits étaient simples, de couleurs obscures, mais dans leur modestie, on trouvait de la noblesse, et du choix ; elle avait même soin qu'ils ne pussent rien dérober de l'élégance de sa taille, et sous l'attirail de l'austérité, il était aisé de remarquer qu'elle aimait la propreté [13] la plus recherchée, et la plus sensuelle.

Le livre qu'elle avait pris le dernier, ne me parut pas être celui qui l'intéressait le plus. C'était pourtant, un gros recueil de réflexions, composées par un Bramine. Soit qu'elle crût avoir assez de celles qu'elle faisait elle-même, ou que celles-là ne portassent pas sur des objets qui lui plussent, elle ne daigna pas en lire deux, et quitta bientôt ce livre, pour prendre celui qu'elle avait tiré de l'armoire secrète, et qui était un Roman dont les situations étaient tendres, et les images vives. Cette lecture me paraissait si peu devoir être celle de Fatmé, que je ne pouvais revenir de ma surprise. Sans doute, dis-je, en moi-même, elle veut s'éprouver, et savoir jusques à quel point son Ame est affermie contre toutes les idées qui peuvent porter le trouble dans celles des autres.

Sans deviner alors, le motif qui la faisait agir d'une façon si contraire aux principes que je lui croyais, je ne lui en supposai qu'un bon. Il me parut cependant que ce livre l'animait, ses yeux devinrent plus vifs, elle le quitta, moins pour perdre les idées qu'il lui donnait, que pour s'y abandonner avec plus de volupté. Revenue enfin de la rêverie dans laquelle il l'avait plongée, elle allait le reprendre, lorsqu'elle entendit un bruit qui le lui fit cacher. Elle s'arma à tout événement [14], de l'ouvrage du Bramine ; sans doute elle le croyait meilleur à montrer qu'à lire.

Un homme entra, mais d'un air si respectueux, que malgré la noblesse de sa physionomie, et la richesse de ses vêtements, je le pris d'abord pour un des Esclaves de Fatmé. Elle le reçu avec tant d'aigreur ! lui parla si durement ! parut si choquée de sa présence ! si ennuyée de ses discours ! que je commençai à croire que cet homme si maltraité, ne pouvait être que son mari. Je ne me trompais pas. Elle rejeta longtemps, et avec aigreur, les instantes prières qu'il lui fit de le laisser auprès d'elle, et n'y consentit enfin que pour

l'accabler de l'importun détail des fautes qu'elle prétendait qu'il commettait sans cesse. Ce mari le plus
malheureux de tous les époux d'Agra, reçut cette
impatientante correction, avec une douceur dont je
m'indignais pour lui. L'opinion qu'il avait de la vertu
de Fatmé, n'était pas la seule chose qui le rendît si
docile ; Fatmé était belle, et quoiqu'elle parût se soucier peu d'inspirer des désirs, elle en inspirait pourtant. Quelque peu aimable qu'elle voulût paraître aux
yeux de son mari, elle éveilla sa tendresse. L'amant le
plus timide, et qui parlerait amour pour la première
fois à la femme du monde qu'il craindrait le plus,
serait mille fois moins embarrassé que ce mari ne le fut
pour dire à sa femme, l'impression qu'elle faisait sur
lui. Il la pressa tendrement, et respectueusement de
répondre à son ardeur, elle s'en défendit longtemps de
mauvaise grâce, et céda enfin comme elle s'était
défendue.

Avec quelque opiniâtreté qu'elle lui refusât tout ce
qui aurait pu lui faire penser qu'elle n'avait pas, pour
ce qu'il exigeait d'elle, la plus forte répugnance, je crus
m'apercevoir qu'elle était moins insensible qu'elle ne
voulait le paraître. Ses yeux s'animèrent, elle prit un
air plus attentif, elle soupira, et quoique avec nonchalance, elle devint moins oisive. Ce n'était cependant pas son mari qu'elle aimait. Je ne sais quelles
étaient alors les idées de Fatmé ; mais, soit que la
reconnaissance la rendît plus douce, soit qu'elle voulût
engager son mari à de nouvelles attentions, des propos
assez tendres, quoique graves, et mesurés, succédèrent
à ce ton dur, et grondeur, dont elle s'était armée en le
voyant. Il est apparent qu'il n'en découvrait pas le
motif, ou qu'il n'en était pas touché, et il ne l'est pas
moins que sa froideur, ou sa distraction déplurent à
Fatmé. Insensiblement elle engagea une querelle, elle
vit dans un instant à son mari les vices les plus odieux.
Quelles horribles mœurs n'avait-il pas ? Quelle
débauche ! Quelle dissipation ! Quelle vie ! Elle l'accabla enfin de tant d'injures, que malgré toute sa
patience, il fut obligé de la quitter. Fatmé se fâcha de

son départ, le trouble de ses yeux, moins obscur pour moi qu'il ne l'avait été pour ce mari, m'apprit que ce n'était point par son absence qu'elle aurait voulu être calmée, avant même que quelques mots assez singuliers qu'elle prononça, quand elle se vit seule, m'eussent absolument mis au fait de ce qu'elle pensait là-dessus.

Que cette femme, l'exemple et la terreur de toutes celles d'Agra, qu'elles haïssaient toutes, et que toutes voulaient cependant imiter, devant qui, la moins contrainte sur ses passions, se croyait obligée au moins d'être hypocrite, que cette femme aurait rassuré de gens, s'ils avaient pu comme moi, la voir dans la solitude, et la liberté du cabinet !

Oui-da ! dit le Sultan, est-ce que c'était une femme qui dans le fond... comme il y en a qui font semblant... C'est que cela arrive, au moins ? Il ne faut pas du tout croire que ce soit une chose si peu ordinaire que celle que je veux dire. Vous m'entendez bien, je pense ?

A la façon dont Sa Majesté s'explique, reprit Amanzéi, il n'est pas bien difficile de deviner ce qu'elle désire, et sans vouloir me vanter de trop de finesse, j'ose croire que je l'ai pénétrée.

Oui ! dit le Sultan, en riant, eh bien ! voyons un peu, qu'est-ce que je pensais ?

Que Fatmé n'était rien moins que ce qu'elle voulait paraître, répondit Amanzéi. C'est cela, ou je meure, interrompit le Sultan, continuez, vous avez réellement bien de l'esprit.

Fatmé, en apparence, fuyait les plaisirs, continua Amanzéi, et ce n'était que pour s'y livrer avec plus de sûreté. Elle n'était pas du nombre de ces femmes imprudentes, qui ayant donné leur jeunesse à l'éclat, à la dissipation, aux jeunes gens que le caprice met à la mode, quittent dans un âge plus avancé, le fard et la parure, et après avoir été longtemps la honte, et le mépris de leur siècle, veulent en devenir l'exemple, et l'ornement ; plus méprisables en affectant des vertus qu'elles n'ont pas, qu'elles ne l'étaient par l'audace avec laquelle elles affichaient leurs vices. Non, Fatmé

avait été plus prudente. Assez heureuse pour être née
avec cette fausseté qu'inspirent aux femmes, la nécessité de se déguiser, et le désir de se faire estimer, (désir
qui n'est pas toujours le premier qu'elles conçoivent)
elle avait senti de bonne heure qu'il est impossible de
se dérober aux plaisirs, sans vivre dans les plus cruels
ennuis, et qu'une femme ne peut cependant s'y livrer
ouvertement, sans s'exposer à une honte, et à des
dangers qui les rendent toujours amers. Dévouée à
l'imposture dès sa plus tendre jeunesse, elle avait
moins songé à corriger les penchants vicieux de son
cœur, qu'à les voiler sous l'apparence de la plus austère vertu. Son âme, naturellement... Dirai-je voluptueuse ? Non ; ce n'était pas le caractère de Fatmé :
son âme était portée aux plaisirs, peu délicate, mais
sensuelle, elle se livrait au vice, et ne connaissait point
l'amour. Elle n'avait pas encore vingt ans, il y en avait
cinq qu'elle était mariée, et plus de huit qu'elle avait
prévenu le mariage. Ce qui séduit ordinairement les
femmes, ne prenait rien sur elle ; une figure aimable,
beaucoup d'esprit, lui inspiraient peut-être des désirs,
mais elle n'y cédait pas. Les objets de ses passions
étaient choisis parmi les gens non suspects, engagés
par leur genre de vie à taire leurs plaisirs, ou entre
ceux que la bassesse de leur état dérobe aux soupçons
du Public, que la libéralité séduit, que la crainte retient
dans le silence, et qui dévoués en apparence aux plus
vils emplois, quelquefois n'en paraissent pas moins
propres aux plus doux mystères de l'amour. Fatmé, au
reste, méchante, colère, orgueilleuse, s'abandonnait
sans danger à son caractère ; il n'y avait même pas un
défaut qu'elle n'eût fait servir avec succès à sa réputation. Haute, impérieuse, dure, cruelle, sans égards,
sans foi, sans amitié, le zèle pour Brama, le chagrin
que lui causait le dérèglement des autres, le désir de les
ramener à eux-mêmes, couvraient, et honoraient ses
vices. C'était toujours à si bonne fin, qu'elle nuisait !
Elle était si saintement vindicative ! Son âme était si
pure ! Quel moyen de soupçonner un cœur si droit, si
sincère, d'être conduit dans ses haines, par quelque
motif qui lui pût être personnel [15] ?

CHAPITRE III

Qui contient des faits peu vraisemblables.

Après le départ de son mari, Fatmé allait reprendre sa lecture, lorsqu'un vieux Bramine, suivi de deux vieilles femmes, dont il se disait le consolateur, et dont il était le tyran, entra. Fatmé se leva, et les reçut d'un air si modeste, si recueilli, qu'il était impossible de n'y pas être trompé. Il fallut même que le vieux Bramine l'empêchât de se prosterner devant lui, mais ce fut d'un air d'orgueil qui me peignit si bien le cas qu'il faisait de lui-même ; il paraissait si content de ce qu'elle faisait pour lui, si persuadé même qu'il méritait encore plus, qu'il me fut impossible de ne pas rire en moi-même de la sotte vanité de ce ridicule personnage.

Il était bien difficile qu'entre des personnes d'un si rare mérite, la conversation ne fût pas aux dépens d'autrui [16]. Ce n'est point que les gens qui vivent dans la dissipation, ne médisent souvent ; mais plus occupés des ridicules que des vices, la médisance n'est pour eux qu'un amusement, et ils ne sont point assez parfaits pour s'en faire un devoir. Ils nuisent quelquefois, mais ils n'ont pas toujours l'intention de nuire, ou du moins, leur légèreté, et le goût des plaisirs ne leur permettent ni de la conserver longtemps, ni de songer à la mettre à profit. Cette façon aigre, et pesante de parler mal des autres, et qu'on trouve si nécessaire pour les corriger, qui sans cette vue même, paraîtrait si condamnable, leur est inconnue ; ils... Aurez-vous bientôt fait, inter-rompit le Sultan en colère ? Ne voilà-t-il pas vos chiennes de réflexions qui reviennent encore sur le tapis ? Mais, Sire, répondit Amanzéi, il y a des occasions où elles sont indispensables. Et moi, je prétends, répliqua le Sultan, que cela n'est pas vrai ; et quand cela serait... En un mot, puisque c'est à moi qu'on fait des contes, j'entends qu'on les fasse à ma fantaisie. Divertissez-moi, et trêve, s'il vous plaît, de toutes ces morales qui ne finissent point, et me donnent la migraine. Vous aimez à faire le beau parleur, mais, parbleu, j'y mettrai bon ordre, et je jure foi de Sultan, que je tuerai le premier qui osera me faire une réflexion. Nous verrons à présent comment vous vous en tirerez.

En me préservant des réflexions, répondit Amanzéi, puisqu'elles n'ont pas le bonheur de plaire à Votre Majesté. Fort bien, cela, dit le Sultan, allez.

Jamais on n'est sensible au plaisir de dire du mal des autres, qu'on ne le soit aussi à celui de parler bien de soi-même [17]. Fatmé, et les personnes qui étaient chez elle, avaient trop de raisons de s'estimer beaucoup, pour ne pas mépriser tous ceux qui ne leur ressemblaient pas. En attendant qu'on apprêtât ce qui leur était nécessaire pour jouer [18], elles commencèrent une conversation qui ne démentit point leur caractère. Le vieux Bramine cependant, dit du bien d'une femme que Fatmé connaissait, et l'éloge lui déplut. Entre toutes les choses contre lesquelles elle se déchaînait, l'amour était ce qui lui paraissait le plus digne de blâme. Qu'une femme aimât, eût-elle d'ailleurs les qualités les plus estimables, rien ne pouvait la sauver de la haine de Fatmé, mais qu'elle eût les vices les plus déshonorants et les plus odieux, et qu'on pût ne pas nommer son amant, c'était pour elle une personne respectable, et dont on ne pouvait assez révérer la vertu.

La femme que le Bramine louait, était malheureusement pour elle, dans le cas où l'on méritait l'indignation de Fatmé. Une femme perdue, dit-elle, d'un ton aigre, peut-elle mériter vos éloges ? Le Bramine se défendit sur ce qu'il ignorait qu'elle eût des mœurs si condamnables, et Fatmé l'instruisit charitablement des raisons qui la lui faisaient mépriser.

Je ne doute pas, Fatmé, lui dit alors une des femmes qui étaient chez elle, que généreuse, et portée au bien comme vous l'êtes, vous ne soyez infiniment sensible à ce que je vais vous apprendre. Nahami, cette Nahami dont nous avons ensemble tant déploré la perte, Nahami lassée de ses erreurs, vient tout d'un coup de quitter le monde, elle ne met plus de rouge. Hélas ! s'écria Fatmé, qu'elle est louable, si ce retour est sincère ! mais, Madame, vous êtes bonne, et les personnes de votre caractère sont facilement trompées ; je le sens par moi-même, quand on est né avec cette droiture de cœur, cette candeur que vous avez, on n'imagine pas que quelqu'un soit assez malheureux pour ne les avoir point. Après tout, c'est un beau défaut que de juger trop bien des autres. Mais, pour revenir à Nahami, je ne saurais m'empêcher de craindre que dans le fond de l'âme, tout entière au monde, elle n'en ait pas abjuré sincèrement les erreurs. On quitte le rouge plus aisément que ses vices, et souvent on prend un air plus réservé, plus modeste, moins pour commencer à entrer dans la vertu, que pour imposer au monde, sur des dérèglements auxquels on est encore attaché.

Mon cher ami, dit Schah-Baham, en bâillant, cette conversation m'est mortelle ; pour l'amour de moi, ne l'achevez pas. Ces gens-là m'excèdent à un point que je ne puis dire. En conscience, cela ne vous ennuie-t-il pas vous-même ? En grâce, faites qu'ils s'en aillent. Très volontiers, Sire, répondit Amanzéi. Après avoir poussé sur Nahami la conversation aussi loin qu'elle pût aller, on revint aux médisances générales, et j'appris, en moins d'un moment, toutes les aventures d'Agra. Ensuite on se loua, on se mit tristement au jeu, on le continua avec toute l'aigreur et toute l'avarice possibles, et l'on sortit.

J'étais sur les épines, dit le Sultan, vous venez de m'obliger considérablement. Me donnez-vous parole qu'ils ne rentreront pas, ces gens-là ? Oui, Sire, répondit Amanzéi. Eh bien ! reprit le Sultan, pour vous prouver que je sais récompenser les services qu'on me rend, je vous fais Émir ; d'ailleurs, c'est que vous brodez bien, vous travaillez avec ardeur, j'espère que vous sortirez bien de votre conte, enfin... Tout cela me fait plaisir ; et puis il faut encourager le mérite.

Le nouvel Émir, après avoir rendu grâces au Sultan, poursuivit ainsi : Malgré l'air affable de Fatmé, je crus m'apercevoir que la visite de ces trois personnes avait fait sur elle le même effet que sur Votre Majesté, et que si elle en eût été la maîtresse, elle aurait employé sa journée à d'autres amusements qu'à ceux qu'elles lui avaient procurés.

Aussitôt qu'elles furent sorties, Fatmé se mit à rêver profondément, mais sans tristesse ; ses yeux s'attendrirent, ils errèrent languissamment dans le cabinet, il semblait qu'elle désirât vivement quelque chose qu'elle n'avait pas, ou dont elle craignait de jouir. Enfin, elle appela.

A sa voix, un jeune Esclave d'une figure plus fraîche qu'agréable, se présenta. Fatmé le fixant avec des yeux où régnaient l'amour et le désir, parut cependant irrésolue, et craintive. Ferme la porte, Dahis, lui dit-elle enfin, viens, nous sommes seuls, tu peux sans danger te souvenir que je t'aime, et me prouver ta tendresse.

Dahis à cet ordre, quittant l'air respectueux d'un Esclave, prit celui d'un homme que l'on rend heureux. Il me parut peu délicat, peu tendre, mais vif, et ardent, dévoré de désirs, ne connaissant point l'art de les satisfaire par degrés [19], ignorant la galanterie, ne sentant point de certaines choses, ne détaillant rien, mais s'occupant essentiellement de tout. Ce n'était pas un amant, et pour Fatmé qui ne cherchait pas l'amusement, c'était quelque chose de plus nécessaire. Dahis louait grossièrement, mais le peu de finesse de ses éloges, ne déplaisait pas à Fatmé, qui, pourvu qu'on lui prouvât fortement qu'elle inspirait des désirs, croyait toujours être louée assez bien.

Fatmé se dédommagea avec Dahis, de la réserve avec laquelle elle s'était forcée avec son mari. Moins fidèle aux sévères lois de la décence, ses yeux brillèrent du feu le plus vif ; elle prodigua à Dahis les noms les plus tendres, et les plus ardentes caresses ; loin de lui rien dérober de tout ce qu'elle sentait, elle se livrait à tout son trouble. Plus tranquille, elle faisait remarquer à Dahis, toutes les beautés qu'elle lui abandonnait, et le forçait même à lui demander de nouvelles preuves de sa complaisance, et que de lui-même il n'aurait pas désirées.

Dahis, cependant paraissait peu touché ; ses yeux s'arrêtaient stupidement sur les objets que la facile Fatmé leur présentait, c'était machinalement qu'ils faisaient impression sur lui, son âme grossière ne sentait rien, le plaisir ne pénétrait même pas jusqu'à elle ; pourtant Fatmé était contente. Le silence de Dahis, et sa stupidité ne choquaient point son amour-propre, et elle avait de trop bonnes raisons, pour croire qu'il était sensible à ses charmes, pour ne pas préférer son air indifférent aux éloges les plus outrés, et aux plus fougueux transports d'un Petit-Maître [20].

Fatmé, en s'abandonnant aux désirs de Dahis, annonçait assez qu'elle avait aussi peu de délicatesse que de vertu, et n'exigeait pas de lui, cette vivacité dans les transports, ces tendres riens que la finesse de l'âme, et la politesse des manières rendent supérieurs aux plaisirs, ou qui, pour mieux dire, les sont eux-mêmes.

Dahis sortit enfin après avoir bâillé plus d'une fois. Il était du nombre de ces personnes malheureuses, qui ne pensant jamais rien, n'ont jamais aussi rien à dire, et qui sont meilleures à occuper qu'à entendre.

Quelque idée que les amusements de Fatmé m'eussent donnée d'elle, j'avouerai qu'après la retraite de Dahis, je crus que ne lui restant plus rien sur quoi elle pût méditer dans ce cabinet, elle en sortirait bientôt, je me trompais : c'était sur ce genre de méditation, une femme infatigable. Il n'y avait pas longtemps qu'elle était toute aux réflexions dont Dahis lui avait fourni si ample matière, lorsqu'il lui arriva de quoi en faire de nouvelles.

Un Bramine sérieux, mais jeune, frais, et avec une de ces physionomies dont l'air composé, ne détruit pas la vivacité, entra dans le cabinet. Malgré son habit de Bramine, peu fait pour les grâces, il était aisé de remar-

quer qu'il était tourné de façon à donner des idées à
plus d'une prude ; aussi était-il le Bramine d'Agra, le
plus recherché, le plus consolant, et le plus employé. Il
parlait si bien ! disait-on, c'était avec tant de douceur
qu'il insinuait dans les âmes le goût de la vertu ! le
moyen sans lui de ne pas s'égarer ! Voilà ce qu'en
public on disait de lui ; on verra bientôt sur quoi en
particulier on lui devait des éloges, et si ceux qu'on lui
donnait le plus haut, étaient ceux qu'il méritait le
mieux.

Cet heureux Bramine s'approcha de Fatmé d'un air
doucereux et empesé, plus fade que galant. Ce n'était
pas qu'il ne cherchât des airs légers, mais il copiait mal
ceux qu'il prenait pour modèles, et le Bramine perçait
au travers du masque qu'il empruntait.

Reine des cœurs, dit-il à Fatmé, en minaudant, vous
êtes aujourd'hui plus belle que les Êtres heureux desti-
nés au service de Brama. Vous élevez mon âme à une
extase qui a quelque chose de céleste, et que je voudrais
bien vous voir partager. Fatmé, d'un air languissant, lui
répondit sur le même ton, et le Bramine n'en changeant
point, il s'établit entre eux une conversation fort tendre,
mais où l'amour parlait une langue bien étrangère, et en
apparence, bien peu faite pour lui. Sans leurs actions, je
doute que j'eusse jamais compris leurs discours.

Fatmé, qui naturellement faisait assez peu de cas de
l'éloquence, et qui, quoi qu'elle en dît, n'estimait pas
beaucoup celle du Bramine même, fut la première à
s'ennuyer du sentiment. Le Bramine à qui il ne plaisait
pas plus qu'à elle, le quitta bientôt aussi, et cette
conversation si fade, si doucereuse, finit comme celle
de Dahis avait commencé.

Il est vrai cependant que Fatmé, en faisant les mêmes
choses, était plus soigneuse des dehors. Elle voulait et
paraître délicate, et que le Bramine pût croire qu'elle ne
cédait qu'à l'amour.

Le Bramine, qui pour le caractère et la figure, res-
semblait assez à Dahis, ne lui fut inférieur en rien, et
mérita tous les compliments que lui prodiguait sans
cesse la complaisante Fatmé. Après qu'ils eurent donné

à leur tendresse ce qu'elle avait exigé d'eux, ils tournèrent la vertu en ridicule, s'entretinrent ensemble du plaisir qu'il y a à tromper les autres, et se firent mutuellement des leçons d'hypocrisie. Ces deux odieuses personnes se séparèrent enfin, et Fatmé alla désespérer son mari, et faire parade de ses mortifications.

Pendant que je fus chez elle, je ne lui connus point d'autres façons d'amuser ses loisirs que celles que j'ai racontées à Votre toujours auguste Majesté.

Fatmé, toute prudente qu'elle était, s'oubliait quelquefois. Un jour que seule avec son Bramine, elle se livrait à ses transports, son mari que le hasard conduisit à la porte du cabinet, entendit des soupirs, et de certains termes qui l'étonnèrent. Les occupations publiques de Fatmé laissaient si peu imaginer ses amusements particuliers, que je doute que son mari devinât d'abord de qui partaient les soupirs, et les étranges paroles qui venaient de frapper ses oreilles.

Soit enfin qu'il crût reconnaître la voix de Fatmé, soit que la curiosité seule lui fît désirer de s'éclaircir de cette aventure, il voulut entrer dans le cabinet. Malheureusement pour Fatmé, la porte n'était pas bien fermée, et il l'enfonça d'un seul coup.

Le spectacle qui frappa ses yeux, le surprit au point que sa fureur demeura suspendue, il sembla pendant quelques instants, douter de ce qu'il voyait, et ne savait à quoi se déterminer. Perfides ! s'écria-t-il enfin, recevez le châtiment dû à vos vices, et à votre hypocrisie.

A ces mots, sans écouter ni Fatmé, ni le Bramine, qui s'étaient précipités à ses pieds, il les fit expirer sous ses coups. Quelque affreux que fût ce spectacle, il ne me toucha pas. Ils avaient tous deux trop mérité la mort, pour qu'ils pussent être plaints, et je fus charmé qu'une aussi terrible catastrophe apprît à tout Agra, ce qu'avaient été deux personnes qu'on y avait si longtemps regardées comme des modèles de vertu.

CHAPITRE IV

Où l'on verra des choses
qu'il se pourrait bien qu'on n'eût pas prévues.

Après la mort de Fatmé, mon âme prit son essor, et vola dans un Palais voisin, où tout me parut à peu près réglé comme dans celui que j'abandonnais. Dans le fond pourtant, on y pensait d'une façon bien différente.

Ce n'était pas que la Dame qui l'habitait, entrât dans cet âge où les femmes un peu sensées, quand elles ne condamneraient pas la galanterie comme un vice, la regardent au moins comme un ridicule. Elle était jeune et belle, et l'on ne pouvait pas dire qu'elle n'aimait la vertu, que parce qu'elle n'était point faite pour l'amour. A son air simple et modeste, au soin qu'elle prenait de faire de bonnes actions, et de les cacher, à la paix qui semblait régner dans son cœur, on devait croire qu'elle était née ce qu'elle paraissait. Sage sans contrainte et sans vanité, elle ne se faisait ni une peine, ni un mérite de suivre ses devoirs. Jamais je ne la vis un moment, ni triste, ni grondeuse ; sa vertu était douce et paisible, elle ne s'en faisait pas un droit de tourmenter, ni de mépriser les autres, et elle était sur cet article, beaucoup plus réservée que ne le sont ces femmes qui ayant tout à se reprocher, ne trouvent cependant personne exempt de reproche. Son esprit était naturellement gai, et elle ne cherchait pas à en diminuer l'enjouement. Elle ne croyait pas sans doute, comme beaucoup d'autres, qu'on n'est jamais plus respectable que lorsqu'on est fort ennuyeux. Elle ne médisait point, et n'en savait pas moins amuser. Persuadée qu'elle avait autant de faiblesses que les autres, elle savait pardonner à celles qu'elle leur découvrait. Rien ne lui paraissait vicieux ou criminel que ce qui l'est effectivement. Elle ne se défendait pas les choses permises, pour ne se permettre, comme Fatmé, que celles qui sont défendues. Sa maison était sans faste, mais tenue noblement. Tous les honnêtes gens d'Agra se faisaient honneur d'y être admis, tous voulaient connaître une femme d'un aussi rare caractère, tous la respectaient, et malgré ma perversité naturelle, je me vis enfin forcé de penser comme eux.

J'étais, lorsque j'entrai chez cette Dame, si rempli encore de la fausseté de Fatmé, que je ne doutai pas d'abord qu'elle ne fît les mêmes choses, et je confondis au premier coup d'œil, la femme vertueuse avec l'hypocrite. Jamais je ne voyais entrer un Esclave, ou un Bramine, sans croire qu'on me mettrait de la conversation, et je fus longtemps étonné d'y être toujours compté pour rien.

L'oisiveté à laquelle on me condamnait dans cette maison, m'ennuya enfin, et persuadé que ce serait en vain que j'attendrais qu'on m'y donnât matière à observations, je quittai le sopha de cette Dame, charmé d'être convaincu par moi-même qu'il y avait des femmes vertueuses, mais désirant assez peu d'en retrouver de pareilles.

Mon âme, pour varier les spectacles que son état actuel pouvait lui procurer, ne voulut pas, en quittant ce Palais, rentrer dans un autre, et s'abattit dans une assez vilaine maison, obscure, petite, et telle que je doutai d'abord s'il y aurait de quoi m'y donner retraite. Je pénétrai dans une chambre triste, meublée au-dessous du médiocre, et dans laquelle pourtant je fus assez heureux pour rencontrer un sopha, qui, terni, délabré, témoignait assez que c'était à ses dépens qu'on avait acquis les autres meubles qui l'accompagnaient. Ce fut avant que je susse chez qui j'étais, la première idée qui me vint, et quand je l'appris, je ne changeai pas d'opinion.

Cette chambre, en effet, servait de retraite à une fille
assez jolie, et qui par sa naissance, et par elle-même,
étant ce qu'on appelle mauvaise compagnie, voyait
cependant, quelquefois, les gens qui, dit-on,
composent la bonne. C'était une jeune danseuse, qui
venait d'être reçue parmi celles de l'Empereur, et dont
la fortune, et la réputation, n'étaient pas encore faites,
quoiqu'elle connût particulièrement, presque tous les
jeunes Seigneurs d'Agra, qu'elle les comblât de ses
bontés, et qu'ils l'assurassent de leur protection. Je
doute même, quelque chose qu'ils lui promissent, que
sans un Intendant des domaines de l'Empereur qui
prit du goût pour elle, la fortune eût si tôt changé de
face.

Abdalathif, c'est le nom de cet Intendant, par sa
naissance, et par son mérite personnel, ne faisait pas
une conquête brillante. Il était naturellement rustre, et
brutal, et depuis sa fortune, il avait joint l'insolence à
ses autres défauts. Ce n'était pas qu'il ne voulût être
poli, mais persuadé qu'un homme comme lui, honore
quelqu'un quand il lui marque des égards, il avait pris
cette politesse froide, et sèche des gens d'un certain
rang, qu'en eux on veut bien appeler dignité, mais qui
dans Abdalathif, était le comble de la sottise, et de
l'impertinence. Né dans l'obscurité la plus profonde,
non seulement il l'avait oublié, mais même, il n'y avait
rien qu'il ne fît pour se donner une origine illustre [21] ;
il couronnait ses travers en jouant perpétuellement le
Seigneur ; vain, et insolent, sa familiarité outrageait
autant que sa hauteur ; ignoble [22], et sans goût dans sa
magnificence, elle n'était en lui qu'un ridicule de plus.
Avec peu d'esprit, et moins encore d'éducation, il n'y
avait rien à quoi il ne crût se connaître, et dont il ne
voulût décider. Tel qu'il était cependant, on le ménageait, non qu'il pût nuire, mais il savait obliger. Les
plus grands d'Agra étaient assidûment ses complai-
sants, et ses flatteurs, et leurs femmes même étaient
sur le pied de lui pardonner des impertinences qu'avec
elles il poussait à l'excès, ou de ne rien refuser à ses
désirs. Quelque couru qu'il fût dans Agra, il était

quelquefois bien aise de se délasser des trop grands empressements des femmes de qualité, et de chercher des plaisirs, qui pour être moins brillants, n'en étaient pas moins vifs, et (selon ce qu'il avait l'insolence de dire,) souvent guère plus dangereux.

Ce fut un soir en sortant de chez l'Empereur devant qui Amine avait dansé, que ce nouveau protecteur la ramena chez elle. Il promena dans son triste, et obscur logement, des regards orgueilleux, et distraits, puis, en daignant à peine lever les yeux sur elle, vous n'êtes pas bien ici, lui dit-il, il faut vous en tirer. C'est autant pour moi, que pour vous, que je veux que vous soyez plus convenablement logée. On se moquerait de moi, si une fille de qui je me mêle, n'était pas d'une façon à se faire respecter. Après ces paroles, il s'assit sur moi, et la tirant sur lui brusquement, il prit avec elle toutes les libertés qu'il voulut, mais comme il avait plus de libertinage, que de désirs, elles ne furent pas excessives.

Amine que j'avais vue haute, et capricieuse avec les Seigneurs qui allaient chez elle, loin de prendre avec Abdalathif, des airs familiers, le traitait avec un extrême respect, et n'osait même le regarder que quand il paraissait désirer qu'elle le fît. Vous me plaisez assez, lui dit-il enfin, mais je veux qu'on soit sage. Point de jeunes gens, des mœurs, une conduite réglée ; sans tout cela, nous ne serions pas longtemps bons amis. Adieu, petite, ajouta-t-il en se levant, demain, vous entendrez parler de moi : vous n'êtes point meublée de façon qu'on puisse aujourd'hui souper avec vous, j'y vais pourvoir, bonjour.

En achevant ces mots, il sortit, Amine le reconduisit respectueusement, et revint sur moi, se livrer à toute la joie que lui causait sa bonne fortune, et compter avec sa Mère, les diamants, et les autres richesses qu'elle attendait le lendemain de la générosité d'Abdalathif.

Cette Mère qui, quoique femme d'honneur, était la plus complaisante des Mères, exhortait sa fille à se conduire sagement dans le bonheur qu'il plaisait à Brama de lui envoyer, et comparant l'état où elles étaient, à celui dans lequel elles allaient se trouver, faisait mille réflexions sur la providence des Dieux qui n'abandonne jamais, ceux qui la méritent.

Elle fit après cela, une longue énumération des Seigneurs qui avaient été amis de sa fille. Combien peu leur amitié vous a-t-elle été utile ! mon enfant, lui disait elle ; aussi, c'est bien votre faute. Je vous l'ai dit mille fois, vous êtes née trop douce. Ou, vous vous donnez par pure indolence, ce qui est un grand vice, ou, ce qui ne vaut pas mieux, et vous a donné de grands ridicules, vous vous prenez de fantaisie. Je ne dis pas qu'on ne se satisfasse quelquefois, à Dieu ne plaise ! mais il ne faut pas tellement se sacrifier à ses plaisirs, qu'on en néglige sa fortune ; il faut surtout éviter qu'on ne puisse dire qu'une fille comme vous, peut se livrer quelquefois à l'amour, et malheureusement vous avez donné là-dessus matière à bien des propos. Enfin, vous êtes encore bien jeune, et j'espère que cela ne vous fera pas grand tort. Rien ne perd tant les personnes de votre condition que ces étourderies que j'ai entendu nommer, des complaisances gratuites. Quand on sait qu'une fille est dans la malheureuse habitude de se donner quelquefois pour rien, tout le monde croit être fait pour l'avoir au même prix, ou du moins, à bon marché. Voyez Roxane, Atalis, Elzire, elles n'ont pas une faiblesse à se reprocher, aussi Brama a béni leur conduite. Moins jolies que vous, voyez comme elles sont riches ! profitez bien de leur exemple, ce sont des filles bien raisonnables !

Hé oui ! ma Mère, oui, répondit Amine, que cette exhortation impatientait, j'y songerai ; mais me conseilleriez-vous pourtant de n'être qu'au monstre que j'ai actuellement ? cela est impossible, je vous en avertis.

Vraiment non, reprit la Mère, à l'égard de son cœur, on n'en est pas la maîtresse, je dis simplement qu'il faut que vous renonciez aux Seigneurs de la Cour, à moins que vous ne les voyiez *incognito*, et qu'ils n'aient pour vous de meilleures façons, qu'ils n'en ont eues jusques ici. Si vous voulez je leur parlerai, moi. Vous avez Massoud que vous aimez, c'est un bon choix, il n'est connu de personne, il se prête à tout, vous le faites passer pour votre parent, on le prend pour cela, il n'y a rien à dire. Ce Monsieur qui vous veut du bien, s'y trompera comme les autres, en vous conduisant avec prudence, il ne se doutera de rien, et... Croyez-vous, ma Mère, interrompit Amine, qu'il me donne des diamants ? Ah ! oui, il m'en donnera. Ce n'est pas, ajoutait-elle, que j'aie de la vanité, mais quand on tient un certain rang, on est bien aise d'être comme tout le monde. Là-dessus elle se mit à compter toutes les filles qui seraient désespérées, et des diamants, et des belles robes qu'elle aurait. Idée qui la flattait plus que sa fortune même.

Le lendemain d'assez bonne heure, un char vint la prendre, et mon Ame curieuse de voir l'usage qu'Amine ferait des conseils de sa Mère, la suivit. On la conduisit dans une jolie maison toute meublée, qu'Abdalathif avait dans une rue détournée. Je me plaçai en y arrivant dans un Sopha superbe que l'on avait mis dans un cabinet extrêmement orné. Jamais je n'ai vu personne dans une aussi sotte admiration, que celle qu'Amine témoignait pour tout ce qui s'y offrait à ses yeux. Après avoir curieusement examiné tout, elle vint se mettre à sa toilette. Les vases précieux dont elle la vit couverte, un écrin rempli de diamants, des Esclaves bien vêtus, qui d'un air respectueux s'empressaient à la servir, des Marchands, et des Ouvriers qui attendaient ses ordres, tout la transportait, et augmentait son ivresse.

Quand elle en fut un peu revenue, elle songea au rôle qu'elle devait jouer devant tant de spectateurs. Elle parla à ses Esclaves avec hauteur, aux Marchands, et aux Ouvriers avec impertinence, choisit ce qu'elle voulut, ordonna que tout ce qu'elle commandait, fût prêt pour le lendemain au plus tard, se remit à sa toilette, y resta longtemps, et en attendant les magnificences qui lui étaient destinées, se revêtit d'un déshabillé superbe qui avait été fait pour une Princesse d'Agra, et qu'elle trouva à peine, assez beau pour elle.

Elle passa la plus grande partie de la journée à s'occuper de tout ce qu'elle voyait, et à attendre Abda-lathif. Vers le soir enfin, il parut. Hé bien, petite, lui dit-il, comment vous trouvez-vous de tout ceci ? Amine se précipita à ses pieds, et dans les termes les plus ignobles, le remercia de tout ce qu'il faisait pour elle.

J'étais étonné, moi, qui jusques alors, avais été en bonne compagnie, de tout ce qui frappait mes oreilles. Ce n'était pas que je n'eusse jamais entendu de sottises, mais du moins, elles étaient élégantes, et de ce ton noble avec lequel, il semble presque qu'on n'en dit pas.

CHAPITRE V

Meilleur à passer qu'à lire.

Avant que de s'engager dans une plus longue conversation, Abdalathif tira de sa poche, une longue bourse pleine d'or, qu'il jeta sur une table, d'un air négligent. Serrez ceci [23], lui dit-il, vous en aurez peu de besoin. Je me charge de toute la dépense de votre maison, et de celle de votre personne. Je vous ai envoyé un Cuisinier, c'est après le mien, le meilleur d'Agra. Je compte souper souvent ici. Nous n'y serons pas toujours seuls, des Seigneurs de mes amis, avec quelques beaux esprits à qui je prête de l'argent, y viendront quelquefois. On y joindra de vos Compagnes, des plus jolies, s'entend, cela fera des soupers gais, je les aime.

A ces mots, il la conduisit dans le petit cabinet où j'étais, et la Mère d'Amine, cette femme respectable, qui jusque-là, avait été présente à la conversation, se retira, et ferma la porte.

Ce n'est pas d'une pareille conversation, dit Amanzéi en s'interrompant, que je rendrai un compte exact à votre Majesté ; Amine y parut tout à fait tendre, et vive jusqu'au transport. Abdalathif avait pris soin de lui dire auparavant, que les femmes réservées dans leurs discours, lui déplaisaient, et avec l'envie qu'Amine avait de lui plaire, son éducation, et les habitudes qu'elle avait contractées, votre Majesté imagine sans peine, qu'il se tint des propos qu'il serait difficile de lui rendre, et qui d'ailleurs ne la flatteraient pas.

Pourquoi cela, demanda le Sultan, peut-être, les

trouverais-je fort bons ? Voyons un peu ? Voyez, dit la
Sultane en se levant, mais comme je suis sûre qu'ils ne
m'amuseraient pas, vous trouverez bon que je sorte.

Voyez-vous cela ! s'écria le Sultan, la belle modestie !
Vous croyez peut-être que j'en suis la dupe, détrom-
pez-vous. Je connais les femmes à présent, et je me
souviens d'ailleurs, qu'un homme qui les connaissait
aussi bien que moi, ou à peu près, m'a dit que les
femmes ne font rien avec tant de plaisir que ce qui leur
est défendu, et qu'elles n'aiment que les discours qu'il
semble qu'elles ne doivent pas entendre ; par
conséquent, si vous sortez, ce n'est pas que vous ayez
envie de sortir. Mais n'importe, Amanzéi me dira à
mon coucher, ce que vous ne voulez pas qu'il me dise à
présent. Cela fera précisément que je n'y perdrai rien,
n'est-il pas vrai ? Amanzéi n'avait garde de ne pas
convenir que le Sultan avait raison, et après avoir exagéré la prudence de sa conduite, il continua ainsi.

Après l'entretien d'Abdalathif, et d'Amine, qui fut
plus long qu'intéressant, on servit. Comme je n'étais
pas dans la salle à manger, je ne puis, Sire, vous rendre
compte de ce qu'ils y dirent. Ils revinrent longtemps
après. Quoiqu'ils eussent soupé tête à tête, il me parut
qu'ils n'en avaient pas été plus sobres. Après quelques
fort mauvais discours, Abdalathif s'endormit sur le sein
de sa Dame [24].

Amine, toute complaisante qu'elle était, trouva mauvais d'abord qu'Abdalathif prît avec elle de si grandes
libertés. Sa vanité souffrait aussi du peu de cas qu'il
paraissait faire d'elle. Les éloges qu'il lui avait donnés
sur la façon dont elle avait soutenu l'entretien qu'elle
avait eu avec lui, l'avaient enorgueillie, et lui faisaient
croire qu'elle méritait qu'il prît la peine de l'entretenir
encore. Malgré les attentions qu'elle devait à Abdalathif, elle s'ennuya de la contrainte où il la retenait, et
elle en aurait étourdiment marqué son chagrin, si
Abdalathif ouvrant pesamment les yeux, ne lui eût
demandé d'un ton brusque, l'heure qu'il était. Il se leva
sans attendre sa réponse. Adieu, lui dit-il en la caressant
brutalement, je vous ferai dire demain si je puis souper

ici. A ces mots il voulut sortir. Quelque envie qu'eût Amine qu'il la laissât libre, elle crut devoir le retenir ; quoiqu'elle poussât la fausseté, jusqu'à pleurer de son départ, il fut inexorable, et se débarrassa des bras d'Amine, en lui disant qu'il voulait bien qu'elle l'aimât, mais qu'il ne prétendait pas être gêné.

D'abord qu'il fut sorti elle sonna, en l'honorant à demi-bas de toutes les épithètes qu'il méritait. Pendant qu'on la déshabillait, sa Mère vint lui parler bas. La nouvelle qu'elle donnait à Amine, lui fit hâter ses Esclaves, enfin elle ordonna qu'on la laissât seule. Peu de moments après que sa Mère, et ses Esclaves se furent retirés, la première rentra. Elle menait un Nègre, mal fait, horrible à voir, et qu'Amine n'eut pourtant pas plutôt aperçu, qu'elle vint l'embrasser avec emportement.

Amanzéi, dit le Sultan, si vous ôtiez ce Nègre-là de votre histoire, je pense qu'elle n'en serait pas plus mauvaise. Je ne vois pas ce qu'il y gâte, Sire, répondit Amanzéi. Je m'en vais vous le dire, moi, répliqua le Sultan, puisque vous n'avez pas l'esprit de le voir. La première femme de mon grand-Père Schah-Riar couchait avec tous les Nègres de son Palais. Ç'a été, grâces à Dieu, une chose assez notoire. En conséquence de ce, mon susdit grand-Père, non seulement fit étrangler celle-là, mais toutes les autres qu'il eut après, jusques à ma grand-Mère Schéhérazade qui lui en fit perdre l'habitude. Donc, je trouve fort peu respectueux que l'on vienne, après ce qui est arrivé dans ma famille, me parler de Nègres, comme si je n'y devais prendre aucun intérêt. Je vous passe celui-ci, puisqu'il est venu, mais qu'il n'en vienne plus, je vous prie. Amanzéi après avoir demandé pardon au Sultan de son étourderie, continua ainsi. Ah ! Massoud, dit Amine à son Amant, que j'ai souffert d'être deux jours sans te voir ! Que je hais le monstre qui m'obsède [25] ! Qu'on est malheureuse de se sacrifier à sa fortune !

Massoud, à tout cela, répondait assez peu de choses. Il lui dit cependant que quoiqu'il l'aimât avec toute la délicatesse possible, il n'était pas fâché qu'Abdalathif

eût pour elle, des attentions. Il l'exhorta ensuite à faire
tout ce qui serait convenable pour le ruiner, et se livrant
après à toute la fureur des caresses d'Amine, ils
commencèrent une sorte d'entretien dont la joie de
tromper Abdalathif, augmentait encore la vivacité.
Avant que de sortir du cabinet, elle paya fort généreusement Massoud, de l'extrême amour qu'il lui avait
témoigné.

Elle passa avec lui, la plus grande partie de la nuit, et
le renvoya enfin, lorsqu'elle vit paraître le jour, et la
Mère d'Amine, qui par une porte de son appartement
qui donnait dans celui de sa fille, l'avait introduit, le fit
sortir par la même voie.

Amine passa la matinée à essayer toutes les robes
qu'elle avait commandées, et à en ordonner d'autres.
Ce fut son amusement jusques à l'heure qui lui était
marquée pour aller danser chez l'Empereur. Elle en fut
ramenée par Abdalathif ; ils étaient suivis de quelques
jolies Compagnes d'Amine, de quelques jeunes
Omrahs [26], et de trois beaux esprits des plus renommés
d'Agra. Ils s'empressèrent à l'envi de louer la magnificence d'Abdalathif, son goût, son air noble, la délicatesse de son esprit, et la sûreté de ses lumières. Je ne
concevais pas comment des gens qui, par leur naissance, ou leurs talents, tenaient un rang distingué, pouvaient se pardonner la bassesse, et la fausseté de leurs
éloges. Ils n'oubliaient pas même de louer Amine, mais
à la vérité, c'était d'une façon qui devait lui faire sentir
qu'elle n'était que subalterne, et que sans ce qu'on
voulait bien devoir à Abdalathif, on aurait été avec elle
aussi familier que l'on cherchait à le paraître peu. Après
les louanges d'Abdalathif, chacun se dispersa dans le
salon avec qui il lui plut. La conversation était, selon
ceux qui parlaient, tantôt vive, tantôt plate, et en tout, il
me parut que l'on ménageait assez peu les Dames qui
devaient souper chez Amine, et qu'elles ne s'en offen-
saient guère.

On descendit enfin pour souper. Comme il n'y avait
pas de retraite pour mon Ame, dans le lieu où l'on
mangeait, je ne pus pas entendre les discours qui s'y

tinrent. A en juger par ceux qui précédèrent le souper,
et ceux qui le suivirent, on pouvait ne pas regretter de
n'être point à portée de les entendre.

Abdalathif noyé dans le vin, enivré des éloges que le
mérite qu'on avait découvert à son Cuisinier avait ren-
dus plus vifs, et plus nombreux, ne tarda point à
s'endormir. Un jeune homme qui avait intérêt qu'il
laissât bientôt Amine en état de disposer d'elle, osa bien
l'éveiller pour lui représenter qu'un homme comme lui,
chargé des plus grandes affaires, et nécessaire à l'État,
autant qu'il l'était, pouvait quelquefois permettre aux
plaisirs de le distraire, mais ne devait jamais s'y abandonner. Il prouva si bien enfin à Abdalathif combien il
était cher au Prince, et au Peuple, qu'il le convainquit
qu'il ne pouvait différer de s'aller coucher, sans que
l'État ne risquât d'y perdre son plus ferme appui.

Il sortit, et tout le monde avec lui. Quelques regards
que j'avais surpris entre Amine, et le jeune homme qui
venait de haranguer si bien Abdalathif, me firent croire
que je le reverrais bientôt. Elle se mit à sa toilette d'un
air nonchalant, et débarrassée de cet attirail superbe,
plus gênant encore pour les plaisirs, qu'il n'est satisfaisant pour l'amour-propre, elle ordonna qu'on la laissât seule.

La respectable Mère d'Amine, gagnée apparemment
par le récit que le jeune homme lui avait fait de ses
souffrances, (car je ne saurais croire qu'une Ame si
belle eût pu être sensible à l'intérêt) l'introduisit dis-
crètement dans l'appartement de sa fille, et ne se retira
qu'après qu'il lui eut donné parole positive, de ne faire
à Amine aucune proposition qui pût alarmer la pudeur
d'une fille aussi sage, et aussi modeste.

En vérité ! dit Amine au jeune homme, quand ils
furent seuls, il faut que je vous aime bien tendrement,
pour m'être déterminée à ce que je fais ! Car enfin, je
trompe un honnête homme, que je n'aime point à la
vérité, mais à qui pourtant, je devrais être fidèle. J'ai
tort, je le sens bien, mais l'amour est une terrible chose,
et ce qu'il me fait faire aujourd'hui, est bien éloigné de
mon caractère. Je vous en sais d'autant plus de gré,

répondit le jeune homme, en voulant l'embrasser. Oh !
pour cela, répliqua-t-elle en le repoussant, voilà ce que
je ne veux pas vous permettre : de la confiance, du
sentiment, du plaisir à vous voir, je vous en ai promis,
mais si j'allais plus loin, je trahirais mon devoir. Mais,
mon enfant, lui dit le jeune homme, deviens-tu folle ?
Qu'est-ce donc que le jargon dont tu te sers ? Je te crois
tout le sentiment du monde, assurément, mais à quoi
veux-tu qu'il nous serve ? Est-ce pour cela que je suis
venu ici ?

Vous vous êtes trompé, répondit-elle, si vous avez
attendu de moi quelque autre chose. Quoique je n'aime
point le Seigneur Abdalathif, j'ai fait vœu de lui être
fidèle, et rien ne peut m'y faire manquer. Ah ! petite
Reine, repartit le jeune homme en raillant, d'abord que
tu as fait un vœu, je n'ai rien à dire, cela est respectable ; et pour la rareté du fait, je te permets d'y demeurer fidèle. Hé ! dis-moi, en as-tu beaucoup fait de
pareils en ta vie ? Ne raillez pas, répondit Amine, je suis
fort scrupuleuse. Oh ! tu ne m'étonnes point, répliqua-
t-il, vous autres filles, tant soit peu publiques, vous vous
piquez toutes de scrupules, et vous en avez en général,
beaucoup plus que les femmes vertueuses. Mais à propos de ton vœu, tu aurais tout aussi bien fait de m'en
instruire tantôt, et de ne me pas faire prendre la peine
de venir passer la nuit ici. Cela est vrai, répondit-elle
d'un air embarrassé, mais vous m'avez fait des propositions si brillantes, que d'abord elles m'ont éblouie, je
l'avoue. Hé ! lui demanda-t-il, la réflexion te les a donc
gâtées ? tiens, poursuivit-il en tirant une bourse, voilà
ce que je t'ai promis, je suis homme de parole ; il y a
là-dedans, de quoi guérir tes scrupules, et te relever de
tous les vœux que tu as pu faire. Conviens-en du
moins. Que vous êtes badin ! répondit-elle en se saisis-
sant de la bourse, vous me connaissez bien peu ! Je
vous jure que sans l'inclination que je me sens pour
vous... Finissons cela, interrompit-il. Pour te prouver
combien je suis noble, je te dispense des remerciements, et même de cette prodigieuse inclination que tu
as pour moi : aussi bien dans le marché que nous avons

fait ensemble, ne m'a-t-elle servi à rien. Je te paie même aussi cher que si j'étais en premier, et tu sais bien que cela n'est pas dans les règles. Il me semble que si, répondit Amine, je fais une perfidie pour vous, et... Si je ne te payais, interrompit-il, qu'à raison de ce qu'elle te coûte, je te réponds que je t'aurais pour rien. Mais encore une fois finissons, quoique tu aies de l'esprit autant qu'on en puisse avoir, la conversation m'ennuie.

Quelque impatience qu'il marquât, il ne put empêcher qu'Amine qui était la prudence même, ne comptât l'argent qu'il venait de lui donner. Ce n'était pas, disait-elle, qu'elle se défiât de lui, mais il pouvait lui-même s'être trompé ; enfin elle ne se rendit à ses désirs, que quand elle fut sûre qu'il n'avait point commis d'erreur de calcul.

Lorsque le jour fut prêt à paraître, la Mère d'Amine revint, et dit au jeune homme qu'il était temps qu'il se retirât : il n'était pas tout à fait de cet avis, quoique Amine le priât de vouloir bien ménager sa réputation. Cette considération ne l'aurait sûrement pas ébranlé, et malgré ses prières, il serait resté, si Amine ne lui eût promis de lui accorder à l'avenir, autant de nuits qu'elle pourrait en dérober à Abdalathif.

Outre Abdalathif, Massoud, et ce jeune homme à qui quelquefois elle tenait parole, Amine qui avait reconnu l'utilité des conseils que sa Mère lui avait donnés, recevait indifféremment tous ceux qui la trouvaient assez belle pour la désirer, pourvu cependant qu'ils fussent assez riches, pour lui faire agréer leurs soupirs. Bonzes, Bramines, Imans, Militaires, Cadis [27], hommes de toutes nations, de tout genre, de tout âge, rien n'était rebuté. Il est vrai que comme elle avait des principes, et des scrupules, il en coûtait plus aux étrangers, à ceux surtout qu'elle regardait comme des infidèles, qu'à ses compatriotes, et à ceux qui suivaient la même loi qu'elle. Ce n'était qu'à prix d'argent qu'ils pouvaient vaincre ses répugnances, et après qu'elle s'était donnée, triompher de ses remords. Elle s'était même fait là-dessus des arrangements singuliers. Il y avait des cultes qu'elle avait plus en horreur que les autres, et je me souviendrai toujours qu'il en coûta plus à un Guèbre [28], pour obtenir d'elle des complaisances, qu'il n'en avait coûté en pareil cas, à dix Mahométans.

Soit qu'Abdalathif fût trop persuadé de son mérite, pour croire qu'Amine pût être infidèle, soit qu'aussi ridiculement, il comptât sur les serments qu'elle lui avait faits de n'être jamais qu'à lui, il fut longtemps avec elle, dans la plus parfaite sécurité, et sans un événement imprévu, quoiqu'il ne fût pas sans exemple, il est apparent qu'il y aurait toujours été plongé.

J'entends bien, dit alors le Sultan, quelqu'un lui dit qu'elle était infidèle. Non, Sire, répondit Amanzéi. Ah ! oui, reprit le Sultan, je vois à présent que c'était tout autre chose, cela se devine : lui-même, il la surprit. Point du tout, Sire, repartit Amanzéi, il aurait été trop heureux d'en être quitte à si bon marché. Je ne sais donc plus ce que c'était, dit Schah-Baham ; au fond ce ne sont pas mes affaires, et je n'ai pas besoin de me tourner la tête, pour deviner quelque chose qui ne m'intéresse pas.

CHAPITRE VI

Pas plus extraordinaire qu'amusant.

Le moment fatal où toutes les grandeurs, les diamants, les richesses qu'Amine possédait, allaient s'évanouir pour elle était venu. Du moins pour se consoler de leur perte, lui restait-il le souvenir d'un beau songe, et Abdalathif, supposé qu'il eût rêvé, ne l'avait pas fait aussi agréablement qu'elle.

Depuis quelques jours, j'avais remarqué qu'Amine était plus triste qu'à l'ordinaire, sa maison la nuit, était fermée, et le jour elle ne voyait qu'Abdalathif. On lui avait écrit beaucoup de lettres, et toutes l'avaient chagrinée. Je me perdais en réflexions pour deviner ce qu'elle pouvait avoir, et ne pouvant le pénétrer, je fus assez imbécile pour croire que les remords dont elle était agitée, causaient seuls, le chagrin qu'elle paraissait avoir.

Quoique la connaissance que j'avais de son caractère, dût m'interdire cette idée, la difficulté de pénétrer la cause de son inquiétude, me la fit former. Je ne fus pas longtemps à voir que je m'étais trompé sur tout ce que j'avais imaginé.

Amine, l'air embarrassé, pensif, sombre, était un matin à sa toilette. Abdalathif entra. Elle rougit à sa vue, elle n'était pas accoutumée à le voir le matin, et cette visite inopinée lui déplut. Confuse, et timide, à peine osa-t-elle lever les yeux sur lui. A la mine refrognée [29] d'Abdalathif, aux regards terribles que de temps en temps, il lançait sur elle, il n'était pas difficile de juger qu'il était tourmenté d'une idée fâcheuse à laquelle, vraisemblablement, elle avait donné lieu. Amine, sans doute, savait ce que c'était, car elle n'osa jamais le lui demander. Il garda quelque temps le silence. Vous êtes jolie ! lui dit-il enfin, avec une fureur ironique, vous êtes jolie ! Oui, très fidèle ! Oh ! parbleu, Ma Reine, parbleu ! On saura vous apprendre à être sage, et vous mettre en lieu où vous serez forcée de l'être, du moins, quelque temps.

Quel est donc ce discours, Monsieur ? lui répondit Amine d'un air de hauteur, est-ce à une personne comme moi, qu'il peut jamais s'adresser ? Mesurez un peu vos paroles, je vous prie.

L'insolence d'Amine, dans la situation présente, parut si singulière à Abdalathif que d'abord elle le confondit ; mais enfin la fureur prenant le dessus, il l'accabla de toutes les injures, et de tout le mépris qu'il croyait lui devoir. Amine voulut alors entrer en justification, mais Abdalathif qui sans doute avait des témoins convaincants de ce dont il l'accusait, lui ordonna brusquement de se taire.

Amine convint en ce moment qu'Abdalathif avait raison de se plaindre, mais il lui paraissait si peu possible que ce fût d'elle, qu'elle n'en revenait pas. Elle crut même, devoir à son tour, l'accabler de reproches sur ses infidélités, lui faire même des remontrances sur les mauvais choix qu'il faisait, toutes choses, qu'elle ne lui disait, ajouta-t-elle, que par l'extrême intérêt qu'elle osait prendre à ce qui le regardait.

Une impudence si soutenue impatienta enfin Abdalathif au point qu'il pensa s'échapper tout à fait. Amine, voyant qu'il n'était la dupe, ni de sa hauteur, ni de ses reproches, et craignant à la fureur où elle le voyait, que cette scène ne finît pour elle, de la façon la plus tragique, crut enfin qu'elle devait prendre le parti des larmes, et de la soumission. Ce fut en vain, rien ne calma Abdalathif : je ne vous dirai pas ce qu'il avait, mais jamais, je n'ai vu d'homme si fâché. De moment en moment, il entrait dans des accès de fureur, pendant lesquels il aurait, sans doute, tout brisé dans la maison, si tout ce qui y était, ne lui eût pas appartenu. Cette sage considération le retenait sur un fracas indécent qui l'aurait peut-être soulagé, et la violence qu'il se faisait pour se retenir sur cela, augmentait sa colère contre Amine. Ce dont il était le plus outré, c'était qu'on eût osé manquer d'une façon si cruelle, à ce qu'on devait à un homme comme lui. Cela seul lui paraissait inconcevable.

Après avoir dit toutes les impertinences que sa fureur, et sa fatuité, lui dictaient tour à tour, il s'empara généralement de tout ce qu'il avait donné à Amine. Elle s'était attendue à être quittée, et elle s'en consolait, en jetant de temps en temps les yeux sur les diamants, et les autres choses qu'elle croyait qui lui resteraient ; mais quand elle vit l'impitoyable Abdalathif, se mettre en devoir de tout reprendre, elle poussa les cris les plus perçants, et les plus douloureux. Sa Mère alors entra, se jeta mille fois aux pieds d'Abdalathif, et crut l'apaiser beaucoup en lui avouant que c'était un maudit Bonze qui était cause de tout ce qui arrivait.

Loin que ce qu'on disait du Bonze, parût attendrir Abdalathif, il sembla le déterminer à user de toute la rigueur possible. Hélas ! ajoutait tristement la Mère d'Amine, nous sommes bien punies de nous être fiées à un infidèle. Ma fille sait ce que j'en pensais, et que je lui ai toujours dit que cela ne pouvait que lui porter malheur.

Pendant ces lamentations, Abdalathif, ayant à la main un état de tout ce qu'il avait donné à Amine, se faisait tout restituer par ordre. Lorsque cela fut fait ; à l'égard de l'argent que je vous ai donné, dit-il à Amine d'un air grave, je vous le laisse ; il n'a pas tenu à moi, Petite Reine, que vous n'ayez été plus heureuse. Cette mortification-ci vous rendra sans doute plus prudente, je le désire sincèrement ; allez, ajouta-t-il, je n'ai plus besoin de vous ici. Rendez grâces au Ciel, de ce que je ne porte pas plus loin ma colère.

En achevant ces paroles, il ordonna à ses esclaves, de les faire sortir, n'étant pas plus ému des injures atroces qu'alors elles vomissaient contre lui, qu'il ne l'avait été des larmes qu'il leur avait vu répandre.

La curiosité de voir l'usage qu'Amine ferait de son humiliation, me fit résoudre, malgré le dégoût que ses mœurs me causaient, à la suivre dans ce réduit obscur d'où Abdalathif l'avait tirée, et où elle retourna cacher sa honte, et la douleur de n'avoir pas su le ruiner.

Ce fut dans ce triste lieu que je fus témoin de ses regrets, et des imprécations de sa vertueuse Mère. Les débris de leur fortune, qui étaient encore considérables, les consolèrent enfin de ce qu'elles avaient perdu.

Hé bien ! ma fille, disait un jour la Mère d'Amine, est-ce donc un si grand malheur que ce qui vous est arrivé ? Je conviens que ce monstre que vous aviez, était la libéralité même, mais est-il donc le seul à qui vous puissiez plaire ? D'ailleurs, quand vous n'en retrouve- riez pas un aussi riche, croiriez-vous pour cela être malheureuse ? Non, ma fille, où l'espèce manque, il faut se dédommager par le nombre. Si quatre ne suf- fisent pas pour le remplacer, prenez-en dix, plus même, s'il le faut. Vous me direz peut-être, que cela est sujet à des accidents, cela est vrai ; mais quand on ne se met au-dessus de rien, que l'on craint tout, on reste dans l'infortune, et dans l'obscurité.

Quelque envie qu'Amine eût de mettre à profit ces sages conseils, l'abandonnement où elle était, ne lui permit pas de s'en servir aussi tôt qu'elle l'aurait voulu. Son aventure avec Abdalathif, lui avait si bien donné dans Agra, la réputation d'une personne peu sûre dans le commerce, que, hors le fidèle Massoud de qui la tendresse était à l'épreuve de tout, je ne vis chez elle, pendant longtemps que quelques-unes de ses compagnes qui venaient la voir, plutôt sans doute, pour jouir de son malheur, que pour l'en consoler.

Le temps qui efface tout, effaça enfin la mauvaise opinion qu'on avait d'Amine. On la crut changée, on imagina que les réflexions qu'on lui avait laissé le temps de faire, l'auraient guérie de la fureur d'être infidèle. Les Amants revinrent. Un Seigneur Persan, qui arriva dans ce temps à Agra, et qui n'en savait que médiocre- ment les anecdotes, vit Amine, la trouva jolie, et s'en entêta d'autant plus, qu'un de ces hommes obligeants, qui ne s'occupent que du noble soin de procurer des plaisirs aux autres, l'assura que s'il avait le bonheur de plaire à Amine, il devrait lui en savoir d'autant plus de gré, que ce serait la première faiblesse qu'elle aurait à se reprocher.

Tout autre aurait cru la chose impossible, le Persan ne la trouva qu'extraordinaire. Cette nouveauté le piqua, et à l'aide de l'irréprochable témoin de la vertu d'Amine, il acheta au plus haut prix, des faveurs qui, dans Agra, commençaient à être taxées au plus bas, et n'étaient pourtant pas encore aussi méprisées qu'elles auraient dû l'être.

Cette triste maison qu'Amine habitait, fut encore une fois, quittée pour un Palais superbe où brillait tout le faste des Indes. Je ne sais si Amine usa sagement de sa nouvelle fortune ; mon Ame rebutée d'étudier la sienne, alla chercher des objets plus dignes de s'occuper, dans le fond peut-être aussi méprisables, mais qui plus ornés, la révoltaient moins, et l'amusaient davantage [30].

Je m'envolai dans une maison, qu'à sa magnificence, et au goût qui y régnait de toutes parts, je reconnus pour une de celles où je me plaisais à demeurer, où l'on trouve toujours le plaisir, et la galanterie, et où le vice même, déguisé sous l'apparence de l'amour, embelli de toute la délicatesse, et de toute l'élégance possibles, ne s'offre jamais aux yeux que sous les formes les plus séduisantes.

La Maîtresse de ce Palais, était charmante, et à la tendresse qu'elle avait dans les yeux, autant qu'à sa beauté, je jugeai que mon Ame y trouverait des amusements. Je restai quelque temps dans son Sopha, sans qu'elle daignât seulement s'y asseoir. Cependant elle aimait, et elle était aimée. Poursuivie par son Amant, persécutée par elle-même, il n'y avait pas d'apparence que je lui fusse toujours aussi indifférent qu'elle semblait se le promettre. Quand j'entrai chez elle, il avait déjà obtenu la permission de lui parler de son amour, mais quoiqu'il fût aimable, et pressant, que même, il eût déjà persuadé, il était encore bien loin de vaincre.

Phénime, (c'est ainsi qu'elle s'appelait,) renonçait

avec peine à sa vertu, et Zulma trop respectueux pour
être entreprenant, attendait du temps, et de ses soins,
qu'elle prît pour lui autant d'amour qu'il en ressentait
pour elle. Mieux informé que lui, des dispositions de
Phénime, je ne concevais pas qu'il pût connaître aussi
peu son bonheur. Phénime à la vérité, ne lui disait pas
encore qu'elle l'aimait, mais ses yeux le lui disaient
toujours. Lui parlait-elle d'une chose indifférente ? sans
qu'elle le voulût, même sans qu'elle s'en aperçût, sa
voix s'attendrissait, ses expressions devenaient plus
vives. Plus elle s'imposait de contrainte avec lui, plus
elle lui marquait d'amour. Rien de son Amant, ne lui
paraissait indifférent, elle en craignait tout, et les gens
qu'elle aimait le moins, en étaient en apparence, mieux
traités que lui. Quelquefois elle lui imposait silence, et
l'oubliant à l'instant même elle continuait la conversation qu'elle avait voulu finir. Toutes les fois qu'il la
trouvait seule, (et sans s'en apercevoir, elle lui en donnait mille occasions,) l'émotion la plus tendre, et la plus
marquée, s'emparait d'elle involontairement. Si dans le
cours d'un entretien long, et animé, il arrivait à Zulma
de lui baiser la main, ou de se jeter à ses genoux,
Phénime s'effrayait, mais ne se fâchait pas ; c'était
même si tendrement qu'elle se plaignait de ses entreprises !

Et cependant, interrompit le Sultan, il ne les continuait pas ? Non, assurément, Sire, répondit Amanzéi,
plus il était amoureux... Plus il était bête, dit le Sultan,
je le vois bien. L'amour n'est jamais plus timide, reprit
Amanzéi, que quand... Oui ! timide, interrompit encore
le Sultan, voilà un beau conte ! Est-ce qu'il ne voyait
pas qu'il impatientait cette Dame ? A la place de cette
femme-là, je l'aurais renvoyé pour jamais, moi qui vous
parle.

Il n'est pas douteux, reprit Amanzéi, qu'avec une
coquette, Zulma n'eût été perdu, mais Phénime qui
réellement désirait de n'être pas vaincue, tenait compte
à son Amant, de sa timidité. D'ailleurs plus il ménageait
les scrupules de Phénime, plus il s'assurait la victoire.
Un moment donné par le caprice, s'il n'est pas saisi, ne

revient peut-être jamais, mais quand c'est l'amour qui
le donne, il semble que moins on le saisit, plus il
s'empresse à le rendre [31]. J'ai cependant ouï dire, répliqua Schah-Baham, que les femmes n'aiment point
qu'on ne les devine pas. Cela peut être quelquefois,
répondit Amanzéi, mais Phénime pensait différemment, et n'aimait jamais tant Zulma, que quand il avait
été plus respectueux, qu'elle-même ne l'avait désiré. Et,
demanda encore le Sultan, lui arrivait-il souvent de s'y
méprendre ?

Oui, Sire, répondit Amanzéi, et quelquefois si grossièrement qu'il en était ridicule. Un jour, par exemple,
il entra chez Phénime ; il y avait plus d'une heure que
livrée à sa tendresse, elle ne s'occupait que de lui : elle
avait commencé par le désirer vivement, et son imagination s'échauffant par degrés, elle s'abandonna volup-
tueusement à son désordre ; il était au plus haut point,
lorsque Zulma se présenta à ses yeux ; son trouble
augmenta, elle acheva de rougir en le voyant ; ah ! s'il
eût deviné ce qui faisait alors rougir Phénime ! S'il eût
osé même la presser ! mais il se croyait fort mal avec
elle de quelques libertés fort innocentes, que la veille, il
avait voulu prendre, et il employa à lui en demander
pardon, le temps où elle ne se serait offensée de rien.

Ah ! Le butor, s'écria le Sultan, il n'est pas croyable
qu'on soit si bête ! Il ne faut cependant pas que cela
vous étonne, Sire, repartit Amanzéi ; tout le temps que
j'ai été Sopha, j'ai vu manquer plus de moments que je
n'en ai vu saisir. Les femmes accoutumées à nous
cacher sans cesse, ce qu'elles pensent, mettent surtout,
leur attention à nous dissimuler les mouvements qui les
portent à la tendresse, et telle a peut-être à se vanter de
n'avoir jamais succombé, qui doit moins cet avantage à
sa vertu, qu'à l'opinion qu'elle en a su donner.

Je me rappelle, qu'étant chez une femme célèbre par
sa rare vertu, j'y fus assez longtemps sans rien voir qui
démentît l'idée qu'on avait d'elle dans le monde. Il est
vrai qu'elle n'était pas jolie, et qu'il faut convenir qu'il
n'y a point de femmes à qui il soit plus aisé d'être
vertueuses, qu'à celles qui manquent d'agréments [32].

Celle-ci joignait à sa laideur, un caractère d'esprit dur,
et sévère, qui effrayait pour le moins autant que sa
figure. Quoique personne ne se fût hasardé à essayer de
la rendre sensible, on n'en croyait pas moins qu'il était
impossible qu'elle le devînt. Par je ne sais quel hasard,
un homme plus hardi, ou plus capricieux que les
autres, ou qui ne croyait pas à la vertu des femmes, un
jour se trouvant seul auprès d'elle, osa lui dire qu'il la
trouvait aimable. Quoiqu'il le lui dît assez froidement
pour ne devoir pas en être cru, un discours si nouveau
pour elle, lui fit impression. Elle répondit modestement,
mais avec trouble, qu'elle n'était point faite pour inspirer de pareils sentiments ; il lui baisa la main, elle en
tressaillit ; son air embarrassé, sa rougeur, le feu qui
tout d'un coup anima ses yeux, furent de sûrs garants
du désordre qui s'élevait dans son Ame. Il lui répéta, en
la serrant dans ses bras avec transport, qu'elle faisait sur
lui, l'impression la plus vive. Je ne sais, (pendant qu'elle
continuait à s'en étonner,) comment il fit pour lui
prouver qu'il disait vrai, mais cette modestie dont elle
s'était armée, commença à céder à l'évidence. De quelque nature que fût la preuve qu'il lui offrait, en la
convainquant, elle acheva de la subjuguer [33]. Soit que
des objets si nouveaux pour elle, lui imposassent, soit
qu'en ce moment, elle se sentît fatiguée du poids de sa
vertu, à peine se souvint-elle que la bienséance demandait au moins qu'elle combattît, et elle se rendit plus
promptement que les femmes même accoutumées à
résister le moins. Cet exemple, et quelques autres du
même genre, m'ont fait croire qu'il y a bien peu de
femmes vertueuses qu'on ne puisse attaquer sans succès, et qu'il n'y en a point de plus faciles à vaincre, que
celles qui ont le moins d'habitude de l'amour ; mais je
reviens aux deux Amants dont je faisais l'histoire à
Votre Majesté.

CHAPITRE VII

Où l'on trouvera beaucoup à reprendre.

Un soir, en quittant Phénime, Zulma lui demanda quand il pourrait la revoir ; quoiqu'elle craignît beaucoup sa présence, elle ne savait pas s'en passer, ainsi après avoir rêvé quelque temps, elle lui répondit qu'il pourrait la voir le lendemain.

Phénime qui sentait bien tout le danger qu'il y avait pour elle, à être seule avec lui, avait pensé à avoir du monde, et pourtant fit dire, le jour du rendez-vous, qu'elle n'y était pour personne que pour Zulma. Il lui semblait que quand il trouvait quelqu'un chez elle, moins il avait la liberté de lui parler de son amour, plus par mille choses qu'il imaginait, il tâchait de lui faire comprendre qu'il en était perpétuellement occupé ; et l'on est si clairvoyant dans le monde ! Elle entendait si bien Zulma ! La méchanceté des spectateurs ne pouvait-elle pas leur donner cette pénétration qu'elle ne devait qu'à l'amour ? Zulma était moins dangereux pour elle, quand ils étaient seuls, puisque alors il savait être respectueux, et que devant des témoins, il n'était pas assez prudent : donc, il ne fallait jamais le voir en compagnie, que le moins qu'il serait possible.

D'ailleurs, il était si triste quand il ne pouvait pas lui parler ! N'y avait-il pas trop d'inhumanité à le priver d'un plaisir que jusques alors elle avait trouvé si peu de risque à lui accorder ?

Toutes ces raisons avaient déterminé Phénime, ou

du moins elle le croyait, et elle fondait toujours, soit sur les usages, soit sur des choses qui lui paraissaient aussi sensées, ce que l'amour seul lui faisait faire en faveur de Zulma.

Ce jour même elle avait été extrêmement tentée de faire son bonheur, elle s'était dit tout ce que peut se dire une femme qui veut se vaincre elle-même, sur ce qu'elle oppose à son amour ; elle s'était exagéré la constance, et les soins de Zulma, ce désir toujours si pressant qu'il avait de lui plaire : elle se souvenait même avec plaisir qu'il avait toujours mieux aimé être trompé, qu'infidèle. Zulma d'ailleurs, était jeune, spirituel, bien fait, toutes choses sur lesquelles, elle ne croyait pas appuyer, mais qui n'en étaient pas moins, celles qui l'avaient le plus touchée.

Qui diable l'arrêtait donc ? demanda le Sultan, cette femme-là m'excède. Huit ans de vertu, répondit Amanzéi, huit ans dont une seule faiblesse, allait lui enlever tout le mérite ! En effet, s'écria le Sultan, voilà ce qui s'appelle une perte !

Elle est pour une femme qui pense, plus considérable que Votre Majesté ne le croit, répondit Amanzéi. La vertu est toujours accompagnée d'une paix profonde, elle n'amuse pas, mais elle satisfait [34]. Une femme assez heureuse pour la posséder, toujours contente d'elle-même, peut ne se regarder jamais qu'avec complaisance ; l'estime qu'elle a pour elle, est toujours justifiée par celle des autres, et les plaisirs qu'elle sacrifie, ne valent pas ceux que le sacrifice lui procure.

Dites-moi un peu, dit le Sultan, croyez-vous, si j'avais été femme, que j'eusse été vertueuse ? En vérité, Sire, répondit Amanzéi, stupéfait de la question, je n'en sais rien. Pourquoi n'en savez-vous rien ? demanda le Sultan. Mais, est-il croyable que l'on fasse de pareilles questions ! dit la Sultane. Ce n'est pas vous que j'interroge, répliqua-t-il. Je veux seulement qu'Amanzéi me dise si j'aurais été vertueuse. Sire, je crois que oui, repartit Amanzéi. Hé bien, mon cher, vous vous trompez, reprit Schah-Baham, j'aurais été tout le contraire. Ce que j'en dis au reste, ajouta-t-il en s'adressant à la Sultane, ce n'est pas pour vous dégoûter d'être vertueuse, vous ; ce que je pense là-dessus, n'est que pour moi, et peut-être bien, que si j'étais femme, je changerais d'avis : sur ces sortes de choses, chacun pense comme il veut, et je ne contrains personne. Votre Maître s'embarrasse, dit en souriant la Sultane à Amanzéi, et je vous réponds qu'il vous sera fort obligé, si vous poursuivez votre conte. Ce que j'entends, n'est pas mauvais, répliqua le Sultan, ne dirait-on pas que c'est moi qui interromps ?

Zulma entra, reprit Amanzéi, et Phénime, quoiqu'il vînt plus tôt qu'elle ne l'attendait, ne laissa pas de lui dire qu'il venait bien tard.

Que je suis heureux, Phénime, lui dit-il tendrement, que vous me trouviez coupable ! Phénime ne s'aperçut que dans cet instant, de la force de ce qu'elle venait de lui dire ; elle voulut s'excuser, et ne sut que répondre. Zulma sourit de l'embarras où il la voyait, et elle rougit de l'avoir vu sourire. Il se jeta à ses genoux, et lui baisa la main avec une ardeur extrême ; elle fit un mouvement pour la retirer, mais comme il ne faisait pas d'efforts pour la retenir, elle la lui rendit.

Zulma, cependant, lui disait les choses les plus tendres, elle ne lui répondait pas, mais elle l'écoutait avec une attention, et une avidité qu'elle se serait sûrement reprochées, si elle avait pu démêler ses mouvements. Sa gorge était un peu découverte, elle s'aperçut qu'il y portait ses yeux, et voulut rapprocher sa robe. Ah ! cruelle, lui dit Zulma.

Cette exclamation suffit pour arrêter la main de Phénime. Pour laisser jouir Zulma de la légère faveur qu'elle lui accordait, sans qu'il pût rien en conclure contre elle, elle feignit d'avoir quelque chose à raccommoder à sa coiffure. Les yeux de Zulma ne purent, sans s'enflammer, s'attacher longtemps sur l'objet que Phénime lui avait abandonné. Elle se livra d'abord au plaisir d'être admirée de ce qu'elle aimait ; ses yeux se troublèrent, elle regarda Zulma languissamment, et parut plongée dans la plus tendre rêverie.

Allons, Zulma, dit alors le Sultan ; mais il ne voyait pas cela, lui ! Ah la cruelle bête !

Phénime, malgré le désordre qui s'emparait d'elle, poursuivit Amanzéi, s'aperçut de celui de son Amant, et craignant également l'émotion de Zulma, et la sienne, elle se leva brusquement. Il fit quelques efforts pour la retenir, et n'ayant plus la force de lui parler, il tâcha, en arrosant sa main des pleurs qu'il répandait, de lui faire comprendre combien il était touché de la cruelle résolution qu'elle prenait. Tant de respect achevait d'émouvoir Phénime, mais l'amour ne l'ayant pas encore absolument vaincue, elle triompha, et de ses propres désirs, et de ceux de son Amant, plus dangereux pour elle, peut-être, que les siens mêmes.

Aussitôt qu'elle se fut débarrassée des bras de Zulma, elle lui fit signe de se relever, il obéit. Ils se regardèrent quelque temps en gardant le silence. Phénime enfin, lui dit qu'elle voulait jouer. Quelque déplacée que cette envie parût à Zulma, il ne savait pas résister aux volontés de Phénime, et il prépara tout lui-même avec autant de vivacité, que si c'eût été lui qui eût désiré le jeu. Cette nouvelle preuve de sa soumission toucha extrêmement Phénime, et je la vis prête à lui demander pardon d'une fantaisie qu'alors elle trouvait ridicule.

Le repentir de Phénime, ne dura pas autant qu'il l'aurait fallu pour le bonheur de Zulma, et plus elle se sentit émue, plus elle crut devoir lui cacher son trouble. Elle se mit donc au jeu, mais il lui inspira un ennui qui lui fit bientôt connaître que ce qu'elle avait imaginé contre Zulma, était pour elle, d'une bien faible ressource. Elle ne voulut pourtant pas croire d'abord que les dispositions où elle était pour lui, causassent cette langueur dans laquelle elle se sentait, et l'attribuant uniquement au jeu qu'elle avait choisi, elle pressa son Amant d'en prendre un autre, il obéit en soupirant, et elle n'en fut pas moins tourmentée. Ce désordre qu'elle croyait calmer, ces tendres idées dont elle cherchait à se distraire, semblaient, par la violence qu'elle se faisait, s'accroître, et prendre plus d'empire sur son Ame. Abîmée dans sa rêverie, elle croyait regarder son jeu, et ne s'occupait que de Zulma.

L'air pénétré qu'elle lui voyait, les profonds soupirs qu'il poussait, ses larmes qu'elle voyait près de couler, et que son respect pour elle semblait seul retenir encore, achevèrent d'attendrir Phénime. Tout entière aux tendres mouvements qu'il lui inspirait, elle s'attacha uniquement à le regarder ; soit qu'enfin elle fût confuse de l'état où elle se trouvait, soit qu'elle ne pût plus soutenir les regards de Zulma, elle appuya sa tête sur sa main. Zulma ne la vit pas plutôt dans cette attitude qu'il alla se jeter à ses pieds ; ou Phénime trop occupée, ne le vit pas, ou elle ne voulut pas l'en empêcher. Il profita de ce moment de faiblesse, pour lui baiser la main qu'elle avait libre, et il la baisa avec plus de transports qu'un Amant ordinaire n'en éprouve, en jouissant de tout ce qui peut le rendre heureux.

Comblé d'une faveur que dans les termes mêmes où ils en étaient ensemble, il n'osait pas encore espérer, il voulut chercher dans les yeux de Phénime, quel devait être son destin. Elle avait toujours la tête appuyée sur sa main, il s'en empara doucement, et Phénime, en se découvrant le visage, le laissa voir couvert de ses larmes. Ce spectacle émut Zulma au point d'en verser lui-même. Ah Phénime ! s'écria-t-il, en poussant un profond soupir. Ah Zulma ! répondit-elle tendrement. En achevant ces paroles, ils se regardèrent, mais avec cette tendresse, ce feu, cette volupté, cet égarement que l'amour seul, et l'amour le plus vrai, peut faire sentir.

Zulma enfin, d'une voix entrecoupée par les soupirs, reprit la parole ; Phénime, dit-il avec transport, ah ! s'il est vrai qu'enfin mon amour vous touche, et que vous craigniez encore de me le dire, laissez du moins à ces yeux charmants, à ces yeux que j'adore, la liberté de s'expliquer en ma faveur [35]. Non, Zulma, répondit-elle, je vous aime, et je ne me pardonnerais pas de vous retrancher rien d'un triomphe que vous

avez si bien mérité. Je vous aime, Zulma, ma bouche,
mon cœur, mes yeux, tout doit vous le dire, et tout
vous le dit. Zulma ! Mon cher Zulma ! Je ne suis
heureuse que depuis que je peux vous apprendre tout
ce que je sens pour vous. A des paroles si douces, et si
peu attendues, Zulma pensa mourir de sa joie. Dans
quelque égarement qu'elle le plongeât, il n'oublia pas
que Phénime pouvait le rendre encore plus heureux.
Quoiqu'il n'ignorât pas que l'aveu qu'elle lui faisait,
l'autorisait à mille choses qu'à peine, jusques à ce
moment, il avait osé imaginer, le respect qu'il avait
pour elle, l'emportant sur ses désirs, il voulut attendre
qu'elle achevât de décider de son sort.

Phénime connaissait trop Zulma pour se méprendre
au motif qui suspendait ses empressements ; elle le
regarda encore avec une extrême tendresse, et cédant
enfin aux doux mouvements dont elle était agitée, elle
se précipita sur lui, avec une ardeur que les termes les
plus forts, et l'imagination la plus ardente, ne pourraient jamais bien peindre.

Que de vérité ! que de sentiment dans leurs transports ! non ! jamais spectacle plus attendrissant ne
s'était offert à mes yeux. Tous deux enivrés, semblaient avoir perdu tout usage de leurs sens. Ce n'était
point ces mouvements momentanés que donne le
désir, c'était ce vrai délire, cette douce fureur de
l'amour, toujours cherchés, et si rarement sentis. Ô
Dieux ! Dieux ! disait de temps en temps Zulma, sans
pouvoir en dire davantage. Phénime, de son côté,
abandonnée à tout son trouble, serrait tendrement
Zulma dans ses bras, s'en arrachait pour le regarder,
s'y rejetait, le regardait encore. Zulma ! lui disait-elle
avec transport, ah Zulma ! que j'ai connu tard le bonheur.

Ces paroles étaient suivies de ce silence délicieux
auquel l'âme se plaît à se livrer, lorsque les expressions
manquent au sentiment qui la pénètre.

Zulma, cependant, avait bien des choses encore à
désirer ; et Phénime à qui son ardeur les rendait en ce
moment, presque aussi nécessaires, qu'à lui-même,

loin de vouloir rien opposer à ses désirs, s'y livra
aveuglément. Il semblait même, qu'il fît encore plus
pour elle, qu'elle ne faisait pour lui ; plus elle s'était
défendue contre son amour, plus elle croyait devoir lui
prouver combien sa résistance lui avait coûté, et lui
faire une sorte de satisfaction sur les tourments,
qu'elle lui avait fait éprouver si longtemps. Elle aurait
rougi de s'armer de cette fausse décence qui, si
souvent gêne, et corrompt les plaisirs, et qui paraissant
mettre sans cesse, le repentir à côté de l'amour, laisse,
au milieu du bonheur même, un bonheur encore plus
doux à désirer. La tendre, la sincère Phénime se serait
crue coupable envers Zulma, si elle lui avait dérobé
quelque chose de l'ardeur extrême qu'il lui inspirait ;
elle volait avec empressement au-devant de ses
caresses, et comme, quelques moments auparavant,
elle s'estimait de lui résister, elle mettait alors toute sa
gloire à le bien convaincre de sa tendresse.

Dans un de ces intervalles que, tout courts qu'ils
étaient, ils remplissaient par mille tendres transports,
Phénime, lui dit Zulma, de l'air le plus passionné, vous
mettez trop de vérité dans tous vos mouvements, pour
que je n'aie pas dû croire quelquefois, que vous
m'aimiez ; pourquoi avez-vous retardé si longtemps
cet aveu ?

Mon cœur s'est déterminé promptement pour vous,
répondit Phénime, mais ma raison s'est longtemps
opposée à mes sentiments. Plus je me sentais capable
de la passion la plus sincère, plus je craignais de
m'engager ; sans avoir aimé, je sentais que j'exigerais
plus de tendresse que je ne pourrais en inspirer. Vous
seul, m'avez fait connaître qu'il y a encore des
hommes capables d'aimer ; vous m'aviez touchée,
mais vous ne m'aviez pas vaincue. Vous l'avouerai-je,
Zulma ! cette vertu que je vous sacrifie aujourd'hui
avec tant de plaisir, a longtemps combattu contre
vous. Je n'imaginais pas sans désespoir, qu'une seule
faiblesse allait me ravir, et la douce certitude que
j'étais estimable, et le bonheur d'être estimée. Ah
Zulma ! ajouta-t-elle en le serrant dans ses bras, que tu

me rends odieux, tous les moments que je n'ai point passés à te prouver ma tendresse ! Qui, moi ! Zulma, j'ai pu te résister ! je t'ai fait répandre des larmes, et ce n'a pas toujours été celles que tu répands aujourd'hui ! pardonne-le-moi, j'étais plus malheureuse que toi-même ! oui, Zulma ! je me reprocherai toujours d'avoir pu croire qu'être à toi, ne dût pas remplir tous mes vœux, et me tenir lieu de tout. Tu m'aimais ! et je pouvais songer à l'estime des autres ! ah ! puis-je encore mériter la tienne !

Votre Majesté devine sans doute, continua Amanzéi, quelle fut la suite d'une pareille conversation ; quelque plaisir qu'elle m'ait donné, il me serait impossible de me rappeler les discours de deux amants qui, enivrés d'eux-mêmes, s'interrogeaient, et ne se donnaient jamais le temps de se répondre, et dont les idées n'ayant alors entre elles aucune liaison, ne peignaient que le désordre de leur âme, et ne devaient pas avoir pour un tiers, le même charme que pour eux. J'étais surpris, et de la vivacité de leur passion, et des ressources qu'ils y trouvaient. Ils ne se séparèrent que fort tard, et Zulma fut à peine sorti, que Phénime qui lui avait consacré tous ses moments, se mit à lui écrire. Zulma revint le lendemain de fort bonne heure, toujours plus amoureux, toujours plus tendrement aimé, jouir aux genoux, ou dans les bras de Phénime, des plus délicieux moments. Malgré le penchant qui me portait à changer souvent de demeure, je ne pus résister au désir de savoir si Zulma, et Phénime s'aimeraient longtemps, et cette curiosité m'arrêta chez elle près d'un an ; mais voyant enfin que leur amour, loin de diminuer, semblait tous les jours prendre de nouvelles forces, et qu'ils avaient même joint à toutes les délicatesses, à toute la vivacité de la passion la plus ardente, la confiance, et l'égalité de l'amitié la plus tendre, j'allai chercher ailleurs ma délivrance, ou de nouveaux plaisirs.

CHAPITRE VIII

En sortant de chez Phénime, j'entrai dans une maison où ne voyant que de ces choses qui, à force d'être
ordinaires, ne valent la peine ni d'être regardées, ni
racontées, je ne demeurai pas longtemps. Je fus encore
quelques jours sans trouver dans les différents endroits
où mon inquiétude, et ma curiosité me conduisirent,
rien qui m'amusât, ou qui dût me paraître nouveau.
Ici, l'on se rendait par vanité ; là, le caprice, l'intérêt,
l'habitude, même l'indolence étaient les seuls motifs
des faiblesses dont on me faisait le témoin. Je ren-
contrais assez souvent, ce mouvement vif, et passager
que l'on honore du nom de goût, mais je ne retrouvais
nulle part, cet amour, cette délicatesse, cette tendre
volupté qui chez Phénime, avaient fait si longtemps
mon admiration, et mes plaisirs [36].

Las de la vie errante que je menais, convaincu que
le sentiment dont on veut, sans cesse, paraître rempli,
est cependant ce que l'on éprouve le moins, je
commençai à m'ennuyer de ma destinée, et à désirer
vivement de trouver cette occasion qui devait terminer
le supplice auquel j'étais condamné.

Quelles mœurs ! m'écriais-je quelquefois ; non,
Brama qui les connaît, m'a flatté d'une espérance
vaine ; il n'a pas cru qu'avec ce goût effréné des
plaisirs qui règne dans Agra, et ce mépris des principes qui y est si généralement répandu, je pusse
jamais trouver deux personnes, telles qu'il les
demande pour m'appeler à une autre vie.

Tout entier à ces chagrinantes réflexions, je me transportai dans une maison où tout avait l'air paisible. Une fille, âgée de près de quarante ans, y logeait seule. Quoiqu'elle fût encore assez bien pour pouvoir sans ridicule, se livrer à l'amour, elle était sage, fuyait les plaisirs bruyants, voyait peu de monde, et semblait même avoir moins cherché à se faire une société agréable, qu'à vivre avec des gens qui, soit par leur âge, soit par la nature de leurs emplois, pussent la mettre à l'abri de tout soupçon. Aussi y avait-il dans Agra, peu de maisons plus tristes que la sienne.

Entre les hommes qui allaient chez elle, celui qu'elle paraissait voir avec le plus de plaisir, et qui aussi la quittait le moins, était un homme déjà d'un certain âge, grave, froid, réservé, plus encore par tempérament, que par état, quoiqu'il fût Chef d'un Collège de Bramines. Il était dur, haïssait les plaisirs, et ne croyait pas qu'il y en eût aucun dont l'âme du vrai sage, pût n'être pas avilie. A cette mauvaise humeur, à cet extérieur sombre, je le pris d'abord pour une de ces personnes, plus farouches que vertueuses, inexorables pour les autres, indulgentes pour elles-mêmes, et blâmant en public avec aigreur, les vices auxquels elles se livrent en secret ; je le pris enfin pour un faux dévot. Fatmé m'avait terriblement gâté l'esprit sur les gens dont l'extérieur était sage, et réglé. Quoique je me sois rarement mépris en pensant mal d'eux, je me trompais sur Moclès ; et lorsque je le connus, il méritait que j'eusse de lui d'autres idées. Son âme alors était droite, et sa vertu sincère. Tout Agra le croyait plus sage même qu'il ne voulait le paraître ; personne ne doutait que son aversion pour les plaisirs ne fût réelle, et que, quelque durs que fussent ses principes, il ne les eût toujours suivis. L'on avait d'Almaïde, (c'est le nom de la fille chez qui j'étais) des idées aussi favorables. L'étroite liaison qui était entre elle et Moclès, n'avait donné aucun lieu à des soupçons qui leur fussent désavantageux, et quelle que soit sur les liaisons intimes, la méchanceté du Public, il n'y avait personne qui ne respectât la leur, et qui ne la crût fondée sur le goût qu'ils avaient pour la vertu.

Moclès venait tous les soirs chez Almaïde, et, soit qu'ils fussent en compagnie, soit qu'ils fussent seuls, leurs actions étaient irréprochables, et leurs discours sages, et mesurés. Communément ils agitaient quelque point de Morale ; Moclès, dans ces discussions, faisait toujours briller ses lumières, et sa droiture. Une chose seule me déplaisait ; c'était que deux personnes si supérieures aux autres, et qui tenaient toutes leurs passions dans des bornes si resserrées, n'eussent point triomphé de l'orgueil, et que mutuellement elles se proposassent pour exemple. Souvent même ne s'en reposant pas sur l'estime qu'ils avaient l'un pour l'autre, chacun d'eux entreprenait son panégyrique, et se louait avec une complaisance, une chaleur, une vanité dont assurément, leur vertu n'aurait pas dû être contente.

Quoiqu'une maison si triste m'ennuyât beaucoup, je résolus d'y demeurer quelque temps. Ce n'était pas que j'espérasse de m'y amuser un jour, ou d'y trouver ma délivrance. Plus je croyais Almaïde, et Moclès assez parfaits pour l'opérer, moins j'osais attendre d'eux une faiblesse ; mais las encore de mes courses, dégoûté du monde, sentant alors avec horreur à quel point il m'avait perverti, je n'étais pas fâché d'entendre parler morale, soit que la nouveauté dont elle était pour moi, fût seulement ce qui me la rendait agréable, ou que dans les dispositions où j'étais, je la regardasse comme une chose qui pouvait m'être salutaire.

Ah vraiment ! s'écria le Sultan, je ne suis plus étonné que vous m'en ayez accablé, je vois où vous l'avez prise, mais afin que vous ne soyez pas encore tenté de me montrer votre éloquence, ou votre mémoire, je réitère les menaces que je vous ai faites avec tant de prudence au commencement de votre conte. Si j'étais moins clément, je vous laisserais faire, et avec le plaisir que vous avez à parler, sans doute, vous iriez loin, mais je n'aime pas la supercherie, et je veux bien vous redire encore, que rien n'est moins salutaire que la morale.

Malgré la rare vertu dont Almaïde, et Moclès étaient doués, reprit Amanzéi, ils mêlaient quelquefois à la Morale, des peintures du vice, un peu trop détaillées. Leurs intentions, sans doute, étaient bonnes, mais il n'en était pas plus prudent à eux de s'arrêter sur des idées dont on ne saurait trop éloigner son imagination, si l'on veut échapper au trouble qu'elles portent ordinairement dans les sens.

Almaïde, et Moclès qui n'y sentaient pas de danger, ou s'y croyaient supérieurs, ne craignaient point assez de disserter sur la volupté ; il est bien vrai qu'après en avoir vivement étalé tous les charmes, ils en exagéraient la honte, et les dangers. Ils convenaient même, que la vraie félicité ne se trouve que dans le sein de la vertu, mais ils en convenaient sèchement, et comme d'une vérité trop généralement reconnue, pour avoir besoin d'être discutée. Ce n'était pas avec la même rapidité qu'ils faisaient l'examen du plaisir ; ils s'étendaient sur une matière si intéressante, et s'appesantissaient sur les détails les plus dangereux, avec une confiance dont enfin j'osai espérer qu'ils pourraient bien être la dupe.

Il y avait au moins un mois, que, tous les soirs, ils s'amusaient de ces peintures vives que je croyais si peu faites pour eux, et que, quelque sujet qu'ils traitassent d'abord, ils retombaient toujours sur celui qu'ils auraient dû éviter. Moclès, de qui, insensiblement, ces discours avaient adouci l'humeur, venait chez Almaïde, plus tôt qu'à son ordinaire, s'y amusait davantage, et en sortait plus tard. Almaïde, de son côté, l'attendait avec plus d'impatience, le voyait avec plus de plaisir, l'écoutait avec moins de distraction. Quand Moclès arrivait chez elle, et qu'il y trouvait du monde, il y avait l'air contraint et embarrassé, et elle-même ne paraissait pas être plus contente. Enfin les laissait-on seuls, je remarquais sur leur visage, cette joie que ressentent deux amants, qui, longtemps troublés par une visite importune, ont enfin le bonheur de pouvoir se livrer à leur tendresse. Almaïde, et Moclès s'approchaient l'un de l'autre avec empressement, se plaignaient de ce qu'on ne les laissait pas assez à eux-mêmes, et se regardaient mutuellement avec une extrême complaisance. C'était à peu près la même façon de se parler, mais ce n'était plus le même ton. Ils vivaient enfin avec une familiarité qui devait les mener d'autant plus loin, qu'ils s'étourdissaient sur ce qui l'avait fait naître, ou (ce que je croirais plus aisément) ne le pénétraient pas.

Moclès, un jour, louait excessivement Almaïde sur sa vertu ; pour moi, dit-elle, il n'est pas bien singulier que j'aie été sage : dans une femme, les préjugés aident la vertu, mais dans un homme, ils la corrompent. C'est une espèce de sottise à vous de n'être pas galants, en nous, c'est un vice de l'être. Vous avez dû, vous, par exemple qui me louez, en ne pensant que comme moi, mériter pourtant plus d'estime. A ne pas examiner les choses avec cette exactitude de raisonnement qui les montre telles qu'elles sont, répondit-il gravement, on imaginerait que je suis en effet plus estimable que vous, et l'on se tromperait. Il est aisé à un homme de résister à l'amour, et tout y livre les femmes. Si ce n'est pas la tendresse qui les y porte, ce sont les sens. Au défaut de ces deux mouvements qui causent tous les jours, tant de désordres, elles ont la vanité qui, pour être la source de leurs faiblesses, que l'on doit excuser le moins, n'en est peut-être pas la moins ordinaire ; et ce qui, ajouta-t-il en soupirant, et en levant les yeux au Ciel, est encore plus terrible pour elles, c'est le désœuvrement perpétuel dans lequel elles languissent. Cette nonchalance fatale, livre l'esprit aux idées les plus dangereuses ; l'imagination naturellement vicieuse, les adopte, et les étend : la passion déjà née, en prend plus d'empire sur le cœur, ou s'il est encore exempt de trouble, ces fantômes de volupté que l'on se plaît à se présenter, le disposent à la faiblesse. Quand seule, et abandonnée à toute la vivacité de son imagination, une femme poursuit une chimère que son désœuvrement l'a forcée d'enfanter, pour n'être pas troublée dans cette jouissance imaginaire, elle écarte toutes ces idées de vertu qui la

feraient rougir des illusions qu'elle se forme ; moins
l'objet qui la séduit, est réel, plus elle croit inutile de lui
résister ; c'est dans le silence, c'est vis-à-vis elle-même
qu'elle est faible, qu'a-t-elle à craindre ? Mais ce cœur
qu'elle nourrit de tendresse, ces sens qu'elle plie à
l'habitude de la volupté, se contenteront-ils toujours
d'illusions ? Supposé même qu'elle ne cherche pas ce
qui blesse plus réellement la vertu, peut-elle se flatter
que dans un moment, (et qui sera peut-être un de
ceux où intérieurement elle s'égare) où un amant
tendre, ardent, empressé, viendra gémir à ses genoux,
et y porter en même temps, ses larmes, et ses transports, elle retrouvera dans un cœur qu'elle a tant de
fois livré volontairement aux charmes de la mollesse,
ces principes qui seuls pouvaient la faire triompher
d'une si dangereuse occasion ?

Ah Moclès ! s'écria Almaïde en rougissant, que la
vertu est difficile à pratiquer ! Vous êtes moins faite
qu'une autre pour le croire, répondit-il, vous qui avec
tous les agréments possibles, née pour vivre au milieu
des plaisirs, avez tout sacrifié à cette même vertu,
qu'aujourd'hui l'on sacrifie aux choses mêmes qui
sembleraient devoir le moins l'emporter sur elle. Je ne
me flatte point, répliqua-t-elle modestement, d'être
arrivée à la perfection, mais il est vrai que j'ai tout
craint, surtout, ce désœuvrement dont vous venez de
parler, et ces livres, et ces spectacles pernicieux qui ne
peuvent qu'amollir l'âme. Oui, je le sais, reprit-il, et
c'est à ce soin continuel de vous occuper, que vous
devez principalement votre sagesse, car (et je le vois
par nous-mêmes) rien ne nous livre plus aux passions,
que l'oisiveté ; et si elle prend tout sur nous qui
sommes nés moins fragiles, jugez de ce qu'elle peut
sur vous. Il est vrai, répondit-elle, que nous avons tout
à combattre. Infiniment plus que nous, répliqua-t-il, et
c'était ce que je vous disais. Il faut, de plus, que vous
considériez que les femmes sont toujours attaquées, et
que (si vous en exceptez quelques-unes sans pudeur,
et sans principes, qui, même sans aimer, osent les
premières dire qu'elles aiment) il n'arrive pas, quelque

corrompu que l'on soit aujourd'hui, que nous ayons à combattre ces soins, ces pleurs, et cette obstination que nous employons tous les jours, contre les femmes avec tant de succès. D'ailleurs, si vous ajoutez aux hommages qu'on leur rend, l'exemple... à cet égard, interrompit-elle, nous n'avons point d'avantage sur vous ; l'exemple doit même d'autant plus vous entraîner, que vous êtes galants par état. Cela n'est pas exactement vrai pour tous les hommes, répondit-il, puisqu'il y en a beaucoup à qui leur état même, interdit cette frénésie de l'âme, que l'on appelle le plaisir d'aimer : moi, par exemple, je suis dans ce cas-là. Quand cela ne serait pas, répliqua-t-elle, né assez heureux pour être inaccessible aux passions, vous auriez toujours... Ici, Moclès leva les yeux au Ciel en soupirant. Quoi ! continua Almaïde, vous reprocheriez-vous quelque chose ? ah Moclès ! si vous n'êtes pas content de vous-même, qui peut oser l'être de soi ! quoi ! vous auriez voulu connaître l'amour ? Oui, répondit-il tristement ; cet aveu m'humilie, mais je le dois à la vérité. Il est vrai aussi que je n'ai pas cédé à cette funeste tentation. En vous avouant que j'ai quelquefois été obligé de combattre, je me montre, sans doute, à vos yeux, avec des faiblesses dont, à votre étonnement, je vois bien que vous ne me croyiez pas capable, mais en vous tirant d'une erreur qui m'était avantageuse, je crains de vous faire encore trop bien penser de moi. Il est moins humiliant d'être tenté, qu'il n'est glorieux de résister à la tentation. En vous confiant mes faiblesses, je suis forcé de vous parler de mes triomphes ; ce que je perds d'un côté, il semble que je veuille le regagner de l'autre, et je ne sais si je ne dois pas craindre que vous n'attribuiez à orgueil, un aveu que je ne vous fais que pour éviter le mensonge.

En achevant ce modeste discours, Moclès baissa les yeux. Oh ! vous ne risquez rien avec moi, lui dit vivement Almaïde, je vous connais. Eh bien ! vous avez donc été quelquefois tenté de succomber ? vous ne m'étonnez pas ! on a beau marcher d'un pas constant à la perfection, on n'y arrive jamais. Ce que vous dites, n'est malheureusement que trop prouvé, répondit-il. Hélas ! s'écria-t-elle douloureusement, pensez-vous donc que j'aie tant à me louer de moi-même, et que je sois exempte de ces faiblesses que vous vous reprochez ! Quoi ! lui dit-il, vous aussi, Almaïde ! J'ai trop de confiance en vous, pour vouloir rien vous cacher, reprit-elle, et je vous avouerai que j'ai eu cruellement à combattre. Ce qui m'a longtemps étonnée, et qu'encore aujourd'hui, je ne conçois pas, c'est que ce trouble qui s'empare des sens, et les confond, soit indépendant de nous-mêmes : cent fois, il m'a surprise dans les occupations les plus sérieuses, et qui, naturellement, devaient y rendre mon âme moins accessible. Quelquefois, je le combattais avec assez de succès : dans d'autres temps, moins forte contre lui, malgré moi-même, il m'asservissait, entraînait mon imagination, se soumettait toutes mes facultés. Que ces honteux mouvements subjuguent une âme qui se plaît à les nourrir, et qui ne se trouve heureuse qu'autant qu'elle y est en proie, je n'en suis pas surprise, mais pourquoi y est-on exposé, quand on fait le plus grand, et le plus continu de ses soins, de les anéantir ?

Ce que l'on appelle sagesse, répondit Moclès, consiste beaucoup moins à n'être pas tenté, qu'à savoir triompher de la tentation, et il y aurait trop peu de mérite à être vertueux, si, pour l'être, l'on n'avait pas d'obstacles à surmonter. Mais, puisque nous en sommes sur ce chapitre, dites-moi de grâce : depuis que vous êtes dans cet âge où le sang coulant dans les veines avec moins d'impétuosité, nous rend moins susceptibles de désirs, avez-vous encore ces mouvements affreux ? Ils sont beaucoup moins fréquents, repartit-elle, mais j'y suis encore sujette. Je suis aussi dans le même cas, répondit-il en soupirant.

Mais, nous sommes fols [37] de parler comme nous faisons, dit Almaïde en rougissant, et cette conversation n'est pas faite pour nous. Je doute, toutes réflexions faites, que nous devions beaucoup la craindre, répondit Moclès en souriant d'un air vain : il

est bon de se défier de soi-même, mais ce serait aussi
avoir trop mauvaise opinion de nous, que de nous
croire si susceptibles. Je conviens que le sujet que nous
traitons, ramène nécessairement à de certaines idées,
mais il est bien différent de le discuter dans la vue de
s'éclairer, ou dans celle de se séduire, et nous pouvons, je crois, sans nous tromper, nous répondre de
nos motifs, et nous reposer sur eux, de notre tranquillité. Il ne faut pas, d'ailleurs, que vous croyiez que ces
sortes d'objets, si dangereux pour les gens qui vivent
dans le désordre, puissent faire la même impression
sur nous : par eux-mêmes, ils ne sont rien ; des personnes de la vertu la plus pure, sont quelquefois for-
cées de s'y arrêter, sans que la discussion la plus
exacte de ces matières, prenne sur l'innocence de leurs
mœurs. Tout est mal, et corruption pour les cœurs
corrompus, comme les choses qui paraissent le plus
contraires à la sagesse, sont sans pouvoir sur ceux qui
ne cherchent point à s'y complaire. Cela n'est pas
douteux puisque vous le croyez, répondit-elle, et je
n'ai garde de me faire des scrupules, quand il vous
paraît que je n'en dois pas avoir.

Vous ne devineriez jamais, lui dit-il, la curiosité qui
m'occupe ; je n'ose vous la découvrir, parce que je la
crois indiscrète, et je ne puis cependant y résister ; je
voudrais savoir si jamais on ne vous a fait de propositions d'un certain genre, si jamais enfin (pour vous
montrer ma curiosité tout entière) vous n'avez essuyé
les transports d'aucun homme, soit volontairement,
soit malgré vous ?

A cette question qu'Almaïde n'avait pas prévue, elle
demeura étonnée, rougit, et parut rêver : enfin, prenant son parti, mais oui, répondit-elle avec embarras,
et, puisque vous voulez le savoir, je vous avouerai
naturellement qu'un jour, un jeune étourdi qui (car je
ne veux rien vous dissimuler) malgré mon aversion
pour les hommes, me paraissait assez aimable, me
trouvant seule, me dit de ces galanteries que les
hommes croient nous devoir, quand nous ne sommes
pas encore parvenues à cet âge heureux qui ne leur

inspire pour nous, que du respect, ou que nous sommes assez à plaindre pour avoir une figure qui nous expose à leurs désirs. Nous étions seuls ; je lui répondis selon les principes que je m'étais faits. Loin que ma réponse lui imposât, il crut que je cherchais moins à lui dérober sa conquête, qu'à la lui faire valoir : il osa même m'assurer que je l'aimerais ; vous imaginez bien que je lui soutins fortement le contraire. Je ne sais avec quelles femmes vivait ordinairement cet étourdi, mais assurément, elles ne l'avaient pas accoutumé au respect. Il s'approcha de moi, et me prenant brusquement entre ses bras, il me renversa sur un sopha. Dispensez-moi, de grâce, du reste d'un récit qui blesserait ma pudeur, et qui, peut-être, troublerait encore mes sens. Qu'il vous suffise de savoir... non, interrompit vivement Moclès, vous me direz tout ; c'est moins, je le vois, (et ne le vois pas sans frémir pour vous) la crainte d'émouvoir vos sens, ou de blesser la pudeur qui vous ferme la bouche, que la honte d'avouer que vous avez été trop sensible, et ce motif, loin d'être louable, ne saurait être trop blâmé. Je puis, je crois même, devoir ajouter à ce que je vous dis, que s'il est vrai que vous craigniez que le récit que j'exige de vous, ne vous jette dans une émotion dangereuse, vous ne pouvez le supprimer, ou l'adoucir sans être coupable. N'est-il donc pour vous d'aucune conséquence d'ignorer ce que peuvent sur vous, de certaines idées ? oserez-vous compter sur vous-même, quand vous ne vous serez pas éprouvée ? ainsi donc, ménageant toujours votre âme, vous ignorez toujours quelles sont ses forces ? Almaïde, croyez-moi, l'on ne craint jamais assez un danger que l'on ne connaît pas, et l'on ne tombe ordinairement, que pour avoir trop compté sur soi-même. Vous ne pouvez donc peser trop sur toutes les circonstances de votre histoire ; ce n'est que par l'effet, qu'elles feront aujourd'hui sur vous, que vous pourrez apprendre jusques où vont les progrès que vous avez faits dans le chemin de la vertu, ou (ce qui est encore plus essentiel) ce qu'il vous reste encore à détruire, pour parvenir à cette aversion totale des plaisirs qui, seule fait les vertueux.

Ce conseil me surprit dans la bouche de Moclès ; je lui connaissais de la droiture, et des lumières, et je ne concevais pas ce qui, dans cet instant, le faisait raisonner d'une façon si contraire à ses principes. Quoi ! me dis-je avec étonnement, c'est Moclès ! ce sage Moclès ! qui conseille à Almaïde, de peser sur des détails qui peuvent blesser la pudeur, et porter à la corruption ? L'envie que j'avais de m'éclaircir des motifs de Moclès, me le fit regarder avec attention, et je lui trouvai tant d'égarement dans les yeux, que je commençai à croire que je pourrais bien trouver ma délivrance dans le lieu du monde, où j'aurais le moins osé l'attendre.

Pendant que je fondais de si douces espérances, autant sur l'idée que j'avais de la vertu d'Almaïde, et de Moclès, que sur le trouble où tous deux commençaient à se mettre, Almaïde continua son histoire.

CHAPITRE IX

Où l'on trouvera une grande Question à décider.

Je vous obéirai aveuglément, répondit Almaïde à Moclès : vous venez de me faire sentir que la vanité seule, me fermait la bouche, et je vais m'en punir, en vous confiant sans déguisement, les circonstances de mon aventure, qui me mortifient le plus.

Je vous ai dit, ce me semble, que ce jeune homme dont je vous parlais, m'avait renversée sur un sopha ; je n'étais pas encore revenue de mon étonnement, qu'il s'y précipita sur moi. Quoique l'excès de ma surprise, me permît à peine de lui exprimer ma colère, il la lut aisément dans mes yeux, et voulant se précautionner contre mes cris, il parvint, malgré ma résistance, à me fermer la bouche avec le baiser le plus insolent. Il me serait impossible de vous dire combien d'abord j'en fus révoltée ; je l'avouerai pourtant, mon indignation ne fut pas longue. La nature qui me trahissait, me porta bientôt ce baiser dans le fond du cœur ; il se mêla tout d'un coup, à ma colère, des mouvements qui ne la laissèrent plus agir qu'avec faiblesse. Tous mes sens se soulevèrent, un feu inconnu se glissa dans toutes mes veines ; je ne sais quel plaisir qui, en le détestant, m'entraînait, remplit insensiblement toute mon âme ; mes cris se convertirent en soupirs, et emportée par des mouvements auxquels, malgré ma colère, et ma douleur, je ne pouvais plus résister, en gémissant de l'état où je me voyais, je n'avais plus la force de m'en défendre.

Voilà, s'écria Moclès, une terrible situation ! Eh bien ! continua-t-il en la regardant avec des yeux enflammés. Que vous dirai-je, reprit-elle ? quand je le pouvais, je lui faisais des reproches, mais c'était machinalement. Je crois que je lui parlais, que je le traitais avec tout le mépris qu'il méritait ; je dis que je le crois, car je n'oserais l'assurer. A mesure que ce trouble cruel augmentait, je sentais expirer mes forces, et ma fureur ; une confusion singulière régnait dans toutes mes idées. Je ne m'étais pourtant pas encore rendue, mais, quelle résistance ! qu'elle était faible ! et que toute faible qu'elle était, elle me coûtait encore ! Je ne me rappelle, Moclès, ce souvenir qu'avec horreur, et la honte qu'il me cause, me le rend aussi présent, que si je gémissais encore, entre les bras de cet audacieux. Quel moment pour ma vertu ! Ah Moclès ! comment, sentant tout le prix de cette innocence que l'on cherchait à me ravir, ne craignant rien tant, même au milieu du désordre auquel j'étais livrée, que le malheur de la perdre, trouvais-je tant de douceur dans cette volupté qui s'était emparée de moi ? Comment, des craintes si vives, ne m'arrachaient-elles pas aux plaisirs, ou pourquoi les plaisirs laissaient-ils encore sur mon cœur, tant d'empire à la vertu ? Je souhaitais, (mais avec quels efforts ! combien ne souffrais-je pas à le souhaiter !) que l'on vînt m'arracher au sort qui me menaçait ! en même temps que je formais cette idée, un mouvement contraire qui agissait sur moi avec la dernière violence, et qui cependant, me déplaisait moins que le premier, me faisait désirer vivement que rien ne s'opposât à ma défaite. En rougissant de ce que je sentais, je brûlais d'en sentir davantage ; sans imaginer de nouveaux plaisirs, j'en souhaitais ; l'ardeur qui me dévorait, commençait à devenir un supplice pour moi, et à fatiguer mes sens.

Quelle que fût l'ivresse dans laquelle j'étais plongée, je n'avais pas encore pu parvenir à étouffer cette voix importune qui criait au fond de mon cœur, et qui n'ayant pu m'arracher à ma faiblesse, continuait de me la reprocher, lorsque ce jeune homme, remar-

quant, sans doute, l'impression qu'il faisait sur moi,
poussa enfin jusques au bout, les outrages qu'il me
faisait. Il... mais comment pourrais-je vous exprimer
ce dont je rougis encore ! Occupée uniquement,
autant que mon trouble me le permettait, à me
défendre de ces baisers dont il m'accablait sans cesse,
je n'avais point pris, d'ailleurs, de précautions contre
lui [38]. Malgré le cruel état où j'étais, cette nouvelle
insulte réveilla ma fureur ; hélas ! ce ne fut pas pour
longtemps. Je sentis bientôt augmenter mon désordre ;
jusques aux efforts que je faisais pour échapper à cet
audacieux, ou pour le déranger du moins, tout y
contribuait, tout achevait de me séduire. Perdue enfin
dans des transports inexprimables, dans un ravisse-
ment dont il me serait impossible de vous donner
l'idée, je tombai sans force, et sans mouvement, entre
les bras du cruel qui me faisait de si sanglants affronts.

Quel état ! s'écria Moclès, et que j'en crains les
suites ! Elles ne furent cependant pas, telles que vous
les imaginez, répondit Almaïde. Au milieu d'une situation dont j'avais d'autant plus à craindre, que je n'en
craignais plus rien, je ne sais pourquoi mon ennemi
suspendit tout d'un coup sa fureur, et ses entreprises.
Par un prodige que je n'ai jamais pu concevoir, et que
vous ne croirez peut-être pas, tant il est extraordinaire ! dans l'instant où je n'avais plus rien à lui opposer, et où lui-même paraissait au comble de l'égarement, ses yeux, dont je ne pouvais soutenir l'éclat, et
l'expression, changèrent ; une sorte de langueur qui
vint y régner, en bannit la fureur : il chancela, et en me
pressant dans ses bras, avec plus de tendresse, et
moins de violence qu'auparavant, il devint, (juste
punition des maux qu'il m'avait faits !) aussi faible que
je l'étais moi-même. En ce moment, mon trouble
commençait à se dissiper, et je fus assez heureuse pour
pouvoir jouir de toute l'humiliation de mon ennemi ;
après l'avoir considérée avec tout le plaisir possible, et
remercié intérieurement Brama de la protection visible
qu'il m'avait accordée, je me relevai avec violence. A
mesure que mes sens se calmaient, et que mes idées

devenaient plus claires, je sentais plus vivement ma honte. Vingt fois, j'ouvris la bouche, pour charger ce jeune téméraire, des reproches qu'il méritait, mais cette confusion secrète dont j'étais accablée, me la ferma toujours, et après l'avoir regardé avec toute l'indignation que méritait l'insolence de son procédé, je le quittai brusquement. J'aimai mieux, à vous dire vrai, garder le silence, que d'entrer dans des détails qui m'auraient fait rougir, et que la faiblesse dont je venais d'être capable, me faisait craindre.

Voilà, poursuivit-elle, la seule fois que je me sois trouvée dans ce danger que j'avais toujours craint avant que de le connaître, et que je n'ai connu que pour l'éviter avec plus de soin que jamais. Je me crus même, d'autant plus obligée à le fuir, que je ne doutai pas, aux mouvements que j'avais éprouvés, que je n'eusse plus de penchant à l'amour que je ne l'avais cru.

Vous voyez bien, dit alors Moclès, qu'il est important d'essayer son âme ; mais à propos, comment va la vôtre ? ce récit a-t-il fait sur vous, les impressions que vous craigniez ? Mais enfin, répondit-elle en rougissant, elle n'est pas aussi tranquille qu'elle l'était. De sorte, reprit-il, que si actuellement vous trouviez un téméraire, vous ne laisseriez pas d'en être un peu embarrassée. Ah ! ne me parlez plus de cela, s'écriat-elle, ce serait le plus cruel malheur qui pût m'arriver. Oui, répondit-il avec distraction, cela se conçoit aisément.

En achevant ces paroles, il tomba dans la rêverie la plus profonde : de temps en temps, il regardait Almaïde d'un air interdit, et avec des yeux qui peignaient ses désirs, et son irrésolution. L'aveu qu'Almaïde venait de lui faire de son trouble, l'encourageait, mais son inexpérience ne lui permettant pas de savoir le mettre à profit, peu s'en fallait qu'il ne lui devînt inutile. La façon dont il devait s'y prendre, pour achever de séduire Almaïde, n'était pas la seule chose à laquelle il rêvât. Retenu par le souvenir de ce qu'il avait été, tyrannisé par l'idée des plaisirs, séduit, cessant de l'être, je le voyais, tour à tour prêt à fuir, ou à tout tenter.

Pendant qu'il éprouvait tant de combats, Almaïde n'était pas dans un état plus tranquille. Le récit que Moclès lui avait demandé, avait produit tout ce qu'elle en avait craint. Ses yeux s'étaient animés ; une rougeur, différente de celle que la pudeur fait naître [39] ; des soupirs entrecoupés, de l'inquiétude, de la langueur, tout m'apprit mieux qu'elle ne le savait elle-même, la force de l'égarement dans lequel elle était plongée. J'attendais avec impatience, ce que deviendrait la situation où deux personnes si sages, s'étaient si imprudemment engagées. Je craignis même quelque temps qu'ils ne sentissent l'erreur où leur trop grande sécurité les avait entraînés, et que, dans des cœurs accoutumés à la vertu, elle ne fît pas tout le progrès que mon état, et les promesses de Brama, me forçaient de souhaiter.

Je crus voir enfin aux regards d'Almaïde, et de Moclès qui, de moment en moment, devenaient moins timides, et se chargeaient de plus de volupté, que c'était moins la crainte de succomber qui les retenait, que l'embarras d'amener leur chute. Tous deux étaient également tentés, tous deux me semblaient avoir le même désir, et le même besoin de connaître. Cette situation pour deux personnes qui auraient eu un peu d'usage du monde, n'aurait pas été embarrassante, mais Almaïde, et Moclès, loin de savoir l'art de s'aider mutuellement, n'osaient, ni se confier leur état, ni se marquer autrement que par des regards, encore mal assurés, le feu dont ils se sentaient brûler. Quand même ils se seraient cru l'un à l'autre, les mêmes idées, savaient-ils à quel point ils étaient séduits tous deux ? quelle honte ne serait-ce pas pour celui qui parlerait le premier, s'il trouvait dans le cœur de l'autre, quelques restes de vertu, et comment pouvoir s'éclaircir quand tous deux avaient tant de raisons de ne pas rompre le silence ? en supposant à Almaïde plus de faiblesse encore qu'à Moclès, elle n'en était pas moins forcée de l'attendre. A cette sagesse dont elle avait toujours fait

profession, se joignaient la pudeur, et les bienséances
de son sexe, qui ne lui permettaient pas de déclarer ses
désirs, et quoique pour toutes les femmes, cette loi ne
soit pas inviolable, Almaïde, ou tout à fait neuve, ou
peu faite à la galanterie, craignait le mépris si justement attaché à une démarche de cette nature. D'ailleurs savait-elle comment Moclès la prendrait ? peut-
être, si elle eût été sûre qu'en la méprisant, il eût voulu
céder, se serait-elle étourdie là-dessus, mais, s'il s'en
tenait simplement au mépris ?

   Après qu'ils eurent agité quelque temps en eux-
mêmes, de quelle manière ils pourraient se parler sans
s'exposer à la honte de ne pas réussir, Moclès, de qui
un aveu formel de ses sentiments aurait trop blessé
l'orgueil et l'état, crut qu'il ne pouvait mieux réussir
que par le Sophisme ; supposé cependant que le choix
des moyens dépendît encore de l'examen qu'en pouvait faire sa raison, et qu'il ne cherchât pas encore plus
à s'éblouir lui-même, ou à sauver sa gloire [40] en cas
que [41] l'épreuve qu'il allait tenter, ne lui réussît point,
qu'à tromper Almaïde. Heureux s'il eût voulu
employer pour se défendre, seulement la moitié de
l'art qu'il mit à achever de se séduire, ou à se justifier
sa séduction !

   Oh parbleu ! dit alors le Sultan, on peut dire que s'il
s'y prend mal, ce ne sera pas faute d'y avoir beaucoup
rêvé. Mais, dit la Sultane, je ne sais pas pourquoi vous
êtes si étonné qu'il ait fait tant de réflexions ; il me
semble que la situation où il se trouvait, exigeait qu'il
en fît quelques-unes. Quelques-unes, passe, répondit
Schah-Baham, et c'est précisément, parce qu'il n'en
fallait que quelques-unes, qu'il n'avait pas besoin d'en
faire tant. Il fallait que ces gens-là fussent terriblement
tentés pour ne pas rentrer en eux-mêmes, avec le
temps qu'ils se donnaient pour cela. Vous avez risqué
de faire une remarque judicieuse, reprit la Sultane.
Vous avez risqué ! dit Schah-Baham, oserais-je bien
vous demander ce que cela veut dire ? Vous avez de
petites façons de parler, aussi peu respectueuses que
j'en connaisse, et dont il n'y a peut-être pas au monde,

de Sultan qui voulût s'accommoder. Mais, je veux
dire, répondit la Sultane, qu'elle porte à faux. Toutes
ces idées tumultueuses qui occupaient Almaïde, et
Moclès, se succédaient avec une extrême promptitude ; et, si vous vouliez bien y penser, vous verriez
que ce qu'Amanzéi ne nous a dit qu'en un quart
d'heure, ne dut pas suspendre deux minutes, leurs
résolutions. Eh bien ! répliqua le Sultan, le Conteur est
donc une bête, s'il emploie tant de temps à rendre, ce
que les gens dont il parle, pensèrent avec tant de
promptitude. Je voudrais bien, reprit-elle, que vous
fussiez obligé de nous en peindre autant. J'ai mes
raisons pour croire que je m'en acquitterais fort bien,
repartit-il, mais je ferais encore mieux que tout cela,
car, ce que je trouverais si difficile à dire, je ne me
ferais point du tout de peine de le passer.

Les idées dans lesquelles Moclès était absorbé, ses
désirs, les efforts qu'il faisait pour les éteindre, le
plaisir avec lequel il s'y livrait, lui donnaient un air si
sérieux, et si occupé qu'Almaïde enfin jugea à propos
de lui demander ce qu'il avait pour garder si longtemps le silence. Je crains, ajouta-t-elle, que vous ne
vous fassiez des idées noires. Vous avez raison, répondit-il, et c'est le récit que vous venez de me faire, qui
me les a fait naître. Almaïde parut étonnée de ce qu'il
lui disait. N'en soyez pas surprise, continua-t-il, et ne
soyez pas plus choquée de ce que je vais vous dire,
tout extraordinaire qu'il sera dans ma bouche. Je suis
désolé que ce jeune téméraire qui vous ménagea si
peu, n'ait pas eu le temps d'achever son crime. Ah
Moclès ! s'écria-t-elle, et pourquoi ? Parce que, répondit-il, vous seriez en état de calmer des doutes qui me
tourmentent depuis longtemps, que vous venez de me
rendre dans toute leur force, et que notre inexpérience
réciproque laissera toujours subsister, puisque vous ne
pourriez point répondre à mes questions, et qu'il serait
trop dangereux pour moi, d'interroger sur ce qui
m'agite, une autre personne que vous. Ma curiosité
roule sur des choses d'une nature si étrange pour un
homme de mon caractère, et de ma profession, qu'à

moins de me connaître comme vous faites, on ne manquerait pas de l'attribuer à un motif qui ne me ferait pas honneur. Il est certain, répondit-elle, que vous pouvez tout me dire, sans rien risquer. C'est cela même, reprit-il, qui me ferait presque désirer que vous fussiez plus instruite, car ayant en moi, autant de confiance que j'en ai en vous, sûrement vous ne me cacheriez rien. Quand j'aurais pu douter de votre amitié, et de la façon dont vous comptez sur ma discrétion, la vérité avec laquelle vous venez de me confier jusques à vos plus intimes mouvements, m'en aurait convaincu. Sachons toujours ce qui vous occupe, répliqua-t-elle ; peut-être à force de raisonner, viendrons-nous à bout... Oh non ! interrompit-il, vous ne pourriez me donner que des conjectures ; et ce qui m'occupe, est d'une nature à exiger la plus parfaite certitude. Sans vous inquiéter davantage, je vais vous dire ce que c'est, et vous jugerez s'il doit m'être indifférent, pensant comme je fais, d'être sur un pareil article, dans une si profonde ignorance. D'ailleurs votre intérêt s'y trouve joint au mien, puisqu'il n'est pas possible que, vertueuse comme vous êtes, vous ne soyez pas tourmentée des mêmes idées que moi. Vous m'effrayez ! lui dit Almaïde, parlez, je vous en conjure. Eh bien ! lui dit-il, je pense qu'il est possible que nous ayons fort peu de mérite à ne nous être jamais écartés de nos devoirs. Cela se pourrait-il ! s'écria-t-elle, et d'un air assez fâché de ce que la conversation prenait un tour si sérieux. Sans doute, reprit-il, et je vais vous en convaincre. Vous n'avez, vous, jamais éprouvé les douceurs de l'amour (car quelque chose que vous en puissiez croire, il n'est pas douteux que ce qui vous est arrivé avec ce jeune homme, ne vous en a donné qu'une idée fort imparfaite), moi, je l'ai toujours fui, est-ce là de quoi nous croire si parfaits ? mais, direz-vous, nous avons eu des désirs, et nous en avons triomphé. Est-ce donc une si grande victoire que celle-là ? savions-nous ce que nous désirions ? sommes-nous même, bien sûrs d'avoir eu des désirs ? non, notre orgueil nous a trompés : ce que nous avons pris

pour les désirs les plus ardents, était, sans doute, de
bien légères tentations. Ce n'est, peut-être, que par
ignorance que nous nous y sommes mépris, plût au
Ciel ! mais s'il est vrai (comme je le crains bien) que la
seule envie de nous exagérer nos triomphes, ou de
croire seulement, que nous en remportions, nous ait
trompés là-dessus, dans quelle coupable erreur
n'avons-nous pas vécu ? nous nous sommes flattés
d'être vertueux, pendant que nous étions peut-être
plus imparfaits que ceux que nous osions blâmer, et
que notre vanité, nous donnait même, un vice de plus
qu'à eux.

Cela est vrai, dit Almaïde, vous venez de faire là une
affligeante réflexion ! Ce n'est pas d'aujourd'hui
qu'elle me tourmente, répliqua-t-il d'un air triste, et
d'autant plus que, pour me guérir de mes doutes, je ne
vois qu'un moyen qui, tout simple qu'il est, ne laisse
pas d'être dangereux. Voyons toujours, lui demanda-
t-elle ; comme je suis précisément dans le même cas
que vous, j'ai l'intérêt du monde, le plus pressant à
savoir ce que vous avez pensé. Il faut vous connaître
comme je fais, répondit-il, pour ne pas craindre de
vous le dire.

Nous nous croyons vertueux, vous, et moi, mais,
comme je vous le disais tout à l'heure, nous ne savons
réellement, ce qui en est, et vous n'en allez plus douter. En quoi consiste la vertu ? dans la privation absolue des choses qui flattent le plus les sens. Qui peut
savoir quelle est la chose qui les flatte le plus ? celui-là
seul qui a joui de toutes. Si la jouissance du plaisir,
peut seule apprendre à le connaître, celui qui ne l'a
point éprouvé, ne le connaît pas ; que peut-il donc
sacrifier ? Rien, une chimère ; car, quel autre nom
donner à des désirs qui ne portent que sur une chose
qu'on ignore ? Et si, comme cela est décidé, la difficulté du sacrifice en fait seule tout le prix, quel mérite
peut avoir celui qui ne sacrifie qu'une idée ? Mais,
après s'être livré aux plaisirs, et s'y être trouvé sensible, y renoncer, s'immoler soi-même, voilà la grande,
la seule, la vraie vertu ! et celle que ni vous, ni moi ne
pouvons nous flatter d'avoir.

Je ne le vois que trop, dit Almaïde ; il est certain que nous ne pouvons pas nous en flatter. Nous nous en sommes flattés pourtant, répondit vivement Moclès, qui craignait qu'en laissant à Almaïde le temps de la réflexion, elle ne sentît combien les raisonnements qu'il employait, étaient faux, nous avons osé le croire, et de ce moment, nous voilà coupables d'orgueil. Je suis bien aise, continua-t-il, et je vous loue sincèrement de ce que vous sentez que tant qu'on ne s'est point mis à portée de pouvoir faire une comparaison exacte du vice, et de la vertu, l'on ne peut avoir sur l'un, et sur l'autre, que des idées fausses. D'ailleurs, car ce mal, tout grand qu'il est, n'est pas le seul, on est sans cesse, tourmenté du désir d'apprendre ce que l'on s'obstine à ignorer. L'âme exercée malgré elle-même, par ce mouvement de curiosité, en a sûrement, plus de négligence sur ses devoirs ; en proie à des distractions fréquentes, elle perd à raisonner, à entrevoir, à suivre, à détailler, à approfondir ce qu'elle a conçu, le temps que, sans cette tourmentante idée qui l'obsède toujours, elle donnerait uniquement à la pratique de la vertu. Si elle savait à quoi s'en tenir sur ce qu'elle souhaite de connaître, elle serait plus tranquille : plus tranquille, elle serait plus parfaite : il faut donc connaître le vice, soit pour être moins troublé dans l'exercice de la vertu, soit pour être sûr de la sienne.

Quoique Almaïde fût dans une situation à ne pouvoir guère saisir que ce qui, en lui démontrant la nécessité du plaisir, la délivrerait de la crainte des remords, ce sophisme la fit frissonner ; elle demeura quelques moments interdite, mais l'envie qu'elle avait de s'éclairer sur la volupté, ou de s'y perdre encore, l'emportant sur sa terreur, elle me parut enfin, plus surprise qu'effrayée de ce qu'elle venait d'entendre. Vous croyez donc, lui demanda-t-elle d'une voix tremblante, que nous en serions plus parfaits ? Mais vraiment, répliqua-t-il, je n'en doute pas, car, considérez de grâce, la position où nous sommes, et jugez s'il en est de plus horrible. Je ne le vois que trop, dit-elle, elle est réellement épouvantable !

Premièrement, continua-t-il, nous ne savons pas si nous sommes vertueux ; état triste pour des gens qui pensent comme nous. Ce doute, tout cruel qu'il est, n'est pas le seul malheur qu'entraîne notre situation : il n'est que trop certain que, contents de la privation que nous nous sommes imposée, il y a mille choses plus essentielles, peut-être, sur lesquelles nous nous sommes crus dispensés de nous observer ; par conséquent à l'ombre d'une vertu qui pourrait bien n'être qu'imaginaire, nous avons commis des crimes réels, ou (ce qui, sans être de la même importance, a cependant des inconvénients considérables) nous avons négligé de faire de bonnes actions. Enfin, en nous supposant tels que nous nous sommes crus jusques ici, je me défierais encore d'une vertu que nous avons choisie, et je n'imaginerais pas qu'il y eût un grand mérite à l'avoir. Mettez différents fardeaux au choix d'un homme, il n'est pas douteux que ce sera du plus léger qu'il se chargera.

Je vous entends, dit-elle en soupirant, vous voulez dire que nous avons fait de même. A combien de scrupules, ne me livrez-vous pas, continua-t-elle en baissant les yeux, et comment n'en être pas tourmentée, quand le seul moyen que l'on ait pour s'en délivrer, en fait lui-même, naître tant ! Ce moyen, reprit-il vivement, est dans le fond, moins à craindre qu'il ne le paraît. Je suppose (et plût au Ciel que je ne supposasse rien !) que fatigués de notre incertitude, sentant enfin qu'il est de notre devoir de nous en tirer, nous voulons connaître le plaisir, et juger de ses charmes par nous-mêmes, quel serait le danger de cette épreuve ? de ne pouvoir pas nous y arracher, quand, une fois, nous l'aurions connu ? pour des âmes un peu faibles, j'avoue que cela serait à risquer, mais il me semble que sans trop de présomption, nous pouvons un peu compter sur nous-mêmes. Si, comme à ne vous rien cacher, je le présume, ce plaisir est moins séduisant qu'on ne le dit, ce ne sera pas la peine de nous livrer à des choses à la privation desquelles, flatteuses ou non, l'on a attaché de la gloire ; si, au contraire, elles peuvent porter dans l'âme, un trouble aussi grand qu'on l'assure, nous nous en priverons avec d'autant plus de joie, que nous serons sûrs qu'il y a beaucoup de vertu à le faire.

Ce raisonnement que, sans doute, Almaïde aurait détesté, si elle avait été plus à elle-même, fit sur une âme qui n'attendait plus pour succomber, que l'apparence d'une excuse, tout l'effet que le malheureux Moclès s'en était promis. Après l'avoir regardé quelque temps avec des yeux incertains, et troublés, je sens comme vous, lui dit-elle, la nécessité absolue de cette épreuve, mais avec qui la pourrions-nous faire en sûreté ?

A ces mots elle se pencha languissamment sur Moclès, qui peu à peu s'était approché d'elle au point qu'en ce moment, il la tenait entre ses bras. Je crois, lui répondit-il, que si nous la voulions hasarder, ce ne pourrait être qu'entre nous deux : nous sommes sûrs l'un de l'autre, et comme nous ne pouvons point douter que ce ne soit par une plus grande recherche de la vertu, que nous nous déterminons à des actions qui semblent la blesser, nous sommes certains de ne nous pas faire une habitude d'un mouvement de curiosité qui ne part que d'un si bon principe. De quelque façon que ce puisse être enfin, nous y gagnerons, puisqu'au moins le souvenir de notre chute, nous garantira de l'orgueil.

Quoique Almaïde ne répondît rien, elle paraissait encore incertaine ; Moclès qui voulait, à quelque prix que ce fût, la déterminer, lui proposa pour achever de la vaincre, de ne tenter cette épreuve que par degrés, afin, disait-il, que s'ils trouvaient dans leurs premiers essais, assez de volupté pour fixer leurs doutes, ils n'allassent pas plus loin. Elle y consentit ; bientôt ils s'égarèrent, et irritant leurs désirs par des choses qui, quoiqu'elles fussent faites sans grâces, et avec maladresse, n'en prenaient pas moins d'empire sur leurs sens, ils perdirent de vue, le marché qu'ils venaient de faire. Tous deux trouvant trop, ou trop peu dans ce qu'ils sentaient, jugèrent à propos de poursuivre, ou ne purent s'arrêter, et... tout d'un coup, vous devîntes autre chose, interrompit le Sultan ? Non, Sire, répondit Amanzéi. Je ne comprends rien à cela, reprit Schah-Baham, et je sais bien pourquoi, c'est que cela est incompréhensible : car il n'est pas douteux qu'ils n'eussent tout ce que votre Brama demandait. Je le crus d'abord comme votre invincible Majesté, repartit Amanzéi, il fallait pourtant qu'au moins l'un des deux en eût imposé à l'autre. J'imagine que vous fûtes bien fâché ! répliqua le Sultan, et dites-moi, duquel des deux vous défiâtes-vous le plus ? Le récit d'Almaïde, répondit Amanzéi, me donna sur elle, de grands soupçons ; et l'ignorance qu'elle affecta quand elle se rendit à Moclès, quoiqu'elle fût extrême, ne m'empêcha pas de croire qu'en lui faisant le récit de son aventure, elle avait supprimé la circonstance qui me faisait rester dans ma prison. Voilà bien les femmes ! s'écria le Sultan ; oh oui ! votre réflexion est juste : eh bien ! je n'en ai rien dit, mais j'aurais parié qu'elle ne disait pas tout ; si je m'en étais vanté, il y a ici des gens qui m'auraient accusé de faire l'esprit fort. Allez, allez, soyez-en certain, ce fut elle qui empêcha que vous ne fussiez délivré.

La chose, toute probable qu'elle est, répondit Amanzéi, souffre des difficultés ; Moclès, pour un homme jusques alors, si irréprochable, me parut avoir bien de l'expérience. Ceci change la thèse, dit le Sultan, car... ah oui ! on le voit bien, c'était lui. Mais accordez-vous donc, dit la Sultane ; c'était elle, c'était lui ; pourquoi, sans se tourmenter tant, ne pas penser que tous deux étaient de mauvaise foi ? Vous avez raison, répliqua le Sultan, à la rigueur cela se pourrait : il me semble pourtant qu'il serait plus plaisant que ce fût l'un ou l'autre ; je ne sais pas pourquoi, mais je l'aimerais mieux. Voyons toujours, que dirent-ils après ? ce n'est pas là ce qui m'intéresse le moins.

Moclès fut le premier qui revint de son égarement ; il me parut d'abord comme étonné de se trouver entre les bras d'Almaïde ; et sa raison reprenant peu à peu son empire, à l'étonnement succéda l'horreur : il semblait ne pouvoir pas comprendre ce qu'il voyait ; il cherchait à en douter, à se flatter qu'un songe seul lui offrait de si cruels objets. Trop sûr, enfin, de son malheur, il leva douloureusement les yeux sur lui-même, et se retraçant tout ce qu'il avait fait pour séduire Almaïde ! combien sa criminelle passion l'avait aveuglé ! avec quel art il l'avait corrompue par degrés ! il tomba dans la douleur la plus amère.

Almaïde, enfin, ouvrit les yeux, mais encore troublée, ne distinguant pas les objets aussi bien que Moclès, elle fut d'abord plus confuse qu'affligée. Soit enfin que le désespoir où elle le voyait, lui fît sentir sa chute, soit que d'elle-même, elle connût tout ce qu'elle avait à se reprocher, ah Moclès ! s'écria-t-elle en pleurant, vous m'avez perdue ! Moclès en convint, il s'accusa de l'avoir séduite, la plaignit, tâcha de la consoler, et lui parla en homme vraiment humilié, sur le danger qu'il y a à compter trop sur soi-même. Enfin après lui avoir dit tout ce que peuvent inspirer la plus vive douleur, et le repentir le plus sincère, sans oser la regarder, il prit congé d'elle pour toujours.

Almaïde restée seule, n'en fut ni moins honteuse, ni plus tranquille ; elle passa toute la nuit à pleurer, et à se reprocher tout, jusques au reproche qu'elle avait fait à Moclès, et dans lequel alors, elle trouvait trop de vanité. Moclès, dès le lendemain, prit le parti de la retraite la plus austère... Voilà qui achève de me décider, interrompit le Sultan, ce n'était pas lui. Et Almaïde, continua Amanzéi, toujours inconsolable, quelques jours après, suivit son exemple. Ceci me dérange, reprit le Sultan, il fallait donc que ce ne fût pas elle. Jamais question plus difficile à décider, ne s'était offerte à mon esprit, et je la laisse à résoudre à qui le pourra.

CHAPITRE X

*Où, entre autres choses, on trouvera la façon
de tuer le temps.*

Quelque goût que j'eusse pris pour la Morale, je
commençais à m'ennuyer chez Almaïde, lorsque
Moclès la séduisit. Un jour plus tard j'en serais sorti,
persuadé qu'il y avait au moins, dans Agra, deux
femmes insensibles. Ma patience heureusement, me
sauva d'une idée fausse.

Après avoir quitté Almaïde, j'errai longtemps ; les
ridicules, ou les vices d'un genre qui m'était déjà
connu, me promettant peu de plaisir, j'évitai avec soin,
ces maisons où tout avait l'air décent et arrangé. Mes
courses me conduisirent dans un Faubourg d'Agra qui
était rempli de maisons fort ornées ; celle pour qui je
me déterminai, appartenait à un jeune Seigneur qui
n'y logeait pas, mais qui, quelquefois, y venait *incognito*.

Le lendemain que je m'y fus fixé, je vis, sur le soir,
arriver mystérieusement une Dame, qu'à sa magnificence, et plus encore à la noblesse de son air, je pris
pour une femme du plus haut rang. Mes yeux furent
éblouis de ses charmes ; avec plus d'éclat encore que
Phénime, elle avait la même modestie, et une physionomie si douce, que je ne pus la voir sans m'intéresser
à elle vivement. A l'air dont elle entra dans le cabinet
où j'étais, il semblait qu'elle fût étonnée de la
démarche qu'elle faisait ; elle ne parla qu'en tremblant
à l'Esclave qui la conduisait, et sans oser lever les
yeux, elle vint s'asseoir sur moi, en rêvant, mais avec

tant de langueur, qu'il ne me fut pas difficile de deviner quel était le mouvement qui l'occupait.

A peine fut-elle seule, et livrée à elle-même, que
s'occupant des plus tristes réflexions, après avoir sou-
piré plusieurs fois, ses beaux yeux répandirent des
larmes. Sa douleur paraissait cependant plus tendre
que vive, et elle semblait moins pleurer des malheurs,
qu'en craindre. Elle avait à peine essuyé ses pleurs,
qu'un jeune homme fort bien fait, et mis superbement,
entra avec impétuosité, et en chantant, dans le cabinet.
Sa présence acheva de troubler la Dame ; elle rougit,
et en détournant ses yeux de dessus lui, et en se
cachant le visage, elle tâcha de lui dérober la confusion
où elle était.

Pour lui, il s'avança vers elle de l'air du monde le
moins tendre, et le plus galant, et se jetant à ses
genoux, ah Zéphis ! lui dit-il, mes yeux ne me
trompent-ils pas ! est-ce Zéphis que je vois ici ! est-ce
bien vous ! vous que j'adore, et que je n'osais presque
pas y espérer ! quoi ! c'est vous qu'enfin je tiens dans
mes bras !

Oui, répondit-elle en soupirant, c'est moi qui
n'aurais jamais dû venir ici, c'est moi qui meurs de
honte de m'y trouver, et qui n'ai cependant pas craint
de m'y rendre. Que vous me rendez chère cette solitude ! s'écria-t-il en lui baisant la main. Ah ! répondit-
elle, qu'un jour, peut-être, elle me coûtera de regrets !
Les preuves que je vous y donne de ma faiblesse,
deviendront plus cruelles pour moi, à mesure qu'elles
s'effaceront de votre souvenir, et elles s'en effaceront,
Mazulhim ! ou si vous vous les rappelez quelquefois,
ce ne sera que pour me mépriser de ce que j'aurai fait
pour vous. Mais quelle erreur ! répliqua-t-il d'un ton
badin, pouvez-vous, belle comme vous êtes, vous former de pareilles chimères ! savez-vous bien qu'*au vrai*,
je n'ai jamais aimé personne aussi tendrement que
vous ; et vous doutez de mes sentiments [42] ! Non, je
n'ai point le bonheur d'en douter, reprit-elle tristement ; je sais que vous ne pouvez être ni constant, ni
fidèle ; je doute même, que vous sachiez aimer ;

cependant je vous aime, je vous l'ai dit, et je viens dans
ces lieux, vous le dire encore. Je sens ma faiblesse dans
toute son étendue, je m'en fais pitié à moi-même, j'en
vois toutes les suites, et pourtant j'y cède. Ma raison
me fait voir tout ce que j'ai à craindre, mon amour me
fait tout braver.

Mais, en vérité, répondit-il, savez-vous bien que
vous me faites un vrai tort, un tort mortel de ne me
pas voir aussi tendre que je le suis ? Ah Mazulhim !
s'écria-t-elle, est-ce ainsi que vous sentez tout ce que
je vous sacrifie, et que vous rassurez mon cœur ! Je
vous aime, Mazulhim ; si vous me connaissiez mieux,
vous n'en douteriez pas. Ce cœur qui vous adore, n'a
(vous ne pouvez pas l'ignorer) jamais été qu'à vous ;
dites-moi que vous désirez qu'il y soit toujours. Si
vous saviez combien j'ai besoin de croire que vous
m'aimez, vous ne me refuseriez pas de me le dire, ne
fût-ce même que par humanité. C'est à vous seul
aujourd'hui que mon bonheur est attaché ; vous voir,
vous aimer toujours, c'est mon seul bien, et mes
uniques vœux. Serait-il bien vrai que vous fussiez
incapable de penser pour moi, comme je pense pour
vous !

Ah ! s'écria-t-il, je vous proteste... Mazulhim, interrompit-elle, laissez-moi le soin de vous justifier, je
m'en acquitterai mieux que vous-même, et j'ai plus
d'envie de croire que vous m'aimez, que vous de me le
persuader. Je vous avouerai, Madame, reprit-il d'un
air plus sérieux que touché, que je ne me croyais pas
assez malheureux pour que les preuves que depuis six
mois, j'ai tâché de vous donner de ma tendresse, vous
en eussent aussi peu persuadée. Je sens bien qu'un
amour extrême, tel que celui que j'ai eu le bonheur de
vous inspirer, ne va jamais sans un peu de défiance ; si
celle que vous me témoignez, pouvait ne tourmenter
que moi, ajouta-t-il en la serrant dans ses bras, je m'en
plaindrais beaucoup moins, et le plaisir de vous trouver si délicate, me ferait oublier combien vous êtes
injuste, mais c'est de votre repos qu'il s'agit ici, et si
vous connaissiez mieux mes sentiments, vous n'auriez

pas de peine à croire qu'il m'est infiniment plus cher que le mien.

En achevant ces mots, il voulut prendre avec Zéphis, les plus tendres libertés, mais elle se défendit d'un air si vrai que ne pouvant plus imaginer que ce fût en elle, envie de faire de ces façons auxquelles on ne prend seulement pas garde aujourd'hui, il la regarda avec étonnement. Eh quoi ! Zéphis, lui dit-il, est-ce ainsi que vous me prouvez votre tendresse, et devais-je m'attendre à tant d'indifférence ? Mazulhim ! répondit-elle en pleurant, daignez m'écouter. Je ne suis pas venue ici, sans savoir à quoi je m'exposais, et vous me verriez verser moins de larmes, si je n'étais pas déterminée à me livrer à votre tendresse ; je vous aime, et si je n'en croyais que les mouvements de mon cœur, je serais entre vos bras ; mais, Mazulhim, il en est encore temps, et nous ne sommes pas encore assez engagés l'un à l'autre, pour que vous deviez me cacher vos sentiments. Il n'y a pas de temps où il ne me soit affreux d'apprendre que vous ne m'aimez pas, mais jugez combien j'aurais à me plaindre de vous, jugez quel serait mon état si je ne l'apprenais qu'après que ma faiblesse ne vous aurait rien laissé à désirer ! Dominé par le désir de plaire, accoutumé à l'inconstance, par des succès qui ne se sont point démentis, vous ne cherchez qu'à vaincre, et vous ne voulez pas aimer. Peut-être est-ce sans passion pour moi, que vous m'avez attaquée ? examinez bien votre cœur, vous êtes maître de ma destinée, et je ne mérite pas que vous la rendiez malheureuse. Si ce n'est pas l'amour le plus tendre qui vous attache à moi, en un mot, si vous ne m'aimez pas comme je vous aime, ne craignez pas de me le déclarer ; je ne rougirai pas d'être le prix de l'amour, mais je mourrais de honte, et de douleur, si je ne m'étais vue que l'objet d'un caprice.

Quoique ces paroles, et les pleurs que Zéphis versait en les prononçant, n'attendrissent pas Mazulhim, elles lui firent prendre un ton moins froid, que celui qu'il avait d'abord employé auprès d'elle. Que vos craintes

me touchent, lui dit-il, mais que je les mérite peu !
est-il possible que vous imaginiez que je vous
confonds avec ces objets méprisables, qui, seuls
jusques à ce jour, ont paru m'occuper. J'avoue que la
façon dont j'ai vécu, a pu donner lieu à vos soupçons,
mais, Zéphis, voudriez-vous que j'eusse joint au ridicule d'avoir eu les femmes qui ont rempli mes loisirs,
la honte de les avoir aimées ? Il est vrai, je craignais
l'amour ; eh ! que pouvais-je faire de mieux, pour lui
échapper toujours, que de vivre avec des femmes sans
mœurs, et sans principes, qui dans l'instant même
qu'elles me séduisaient le plus par leurs agréments, me
sauvaient par leur caractère, du danger d'une passion !
Je suis, dites-vous, accoutumé à l'inconstance par les
succès. M'estimez-vous assez peu pour croire
qu'avant de vous avoir touchée, je me flattasse d'en
avoir eu quelques-uns ? il n'y a pas une de ces vic-
toires dont, peut-être, vous me croyez si vain, qui
intérieurement ne m'ait couvert de confusion ; pas une
enfin qu'au prix de tout mon sang, je ne voulusse
n'avoir point remportée, puisqu'elles me rendent
moins digne de vous !

Zéphis, à ces paroles, parut un peu rassurée, et
tendit la main à Mazulhim en attachant sur lui ses
beaux yeux, avec cette expression tendre, et touchante
que l'amour seul peut donner. Oui Zéphis ! continua
Mazulhim, je vous aime ! ah ! combien vivement !
avec quel plaisir je sens à vos genoux, qu'au milieu
même des transports les plus ardents, ce n'était pas à
l'amour que je sacrifiais ! qu'il m'est doux de le
connaître, et de ne le connaître que par vous ! sans vos
charmes, même sans vos vertus, j'aurais, sans doute,
ignoré toujours ce sentiment auquel jusques à vous, je
refusais de me livrer. C'est à vous seule que je le dois,
c'est pour vous seule que je veux en être éternellement
rempli !

Ah Mazulhim, s'écria-t-elle, que nous serons heureux si vous pensez ce que vous me dites ! s'il est vrai
que vous m'aimiez, vous m'aimerez toujours ! A ces
mots, elle se pencha sur Mazulhim, et en le serrant

tendrement dans ses bras, elle approcha sa tête de la sienne. La plus tendre ivresse était peinte dans ses yeux, et bientôt Mazulhim, par ses transports, en pénétra toute son âme. Dieux ! quels yeux quand il eut achevé de les troubler ! je n'avais jamais vu les mêmes qu'à Phénime.

Quelque préparée qu'elle fût, cependant, à rendre Mazulhim, l'amant du monde le plus heureux, elle ne put, sans se ressouvenir de ses craintes, et peut-être, de sa vertu, le voir si près de son bonheur. Vous ne doutez pas que je ne vous aime, lui dit-elle, en lui opposant la plus faible résistance, mais ne pouvez-vous... Ah Zéphis ! interrompit-il, Zéphis ! pouvez-vous craindre encore de me prouver votre tendresse !

Zéphis soupira, et ne répondit rien : plus vaincue par son amour, qu'elle n'était persuadée de celui de son amant, elle céda enfin à ses désirs. Trop heureux Mazulhim ! que de charmes s'offrirent à tes regards, et combien la pudeur de Zéphis, n'en augmentait-elle pas le prix ! aussi Mazulhim m'en parut-il vivement frappé ; tout l'étonnait, tout était en Zéphis, l'objet d'un éloge, et d'un baiser. Quoique loin de condamner l'admiration dans laquelle il était plongé, je la partageasse avec lui, il me sembla que pour la situation où il se trouvait, elle durait trop longtemps, et qu'elle semblait même suspendre, ou lui faire oublier ses désirs.

Il est bien vrai que plus on est délicat, plus on s'amuse de bagatelles. Le sentiment seul connaît ces tendres écarts qu'il imagine, et qu'il varie sans cesse ; mais enfin, on ne saurait s'y plaire toujours, et si l'on s'y arrête, c'est moins pour y borner ses désirs, que pour y trouver de nouvelles sources de flamme. J'eus, quelques instants, assez bonne opinion de Mazulhim, pour n'attribuer l'anéantissement où je le voyais, qu'à un excès d'amour ; et les charmes de Zéphis justifiaient cette idée. Vraisemblablement, Zéphis le crut aussi, et plus longtemps que moi. Je ne concevais pas comment les transports d'un amant si tendre, si pressé d'être heureux, s'affaiblissaient à mesure qu'ils trou-

vaient de quoi augmenter : il était vif sans être ardent ;
il louait, il admirait toujours ; mais, n'est-ce donc que
par des éloges, qu'un amant sait exprimer ses désirs ?

Avec quelque adresse que Mazulhim dissimulât son
malheur, Zéphis s'aperçut du peu de succès de ses
charmes : elle n'en parut ni surprise, ni choquée, et
tournant ses beaux yeux vers son amant, levez-vous,
lui dit-elle, avec le plus doux sourire, je suis plus
heureuse que je ne le pensais.

Mazulhim, à ce discours qui ne lui parut qu'insultant, s'efforça, mais vainement, de prouver à Zéphis
qu'il ne méritait pas qu'elle eût de lui, l'idée qu'elle
semblait en avoir prise. Forcé enfin de se rendre justice, hélas Madame ! lui dit-il d'un ton qui me fit rire,
c'est que vous m'avez attristé. Votre trouble me diver-
tit, répondit Zéphis, mais votre douleur m'offenserait.
Il serait trop cruel pour moi, que vous crussiez mon
cœur blessé... Ah Zéphis ! interrompit Mazulhim, qu'il
est affreux d'avoir tort avec vous, et difficile de s'en
justifier ! Cessez donc de vous affliger, répondit tendrement Zéphis ; je crois que vous m'aimez, je ne le
crois même que depuis un instant, et vous ne pouviez
mieux me prouver votre tendresse, que par les choses
que vous vous reprochez [43].

Ah ! cela, comme l'on dit, est bon pour le discours,
dit le Sultan, mais dans le fond de l'âme, cette
Dame-là n'était sûrement pas contente. Premièrement
c'est que par soi-même, cela est affligeant, et qu'il y a
apparence que ce qui afflige toutes les femmes, n'en
saurait divertir une, ou du moins vous conviendrez
qu'en ce cas-là, elle serait bien capricieuse. D'ailleurs,
c'est que le sentiment n'est pas une chose si conso-
lante, quand cela arrive, qu'on le pourrait bien dire.

A ce propos, je me souviens qu'un jour (j'étais
parbleu bien jeune !) c'était une femme... Je ne vous
dirai pas comment cela arriva ; nous étions pourtant
tous deux... Réellement, je ne m'en serais jamais défié,
ne voilà-t-il pas que tout d'un coup... je ne sais pas
trop comment vous dire cela. Eh bien ! j'eus beau lui
tenir les propos du monde, les plus galants ; plus je lui

parlai, plus elle pleura. Je n'ai jamais vu cela qu'une
fois, mais il est vrai que c'était une chose bien atten-
drissante. Je lui dis pourtant entre autres, qu'il ne
fallait désespérer de rien, que je ne l'avais pas fait
exprès... Eh ! finissez votre cruelle histoire, interrompit la Sultane. Je trouve assez bon, répondit Schah-
Baham, qu'il ne me soit point permis de faire un
conte, et chez moi, surtout ; de là, comme je vous
disais, poursuivit-il, j'ai conclu, et pour jamais, qu'il
n'y a point de femme à qui cela fasse un certain
plaisir ; par conséquent, la Dame de Mazulhim, qui
disait de si belles choses... aurait tout autant aimé
n'avoir pas eu à les dire, interrompit la Sultane, cela
est probable ; mais sachez pourtant que ce que vous
croyez si fâcheux pour une femme, l'afflige moins
qu'il ne l'embarrasse. Ah oui ! reprit le Sultan, je
n'aurais, par exemple, qu'à... mais n'ayez pas peur !
continuez, Émir.

Quelque déconcerté que Mazulhim me parût de son
aventure, il me sembla qu'il était encore plus étonné
de la façon dont Zéphis la prenait.

Si quelque chose peut, lui dit-il, me consoler de
cette affreuse disgrâce, c'est de voir qu'elle ne prenne
rien sur votre cœur ; que de femmes me détesteraient,
si elles avaient autant à se plaindre de moi ! Je vous
avoue, répondit Zéphis, que je ferais peut-être comme
elles, si je pouvais attribuer cet accident, à votre froideur, mais, si comme vous me l'avez dit, et que je le
crois, l'amour seul trouble vos sens, je ne trouve dans
cette aventure, que mille choses plus flatteuses pour
moi, que tous vos transports. Je vous aime trop pour
ne pas croire que vous m'aimez ; peut-être aussi ai-je
trop de vanité, ajouta-t-elle en souriant, pour imaginer
qu'il y a de ma faute ; mais quel que soit le motif de
mon indulgence, ce qu'il y a de vrai, c'est que je vous
pardonne. Je vous avertis, au reste, que je serais moins
tranquille sur le plus simple soupçon sur votre fidélité,
que sur ce que vous appelez un crime. Oui, Mazulhim, soyez-moi fidèle, et puissé-je toujours vous trouver tel que vous êtes actuellement ! Ce que j'y perdrais

du côté de ce que vous appelez des plaisirs, ne le
retrouverais-je pas bien dans la certitude que vous
seriez constant [44] ?

Pendant que Zéphis parlait, Mazulhim qui aurait
bien voulu lui avoir moins d'obligation, n'épargnait
rien de tout ce qui pouvait faire cesser son malheur.
Zéphis se prêtait à ses désirs avec une complaisance,
qu'intérieurement, peut-être, il n'approuvait pas,
parce que, de moment en moment, elle le rendait
moins excusable. Cette complaisance même, devenait
plus tendre, insensiblement elle augmentait ; Zéphis
défendait moins, ou accordait de meilleure grâce ; ses
yeux brillaient d'un feu que je ne leur avais pas encore
vu ; il semblait que ce ne fût que dans cet instant,
qu'elle se fût véritablement rendue : elle n'avait
jusque-là, que souffert les empressements de Mazulhim, alors elle les partageait. Cette répugnance insépa-
rable du premier moment, que tant de femmes jouent,
et que si peu sentent, avait cessé. Zéphis soutenait
sans embarras, les éloges de Mazulhim, et paraissait
même, désirer qu'il pût se mettre à portée de lui en
donner de nouveaux : elle rougissait, et ce n'était plus
la pudeur qui la faisait rougir ; ses regards ne se
détournaient plus de dessus les objets qui d'abord
avaient paru les blesser ; la pitié que Mazulhim lui
inspirait, enfin n'eut plus de bornes, cependant...

Ah oui ! interrompit le Sultan ; cependant...
j'entends bien ! voilà un impatient petit homme ! Je ne
connais rien qui soit, à la longue, plus insupportable
que les procédés qu'il a avec Zéphis ; je suis bien sûr
qu'elle s'en fâcha. Et moi, dit la Sultane, je le suis du
contraire : se fâcher d'un pareil malheur, c'est le mériter. Bon ! reprit le Sultan, pensez-vous qu'une femme
fasse une pareille réflexion ? ce qu'il y a de certain
pour moi, c'est qu'en pareil cas, je me fâcherais, et si [45]
je ne m'en croirais pas moins raisonnable, non.
Voyons pourtant ce que dit Zéphis, car, à ce que je
vois, en cela, comme en toute autre chose, chacun a
son goût.

Quelque indulgente qu'elle fût, reprit Amanzéi,

l'obstination du malheur de son amant, me parut
l'ennuyer ; soit qu'ayant plus fait pour lui, que la
première fois, elle crût le mériter moins, soit qu'étant
en ce moment plus favorablement disposée, elle trou-
vât dans sa raison moins de force pour le soutenir.

Mazulhim, moins convaincu que Zéphis de son
infortune, ou accoutumé peut-être à braver de pareils
malheurs, ne pensant pas de Zéphis aussi bien qu'il le
devait, tenta ce que, s'il eût été plus sage, ou plus poli,
il n'aurait pas tenté. Il me sembla qu'elle n'agréait pas
une épreuve qui lui montrait moins encore de présomption dans Mazulhim, que la mauvaise opinion
qu'il osait avoir de ses charmes.

Malgré son trouble, il lui échappa un souris malin
qui semblait dire à Mazulhim qu'elle n'était point
personne avec qui cette témérité fût placée, et pût être
heureuse. Sûre qu'il en serait bientôt puni, elle se livra
à ses ridicules entreprises, avec une intrépidité que
toute femme est assez vaine pour avoir en pareil cas,
mais qui n'est point dans toutes, justifiée par le succès.
Quoique Mazulhim fût en ce moment moins à
plaindre qu'il ne l'avait été, il n'était pas cependant
dans une situation dont on pût le féliciter, et quels que
fussent ses efforts, Zéphis eut raison de ne les avoir
pas craints.

A l'air étonné de Mazulhim, je dus croire que s'il
était fait à une partie de ce qui lui arrivait, il ne l'était
pas à trouver des femmes qui, comme Zéphis, ne
pussent dans ses malheurs, lui laisser aucune ressource. Ce que je dis toutefois sans vouloir en offenser
aucune ; et que sait-on, d'ailleurs, si ce serait toujours
à elles qu'on devrait s'en prendre ?

Quoi qu'il en soit, la surprise de Mazulhim, fut si
plaisamment marquée, et aux dépens de beaucoup
d'autres femmes, faisait si bien l'éloge de Zéphis,
qu'elle ne put s'empêcher d'en rire. Si vous me l'aviez
demandé, lui dit-elle, je vous l'aurais dit, mais vous ne
m'en auriez peut-être pas crue. J'aurais assurément eu
tort, répondit-il, mais je ne devais pas m'y attendre ;
une expérience de dix ans, toujours heureuse, me

faisait croire toujours possible, ce qu'avec vous seule,
j'ai inutilement tenté. Ah Zéphis ! ajouta-t-il, faut-il
que je trouve dans ce qui devrait combler mes désirs,
de nouvelles raisons de me plaindre ! En effet, répondit-elle en riant, je conçois combien vous êtes malheureux, et vous devez aussi être bien sûr de toute ma
pitié. Zéphis ! reprit-il avec un transport plus vrai que
tous ceux que je lui avais vus, rien n'égale ma tendresse, que vos charmes ; chaque moment augmente
mon ardeur, et mon désespoir ; et je sens... Eh Mazulhim ! interrompit-elle, quel aurait donc été ce bonheur
dont vous regrettez tant la perte ? non, s'il est vrai que
vous m'aimiez, vous n'êtes pas à plaindre. Un seul de
mes regards doit vous rendre plus heureux que tous
ces plaisirs que vous cherchez, si vous les aviez trouvés auprès d'une autre. Vos sentiments me charment,
et me pénètrent, dit-il, mais en redoublant mon
amour, ils augmentent mes regrets, et ma douleur.

Finissons cet entretien, dit Zéphis en se levant.
Quoi, s'écria-t-il, voudriez-vous déjà me quitter ? ah
Zéphis ! ne m'abandonnez point à l'horreur de ma
situation ! Non, Mazulhim, répliqua-t-elle, je vous ai
promis de passer ce jour avec vous. Eh ! puisse-t-il ne
vous point paraître plus long qu'à moi ! mais sortons
de ce cabinet : allons jouir de la délicieuse fraîcheur
qui commence à se répandre ; distraire votre imagination, la détourner enfin de dessus les objets qui
l'attristent : peut-être, Mazulhim, plus on cherche les
plaisirs, moins on peut les goûter ; essayons si, en y
arrêtant moins notre pensée, nous ne nous y dispose-
rons pas mieux.

La généreuse Zéphis sortit en achevant ces paroles,
et Mazulhim lui donna la main, de l'air du monde le
plus respectueux.

Ce qu'il y a de singulier, c'est que ce Mazulhim qui
employait si mal les rendez-vous qu'on lui donnait,
était l'homme d'Agra le plus recherché ; il n'y avait
pas une femme qui ne l'eût eu, ou qui ne voulût l'avoir
pour amant ; vif, aimable, volage, toujours trompeur,
et n'en trouvant pas moins à tromper, toutes les

femmes le connaissaient, et toutes cependant, cherchaient à lui plaire ; sa réputation enfin était étonnante. On le croyait !... que ne le croyait-on pas ! Et
pourtant, qu'était-il ? que ne devait-il pas à la discrétion des femmes, lui qui ayant pour elles, de si mauvais procédés, les ménageait cependant si peu ?

Après une heure de promenade, Zéphis et lui,
revinrent du jardin. Je cherchai promptement dans
leurs yeux, s'ils étaient plus contents que lorsqu'ils
étaient sortis. A l'air modeste de Mazulhim, je crus
que non, et je ne me trompais pas. Zéphis s'assit sur
moi, nonchalamment, et Mazulhim se mit à ses pieds,
sur des carreaux [46]. Ayant assez peu de chose à lui
dire, et n'imaginant d'abord aucune sorte d'amusements qu'il fût en état de lui procurer, il s'abandonna
à la rêverie, en la regardant assez tendrement. Honteux, peu de temps après, du personnage qu'il jouait
auprès de la plus belle femme d'Agra, mais consterné
encore de ses malheurs, tremblant, en voulant les
réparer, d'essuyer de nouveaux affronts, il fut quelques moments sans savoir à quoi se déterminer. Il
craignit enfin que son silence, et sa froideur, ne
parussent plutôt à Zéphis des preuves d'indifférence
que de crainte, ou de repentir. Il la prit brusquement
dans ses bras, et lui donnant les baisers les plus
tendres, sembla vouloir sortir par un coup d'éclat, de
la profonde léthargie dans laquelle il était plongé.
Zéphis d'abord parut délibérer en elle-même, si elle se
prêterait aux nouvelles entreprises de Mazulhim. Si sa
tendresse la sollicitait à tout accorder, cette même
tendresse lui faisait voir avec douleur, qu'elle n'avait
jamais plus de cruauté pour Mazulhim, que quand elle
ne lui refusait rien. Désirait-il d'être heureux, ou la
connaissait-il assez peu pour croire qu'elle serait blessée s'il ne cherchait pas à le devenir ? était-ce enfin
l'amour, ou la vanité qui le lui ramenait si tendre ?

Pendant qu'elle s'occupait de ces idées, Mazulhim
(soit qu'il cherchât uniquement à se tirer d'une situation qui l'ennuyait, soit que, comme il était admirable
pour les menus détails de l'amour, il voulût empêcher

Zéphis de s'ennuyer) crut devoir employer ces riens,
charmants quand ils précèdent, ou suivent une
conversation sérieuse, mais qui par leur frivolité, ne
sont pas faits pour en tenir lieu. Zéphis refusa d'abord
de s'y prêter, mais croyant à l'empressement extrême
avec lequel Mazulhim lui demandait plus de complaisance qu'il avait besoin qu'elle en eût, elle consentit
par pure générosité, et en haussant les épaules, à ce
dont il se faisait de si grandes idées, et dont, car il faut
lui rend.e justice, elle attendait beaucoup moins que
lui.

L'air inattentif, et même ennuyé qu'elle garda longtemps, loin d'impatienter Mazulhim, l'engagea à
redoubler ses soins ; et comme il était l'homme de son
temps, qui savait le mieux traiter les petites choses, il
la força à lui prêter plus d'attention ; de l'attention, il
la conduisit à l'intérêt : le peu de réalité des objets qu'il
lui offrait, disparut insensiblement à ses yeux ; elle
seconda elle-même l'illusion où il la jetait, et connut
enfin de combien de plaisirs l'imagination est la
source, et combien sans elle, la nature serait bornée.

Pour comble de bonheur, ce que Mazulhim avait
peut-être moins regardé comme une ressource pour
lui, que comme une sorte de dédommagement qu'il
devait à Zéphis, lui fit une impression plus vive qu'il
ne s'en était flatté. Les charmes de Zéphis, devenus
même plus touchants, lui firent sentir cette émotion
qu'il avait jusque-là, cherchée si vainement, et dans le
doux désordre qui commençait à s'emparer de ses
sens, ayant perdu le souvenir de ses malheurs, ou en
étant alors plus irrité qu'abattu, il vainquit enfin glo-
rieusement ces obstacles cruels, par lesquels il s'était
vu si longtemps, et si cruellement arrêté.

J'entends, dit alors le Sultan, c'est fort bien fait ; *il
vaut mieux tard que jamais* ; c'est-à-dire que... N'allez-
vous pas nous expliquer cela, interrompit la Sultane,
et pensez-vous qu'Amanzéi ait eu la prudence, et la
finesse de nous laisser quelque chose à deviner ? Je
n'en sais rien, reprit le Sultan, ce ne sont pas là mes
affaires, mais enfin, c'est que, comme vous le savez

aussi bien que moi, ce Mazulhim est un peu sujet à des accidents, et qu'il me paraît tout simple que l'on s'informe... parce que, par hasard, il se pourrait... Eh bien ! dites-moi donc un peu, Mazulhim ?

Sire, il fut heureux, mais il savait mieux offenser, qu'il ne savait réparer les outrages qu'il faisait, et je doute que s'il eût eu affaire à une personne moins généreuse que Zéphis, il eût pu pour si peu, obtenir son pardon. Plus vain qu'il n'était amoureux, il me parut moins sentir le bonheur de posséder Zéphis, que le plaisir d'avoir moins à rougir devant elle. Ils commencèrent une conversation tendre, où Zéphis mit beaucoup de sentiment, et Mazulhim extrêmement de jargon.

Peu de temps après, on servit un souper où il avait épuisé la délicatesse, et le goût. Zéphis animée de plus en plus par la présence de son amant, lui dit mille choses fines, et passionnées qui ne me firent pas moins admirer son esprit, que sa tendresse. Quoique lui-même fût étonné de tant de charmes, ils n'agissaient pas sur lui, aussi vivement que sur moi, et il me parut que son orgueil était plus flatté de la conquête de Zéphis, que son cœur n'était touché de cette passion vive et délicate qu'elle avait pour lui, et dont, malgré ce qu'elle craignait de son inconstance, elle était uniquement remplie.

Si la possession de Zéphis n'avait pas rendu Mazulhim aussi amoureux qu'elle l'aurait dû, il en était du moins, devenu plus vif ; son cœur inaccessible au sentiment, languissait encore ; toutes les vertus de Zéphis, que l'ingrat louait sans les connaître, et peut-être sans les lui croire, loin de l'attacher à elle, semblaient l'en éloigner, et le contraindre. Je ne le voyais pas même ému de l'amour tendre, et vrai qu'elle avait pour lui, mais elle commençait à lui inspirer des désirs. Il la regardait avec transport, il soupirait, il lui parlait avec ardeur du bonheur dont il avait joui, et semblait attendre avec impatience, que le souper finît. Il le lui dit même, mais soit qu'elle s'y amusât, soit qu'elle n'eût pas si bonne opinion que lui de l'après-

souper, elle était moins impatiente. Cependant elle
l'aimait, il la pressa, bientôt... ah Mazulhim ! que tu
aurais été heureux si tu avais su aimer !

Peu de temps après, Zéphis sortit, et Mazulhim la
suivit, en lui faisant des protestations d'amour, et de
reconnaissance, que je crus d'autant moins vraies,
qu'elle les méritait mieux. Zéphis était trop estimable
pour qu'il pût s'attacher constamment à elle ; elle était
vraie, sans fard, sans coquetterie ; Mazulhim était sa
première affaire, mais ce qui aurait fait la félicité d'un
autre, n'était pour ce cœur corrompu, qu'une liaison
où il ne trouvait ni plaisir, ni amusement. Il ne lui
fallait que de ces femmes qui, nées sans sentiment, et
sans pudeur, ont mille aventures, sans avoir un amant,
et qu'à l'indécence de leur conduite, on pourrait
accuser de chercher plus encore le déshonneur que le
plaisir. Il n'était pas étonnant que Mazulhim, qui
n'était qu'un fat, plût aux femmes de ce genre, et qu'à
son tour, il les recherchât.

Mais, Amanzéi, demanda la Sultane, comment un
homme de si peu de mérite, avait-il pu toucher une
personne aussi estimable que nous avez peint
Zéphis ? Si votre Majesté voulait bien se ressouvenir
du portrait que j'ai fait de Mazulhim, répondit Amanzéi, elle s'étonnerait moins qu'il eût su plaire à Zéphis ;
il avait des agréments, et savait feindre des vertus.
Zéphis, d'ailleurs, ne serait pas la première femme
raisonnable qui aurait eu le malheur d'aimer un fat, et
votre Majesté n'ignore pas qu'on ne voit autre chose,
tous les jours. Sans doute, dit le Sultan, par exemple, il
a raison, l'on ne voit que cela ; au reste, ne me demandez pas pourquoi, car je n'en sais rien. Ce n'est pas à
vous non plus que je le demande, reprit la Sultane. Ce
sont des choses, qu'avec tout l'esprit que vous avez, il
me paraît simple que vous ne sachiez pas.

Qu'une femme raisonnable, continua-t-elle, se
rende à un amour également tendre, et constant ; que,
sûre des sentiments, et de la probité d'un homme qui
l'aime, (si toutefois, quelque chose peut jamais l'en
assurer) elle se livre enfin à lui, cela ne me surprend

pas ; mais qu'elle soit capable de faiblesse pour un Mazulhim ! voilà ce que je ne puis comprendre ! L'amour, répondit Amanzéi, ne serait pas ce qu'il est, si... Si, si, interrompit le Sultan, allez-vous faire long-temps les beaux esprits ? et ne vous souvient-il plus que j'ai défendu les dissertations ? Que vous importe, dites-moi, que cette Zéphis aime ce Mazulhim, que l'une soit une bégueule, et l'autre un fat ? eh bien ! elle l'aime tel qu'il est. Vous voulez savoir pourquoi : que ne le demandiez-vous à Amanzéi, pendant qu'il était femme ? croyez-vous qu'il se souvienne de cela, lui, à présent ? Vous êtes cause, au reste, avec tous vos discours, que les contes que l'on me fait, ne finissent point ; et cela m'excède. Voyons, Émir, où en étiez-vous ? que devint cette Zéphis si raisonnable qu'elle en ennuie ? quelle fut la fin de tout cela ?

Celle qu'elle devait avoir, reprit Amanzéi ; Mazul-him ne voulant pas d'abord manquer totalement d'égards pour Zéphis, la trompa le plus secrètement qu'il put. Ou les ménagements qu'il eut pour elle, ne furent pas assez habilement employés pour la tromper longtemps, ou les infidélités qu'il lui faisait, étaient trop fréquentes, et trop marquées, pour qu'il pût tou-jours les lui dérober. Quoi qu'il en soit, elle se plaignit, mais comme avec toutes les délicatesses de l'amour le plus tendre, elle en avait tout l'aveuglement, il vint aisément à bout de la calmer. Il continua ses infidéli-tés, et elle recommença ses reproches. Enfin, il s'impa-tienta, et peu touché de son amour, et de ses larmes, il rompit absolument avec elle, et la laissa livrée à la honte de l'avoir aimé, et à la douleur de l'avoir perdu.

Ma foi, dit le Sultan, il fit fort bien de la quitter, et la preuve de cela, c'est que j'aurais fait de même. Je sais bien qu'elle était fort belle, qu'elle avait beaucoup de mérite, mais ce mérite-là m'aurait, moi qui veux qu'on me divertisse, ennuyé tout comme lui. Ce n'est pour-tant pas que je sois un Mazulhim, je pense qu'on ne me le reprochera pas, mais c'est qu'il ne laisse pas d'être plaisant de quitter des femmes, quand ce ne serait uniquement que pour entendre ce qu'elles en disent.

CHAPITRE XI

Qui contient une recette
contre les Enchantements.

Trois jours après que j'eus vu Zéphis pour la première fois, Mazulhim arriva seul. A peine avait-il eu le temps de donner quelques ordres, qu'une petite femme dont l'air était vif, indécent, étourdi, et pourtant maniéré, entra dans le cabinet. De loin, elle ne manquait pas d'éclat ; de près, ce n'était qu'une figure médiocre, et que sans ses ridicules, ses mines, et cette prodigieuse vivacité qu'elle affectait, on n'aurait seulement pas remarquée. Aussi, était-ce la seule chose qui avait fait naître à Mazulhim, l'envie de l'avoir.

Ah ! s'écria-t-il en la voyant, c'est vous ! mais savez-vous bien que vous êtes divine d'arriver de si bonne heure [47] !

Cette beauté qui, malgré ses airs enfantins, avait trente ans au moins, s'avança vers Mazulhim avec cette noble indécence qui composait presque toutes ses grâces, et sans lui répondre, ni presque le regarder, vous aviez raison, lui dit-elle, de me dire que votre petite maison [48] était jolie ; mais, c'est qu'elle est charmante ! meublée d'un goût ! d'une volupté ! cela est divin ! N'est-il pas vrai, répondit-il, que c'est la plus jolie du Faubourg ? Ne dirait-on pas, à ce propos, répliqua-t-elle, que j'en connais beaucoup ? Ce cabinet-ci est charmant ! continua-t-elle, galant au possible ! Je suis, dit-il, charmé de vous y voir, et qu'il vous plaise. Oh pour moi ! répliqua-t-elle, je n'ai, peut-être pas fait pour y venir, toutes les façons que je

devais ; ce n'est pas que je ne sache aussi bien qu'une
autre, l'art de filer, et de mettre de la décence dans une
affaire, mais... vous ne le pratiquez pas, interrompit-il,
oh ! pour cela, l'on vous rend justice. C'est que cela est
vrai, au moins ! reprit-elle ; exactement, je ne suis
point fausse. Hier, quand vous me dites que vous
m'aimiez, et que vous me proposâtes de venir ici... je
fus pourtant bien tentée de vous répondre non, mais la
vérité de mon caractère ne me le permit point ; je suis
franche, naturelle, vous me plaisez, et me voilà. Vous
n'en pensez pas plus mal de moi, peut-être ? Qui !
moi ! répondit-il en haussant les épaules, voilà une
belle idée ! j'en penserais mille fois mieux, s'il m'était
possible. Au vrai, vous êtes charmant ! reprit-elle ;
mais, dites-moi donc ? y a-t-il longtemps que vous
êtes ici ? J'arrivais, repartit-il ; et j'en rougis ! j'en suis
confondu ! mais vous avez pensé être ici la première.
Cela aurait vraiment été joli, dit-elle, et je n'aurais pas
manqué de vous en savoir gré. Vous concevez bien,
répondit-il, qu'on ne fait pas ces choses-là exprès, et
qu'elles peuvent arriver aux gens les plus empressés.
Oui, oui, reprit-elle, je le conçois bien, je ne l'aimerais
pourtant pas. Écoutez donc, que je vous dise des
nouvelles. Zobéïde vient dans la minute, de quitter
Areb-Chan. Ne lui a-t-elle fait que cela, demanda-
t-il ? Et Sophie, continua-t-elle, vient de prendre
Dara. N'a-t-elle pris que lui, demanda-t-il encore ?

Pendant qu'elle parlait, Mazulhim qui la connaissait
trop pour la respecter seulement un peu, prenait avec
elle les plus grandes libertés. Loin qu'elle m'en parût
plus émue que lui, elle promena ses yeux dans le
cabinet avec distraction, puis les ramenant sur sa
montre, mais, quelle folie donc, Mazulhim, lui dit-elle,
est-ce que nous serons seuls tout le jour ? Voilà une
assez bonne question ! répondit-il ; sans doute, nous
serons seuls. Mais vraiment, reprit-elle, je n'avais pas
compté là-dessus ; laissez donc ! ajouta-t-elle sans
aucun désir qu'il finît, ni qu'il continuât (aussi ne s'en
embarrassa-t-il pas plus qu'elle) vous êtes, au vrai,
d'une folie qui ne ressemble à rien [49] ; et à propos de

quoi, être seuls s'il vous plaît ? Il me semble, répondit
froidement Mazulhim, que cette conversation n'empêchait pas de s'amuser, que cela était convenu entre
nous. Convenu ! dit-elle, quel conte ! où avez-vous
donc pris cela ? je n'en ai pas dit un mot, je vous jure ;
après tout, cela m'est égal, et je saurai bien vous
contenir. Ah pour cela, laissez donc ! vous avez des
façons singulières ! Pas trop, il me semble que je ne
suis pas plus singulier qu'un autre. D'ailleurs, étant
ensemble comme nous y sommes, je dois croire que je
n'outre rien. Ah Zulica ! ajouta-t-il, vous qui avez du
goût, dites-moi ce que vous pensez de ce plafond ?
C'était à cela que je rêvais, dit-elle, je le voudrais
moins chargé de dorure ; tel qu'il est, je le trouve
pourtant fort beau, ajouta-t-elle en s'asseyant sur ses
genoux, et selon toutes les apparences, ce n'était pas
pour le déranger.

Quand j'y pense, reprit-elle, il faut que je sois bien
folle pour croire que vous me serez fidèle, vous qui ne
l'avez encore été à personne. Ah ! ne parlons pas de
cela, répliqua-t-il en s'occupant toujours, et (grâces
aux bontés de Zulica) fort commodément ; vous seriez
peut-être bien embarrassée, si j'étais plus constant que
vous ne me soupçonnez de l'être. Vous ne voulez
donc pas me laisser ? dit-elle en ne faisant pas le
moindre mouvement pour lui échapper, ou pour le
contraindre. A l'égard de la constance, continua-t-elle
aussi froidement que s'il n'eût pas continué, lui, j'en ai
dans le caractère, j'ose le dire. Ce n'est pas
aujourd'hui une vertu, que la constance, tant elle est
commune, répondit-il, et l'on peut, sans se vanter, dire
qu'on en est capable ; vous avez pourtant, et malgré
celle dont vous pouvez vous piquer, changé quelquefois. Pas tant, n'allez pas croire cela. Mais je sais,
et vous ne l'ignorez pas, répondit-il, tous les amants
que vous avez eus. Eh bien ! dit-elle, en ce cas-là, vous
conviendrez qu'il n'a tenu qu'à moi, d'en avoir davantage ; finissez donc ! vous me tourmentez ! Beaucoup
moins que je ne devrais. Mais enfin, répliqua-t-elle,
c'est toujours plus que je ne veux. Quoi ! lui dit-il, ne

m'aimez-vous pas ? allez-vous avoir un caprice ? n'avons-nous pas tout réglé ? Eh mais... oui, répondit-elle, mais... Ah ! Mazulhim ! vous me déplaisez ! C'est un conte, repartit-il froidement, cela ne se peut pas.

Alors il la posa doucement sur moi. Je vous assure, Mazulhim, lui dit-elle en s'y arrangeant, que je suis outrée contre vous ; je vous le dis, c'est que je ne vous le pardonnerai jamais.

Malgré ces terribles menaces de Zulica, Mazulhim voulut achever de lui déplaire. Comme entre autres choses, il avait la mauvaise habitude de ne s'attendre jamais, et qu'elle avait apparemment celle de ne jamais attendre personne, il lui déplut en effet, à un point qu'on ne saurait imaginer. Cependant, malgré sa colère, elle attendit, et sa vanité lui fit suspendre son jugement. Dans toutes les occasions où elle s'était trouvée, (et elles avaient été fréquentes assurément) on ne lui avait jamais manqué ; c'était pour elle, une preuve incontestable de ce qu'elle valait. D'ailleurs, ce Mazulhim qu'elle trouvait si peu digne d'estime, de quels prodiges, si l'on en croyait le Public, n'était-il pas capable ! Si (comme la chose lui paraissait assez avérée) elle n'avait rien à se reprocher, par quel hasard, Mazulhim qui, disait-on, n'avait jamais eu tort avec personne, en avait-il avec elle, un si singulier ? Elle avait ouï dire à tout le monde, qu'elle était charmante ; la réputation de Mazulhim était trop belle, pour qu'il ne le méritât pas, au moins, par quelque endroit ; donc, ce qui lui faisait faire tant de réflexions, n'était point naturel, et ne pouvait pas durer.

Avec ces consolantes idées, et d'ouï-dire, en ouï-dire, Zulica s'était armée de patience, et cachait son dépit le mieux qu'il lui était possible. Mazulhim, cependant tenait les propos du monde, les plus galants sur les beautés qui semblaient le toucher si peu. Il fallait, disait-il, que pour le rendre tel qu'il se trouvait, tous les Magiciens des Indes, eussent travaillé contre lui ; mais, continuait-il, que peuvent leurs charmes contre les vôtres ? Aimable Zulica ! ils en ont différé le pouvoir, mais ils n'en triompheront pas.

A tout cela, Zulica plus fâchée que Mazulhim, n'était déconcerté, ne lui répondait que par des souris malins, mais auxquels, de peur de l'achever, elle n'osait donner toute l'expression qu'elle aurait voulu. Vous êtes, lui demanda-t-elle d'un air railleur, brouillé avec des Magiciens ? je vous conseille de vous raccommoder avec eux ; des gens capables de jouer de pareils tours, sont de dangereux ennemis ! Ils le seraient moins, si vous vous étiez bien mis en tête de leur en donner le démenti, répondit-il, et je doute aussi que, malgré leur mauvaise volonté, si je vous aimais avec moins d'ardeur, j'eusse éprouvé... Oh ! c'est un propos auquel j'ajoute assez peu de foi, que celui que vous me tenez là, interrompit Zulica, qui ayant déterminé en elle-même, le temps que l'on pouvait rester enchanté, croyait alors avoir accordé assez de répit [50]. Je sais bien, reprit-il, que si vous me jugez à la rigueur, vous ne devez pas être contente, mais, moins vous l'êtes, plus vous devriez achever de me mettre dans mon tort. Je doute, répliqua-t-elle, que cela fût convenable. Je vous croyais moins attachée à la décence, reprit-il d'un air railleur, et j'osais espérer... Vous prenez assurément bien votre temps pour railler ! interrompit-elle, vous avez raison ! rien n'est si glorieux pour vous, que cette aventure ! Mais, Zulica, reprit-il, ne voudrez-vous donc jamais sentir que le ton que vous prenez, ne peut que me nuire, et perpétuer mon humiliation ? C'est, je vous jure, dit-elle, ce dont je me soucie le moins. Mais, lui demanda-t-il, si vous vous en souciez si peu, de quoi vous fâchez-vous tant ? Vous me permettrez de vous dire, Monsieur, que c'est une fort sotte question, que celle que vous me faites.

A ces mots, elle se leva, malgré tous les efforts qu'il fit pour la retenir ; laissez-moi, lui dit-elle d'un ton aigre, je ne veux ni vous voir, ni vous entendre ! Assurément ! s'écria-t-il, j'en ai vu d'aussi malheureuses, mais je n'en ai jamais vu d'aussi fâchées !

Cette exclamation de Mazulhim ne plut pas à Zulica ; désespérée de l'accident qui lui arrivait, outrée de l'air froid de Mazulhim, elle s'en prit, dans sa fureur, à un grand vase de porcelaine qu'elle trouva sous sa main, et qu'elle brisa en mille morceaux. Hélas Madame ! lui dit Mazulhim en souriant, vous n'auriez rien trouvé ici à briser, si toutes les personnes qui n'y ont pas été contentes de moi, s'en étaient vengées de la même manière ; au reste, ajouta-t-il en s'asseyant sur moi, je vous conjure de ne vous pas gêner.

Voilà une femme qui me plaît tout à fait, dit Schah-Baham, elle a du sentiment, et n'est pas comme cette Zéphis, à qui tout était égal, et qui, d'ailleurs, était bien la plus sotte précieuse que j'aie de ma vie rencontrée ! Je sens qu'elle m'intéresse infiniment, et je vous la recommande, Amanzéi ; entendez-vous ? tâchez qu'on ne la chagrine pas toujours. Sire, répondit Amanzéi, je la favoriserai autant que le respect dû à la vérité, pourra me le permettre.

Mazulhim en finissant de parler, se mit à rêver d'un air distrait. Zulica qui était allée s'asseoir dans un coin, et loin de lui, soutint assez bien pendant quelque temps, la méprisante indifférence qu'il lui témoignait, et pour la lui rendre, elle se mit à chanter. Ou je me trompe, lui dit-il, quand elle eut fini, ou le morceau que Madame vient de chanter, est de tel Opéra ? Elle ne répondit rien. Vous avez, continua-t-il, une jolie voix, peu étendue, mais flûtée, et dont les sons vont droit au cœur. Il est heureux qu'elle vous plaise, répondit-elle sans le regarder. Vous ne le croyez peut-être pas, repartit-il, mais il est vrai pourtant, que vous pourriez en être flattée, et que peu de gens s'y connaissent aussi bien que moi. Un autre agrément que je vous trouve, et que je vous dirais, si je pouvais à présent, vous paraître digne de vous louer, c'est une expression charmante, qui ne laisse rien à désirer par sa vivacité, et par sa justesse, et que vos yeux secondent si bien qu'il est impossible de vous entendre, sans se sentir remué jusques au fond du cœur. Vous allez me répondre encore, qu'il est heureux que cela me plaise ?

Non, répondit-elle d'un ton plus doux, je ne suis

pas fâchée que vous me trouviez des choses aimables, et plus je vous sais connaisseur, plus vos éloges doivent me flatter. Voilà précisément, dit-il, la raison qui me ferait désirer de mériter les vôtres. Ah sans doute ! dit-elle. Allez-vous dire que vous ne vous connaissez à rien, répondit-il, et pour mettre le comble à l'injustice, n'imaginerez-vous pas aussi, qu'il m'est indifférent que vous pensiez de moi, bien ou mal ? joindrez-vous cette injure à toutes celles que vous m'avez déjà faites ? Ah Zulica ! est-il possible que ce qui devrait augmenter votre tendresse, ne serve qu'à vous irriter contre moi !

Est-il possible aussi ! reprit-elle avec emportement, que vous me croyiez assez dupe pour regarder comme une preuve d'amour, l'affront le plus sanglant que jamais vous pussiez me faire ! Un affront ! s'écria-t-il ; aimable Zulica ! vous connaissez peu l'amour, si vous croyez que nous devions vous et moi, rougir de ce qui nous est arrivé. Je ne craindrai pas de vous dire plus : les gens que vous avez honorés de votre tendresse, vous ont aimée bien peu, si vous ne les avez pas trouvés tous, aussi malheureux que moi.

Oh pour cela ! Monsieur, dit-elle en se levant, finissez, ou je vous quitte, je ne puis plus soutenir le ridicule, et l'indécence de vos propos. Je n'ignore pas qu'ils vous blessent, répondit-il, et je suis surpris, je l'avoue, de ce qu'ils font cet effet-là sur vous ; mais, ce dont je ne reviens pas, c'est que vous vous obstiniez à me trouver si coupable. Je trouverais tout simple qu'une femme ordinaire, sans monde [51], sans usage, s'offensât mortellement d'une aventure pareille, mais vous ! que vous soyez précisément comme quelqu'un qui n'a jamais rien vu ! en vérité ! cela n'est pas pardonnable ! En effet ! dit-elle, il faut être sotte au dernier point pour ne la pas trouver flatteuse, et je m'étonne de ne vous avoir point encore remercié de l'impression singulière, que j'ai faite sur vous ! Raillerie à part, dit-il en voulant se lever, je vais vous prouver que je n'ai pas tort.

Non, Monsieur, s'écria-t-elle, je vous défends de

m'approcher. J'exécuterai vos ordres, tout injustes qu'ils sont, et je prouverai de loin, puisque vous le jugez à propos. Oui, répliqua-t-elle, cela vous sera sûrement plus commode ; mais faisons mieux, n'en parlez plus ; aussi bien, ne suis-je pas assez imbécile pour que vous puissiez me persuader jamais, que plus un amant a de tendresse, moins il peut l'exprimer à ce qu'il aime.

C'est-à-dire, reprit-il d'un air nonchalant, que vous croyez précisément le contraire, vous ? Oui, repartit-elle, précisément ; c'est qu'on ne peut pas être plus persuadée d'une chose, que je le suis de celle-là. Eh bien Madame ! vous pouvez donc vous vanter d'être la femme la moins délicate qu'il y ait au monde ; et, si je ne vous aimais au point que je ne connais, sous le Ciel, rien d'assez fort pour m'arracher à vous, je vous avouerais que cette façon de penser, m'en éloignerait pour jamais. Il serait, en effet, dit-elle, assez étonnant qu'elle vous plût.

Oh non ! reprit-il d'un air détaché, je ne suis pas intéressé autant que vous voulez bien me faire l'honneur de le croire, à m'en déclarer l'ennemi ; mais c'est qu'il est décidé de tout temps, que plus on a d'amour, moins on a l'usage de ses sens, et qu'il n'appartient qu'à des cœurs grossiers, et incapables de se laisser pénétrer des charmes de la volupté, de se posséder dans les moments où vous m'avez trouvé si loin de moi-même. Si l'espoir du plaisir suffit pour troubler un amant, jugez de ce que doit produire sur lui, l'approche de ces instants heureux qu'il a si vivement désirés ; combien son âme doit s'être usée dans les transports qui les précèdent, et si ce désordre que vous me reprochez, est aussi désobligeant pour une femme qui sait penser, que ce sang-froid dont, faute d'y réfléchir, sans doute, vous voudriez que j'eusse été capable. Franchement, ajouta-t-il en s'allant jeter à ses genoux, serait-ce la première fois que vous... Ah ! cessez cette mauvaise plaisanterie, interrompit-elle, laissez-moi, je veux sortir, et ne vous voir de ma vie. Mais Zulica, lui dit-il, en la ramenant de mon côté, ne voudrez-vous donc jamais sentir qu'il semble, à la façon dont vous prenez mon malheur, que vous ne vous croyez pas assez de charmes pour le faire cesser ?

Soit que les délicates distinctions de Mazulhim eussent déjà disposé Zulica à la clémence, soit que la grande réputation qu'il s'était acquise, rendît ce qu'il disait, plus vraisemblable, elle se laissa conduire sur moi, en faisant cette légère résistance qui, communément enflamme plus qu'elle n'arrête. Peu à peu Mazulhim en obtint davantage, et se retrouva enfin dans la même circonstance où Zulica s'était fâchée.

Déjà, troublée par les emportements de Mazulhim, elle commençait à désirer vivement qu'il se laissât moins frapper les sens, que la première fois ; déjà même elle espérait, lorsque Mazulhim plus délicat que jamais, manqua cruellement à ses plus douces espérances. Elle en fut d'autant plus indignée que (vanité à part) il lui aurait alors fait plaisir de se comporter différemment.

Oh bien ! dit le Sultan, qu'il finisse donc aussi, lui ; cela m'ennuie autant qu'elle. Ce n'est pas parce que j'ai déjà pris le parti de Zulica, mais je vous demande s'il y a quelqu'un que cela n'impatientât pas, si la patience d'un Derviche y tiendrait ? C'est parbleu bien la peine de la faire attendre ! Amanzéi, vous ne m'aviez pas promis cela, au moins ? A la fin, vous me feriez croire que vous en voulez à cette femme-là ; et, je vous le dis naturellement, je ne le trouverais pas bon, mais, point du tout. Sire, répondit Amanzéi, si je faisais un conte à votre Majesté, il me serait facile d'arranger les objets comme elle le voudrait, mais je raconte ce que j'ai vu, et je ne puis, sans altérer la vérité, donner à Mazulhim des procédés différents de ceux qu'il avait. Ah le sot que ce Mazulhim ! s'écria Schah-Baham, et que je suis piqué contre lui ! Mais, dit la Sultane, je ne sais pas pourquoi vous lui en voulez tant, il ne le faisait pas plus exprès que vous. Lui ! reprit-il, ma foi, je n'en sais rien, c'était un méchant homme ! D'ailleurs, dit encore la Sultane, c'est que cette Zulica qui vous plaît tant, était la

dernière des... Je vous prie, Madame, interrompit-il,
d'en penser tout bas, ce qu'il vous plaira, et de ne
m'en point dire de mal. Je sais bien qu'il suffit que je
prenne quelqu'un en amitié, pour qu'il vous déplaise ;
et cela me choque, je vous en avertis. Votre colère ne
m'effraie point, répondit la Sultane, et de plus, je ne
serais point du tout étonnée que cette Zulica que vous
aimez tant aujourd'hui, vous ennuyât demain mortellement. J'en doute, reprit le Sultan, je ne me préviens
pas comme vous, moi ; en attendant que cela arrive,
voyons toujours le reste de son histoire.

Zulica rougit de fureur au nouvel affront que
Mazulhim faisait à ses charmes : en vérité, Monsieur,
lui dit-elle, en le repoussant avec violence, si c'est une
préférence que vous me donnez, j'ose dire qu'elle est
mal placée. Je le dirais tout le premier, répondit-il, si je
pouvais imaginer que vous crussiez un seul moment,
mériter les torts que j'ai avec vous ; mais je n'y vois
pas d'apparence, et j'avouerai sans peine, que rien ne
me justifie. C'est que quand on se connaît d'une
certaine façon, dit-elle, l'on doit laisser le gens en
repos. Ce sera, sans doute, le parti que je prendrai, si
ceci a des suites, répliqua-t-il ; vous permettrez pourtant que je me flatte du contraire. En vérité, dit-elle, je
ne vous le conseille pas.

Alors elle se leva, prit son éventail, remit ses gants,
et tirant une boîte à rouge, alla vis-à-vis une glace.
Pendant qu'avec toute l'attention possible, elle tâchait
de se remettre comme elle était, lorsqu'elle était
entrée, Mazulhim qui était venu derrière elle, en trou-
blant son ouvrage, la priait tendrement de ne se point
donner une peine, qu'à coup sûr, il faudrait qu'elle
reprît. Zulica ne lui répondit d'abord que par une
mine qui dut lui prouver le peu de foi qu'elle avait à
ses prédictions, mais voyant enfin qu'il continuait à la
tourmenter, eh bien, Monsieur, lui dit-elle, ceci sera-
t-il éternel, et ne voulez-vous pas que je puisse sortir ?
vous n'avez qu'à dire ! Mais, autant que je puis m'en
souvenir, répondit-il, tout est dit là-dessus ; est-ce que
vous ne soupez pas ici ? Non pas que je sache, reprit-

elle. Vous verrez, dit-il en souriant, que vous n'avez
pas non plus compté là-dessus. Enfin, dit-elle, je suis
engagée, et il est tard. Voilà une assez bonne folie !
dit-il en la rejetant sur moi, et en voulant encore
essayer s'il ne trouverait pas enfin, le moyen de lui
rendre les heures moins longues. Tenez Mazulhim, lui
dit-elle d'un ton doux, vous m'en croirez si vous
voulez, je vous le dis sans colère, mais le personnage
que vous me faites jouer, est insoutenable. Plus de
bonté de votre part, répondit-il, m'aurait rendu moins
à plaindre, mais vous êtes si peu complaisante ! En
vérité, repartit-elle, il y aurait aussi, trop d'inhumanité
à vous ôter la seule excuse qui puisse vous rester. Il lui
répondit avec fermeté, qu'il en courrait volontiers le
hasard.

Alors elle entra dans ses raisons, pour avoir le plaisir
de le combler de tous les torts imaginables. Plus il
méritait sa pitié, plus (car elle n'était pas née généreuse) elle se sentait d'indignation. Blessée qu'il eût
été si peu sensible à ses charmes, elle semblait l'être
encore plus qu'il eût répondu si mal à ses dernières
bontés ; sa vanité seule lui faisait soutenir ce qui la
blessait si sensiblement. A peine elle s'était flattée du
triomphe, qu'elle le voyait s'évanouir. Vingt fois elle
fut près de renoncer à un espoir qui ne semblait se
présenter à elle, que pour la tromper après, plus cruellement. Mais quoi ? après tout ce qu'elle a fait pour
Mazulhim, l'abandonnera-t-elle à sa destinée ? un
moment de plus, peut vaincre son ingratitude. S'il eût
été plus doux pour elle de devoir tout à la tendresse de
Mazulhim, il lui doit être plus glorieux de lui tout
arracher.

Ce raisonnement n'était peut-être pas le plus juste
que Zulica pût faire, mais, pour la situation où elle se
trouvait, c'était encore beaucoup qu'elle pût raisonner.

Mazulhim qui sentait à l'air dont elle le regardait,
que pour résister à l'opiniâtre froideur que malgré
lui-même, il lui témoignait, elle avait besoin d'être
soutenue, lui donnait sans cesse les éloges les plus
flatteurs sur son caractère compatissant. Assurément !

s'écria-t-elle à son tour, dans un instant où peut-être l'impatience prenant le dessus, lui faisait trouver plus de mérite dans les bontés qu'elle avait pour Mazulhim, assurément ! il faut convenir que j'ai une belle âme !

A cette exclamation si bien placée, Mazulhim ne put s'empêcher d'éclater, et Zulica qui savait combien quelquefois, il est dangereux de rire, se fâcha fort sérieusement de ce qu'il avait ri.

La gaieté de Mazulhim ne lui fut cependant pas aussi funeste, qu'elle l'avait craint. Les Enchanteurs qui l'avaient jusque-là, si cruellement persécuté, commencèrent même à retirer leurs bras malfaisants de dessus lui. Quoiqu'il s'en fallût beaucoup que la victoire qu'elle remportait sur eux, ne fût complète, elle ne laissa pas de s'en féliciter tout haut ; ce n'était pas qu'avec les lumières qu'elle avait, elle s'y trompât, mais elle voulait fortifier Mazulhim, par la confiance qu'elle semblait avoir : elle le connaissait bien peu, de croire qu'il en eût besoin.

A peine Mazulhim, qui était l'homme du monde le plus avantageux, se sentit moins accablé, qu'il porta la témérité jusques à se croire capable des plus grandes entreprises. Quelque chose que Zulica, qui était à portée de juger des objets, plus sainement que lui, pût lui dire, elle ne put l'arrêter. Soit qu'il imaginât qu'il ne pouvait différer sans se perdre, soit (ce qui est plus vraisemblable) qu'il crût n'avoir besoin de rien de plus auprès d'elle, il voulut tenter ce qui (et encore par le plus grand hasard du monde) ne lui avait jamais manqué qu'une fois. Zulica qui ne s'éblouissait pas facilement, et qui, d'ailleurs, n'était pas la femme d'Agra qui pensait le moins bien d'elle-même, fut étonnée de la présomption de Mazulhim, et lui fit sur son audace, les représentations les plus sensées. Elles ne réussirent pas ; et Mazulhim s'opiniâtrant toujours, par une suite nécessaire de sa confiance en ses charmes, et pour l'humilier, elle ne se refusa pas plus que Zéphis à des idées dont elle ne pouvait assez admirer le ridicule. Ah oui ! dit-elle d'un air dédaigneux. Tout d'un coup sa physionomie changea, et je jugeai à sa rougeur, et à

son dépit, autant qu'à l'air railleur, et insultant de
Mazulhim, que ce qu'elle avait annoncé comme
impraticable, était aisé au dernier point.

Voyez-vous cela ! s'écria le Sultan ; et puis les
femmes se plaindront, ou feront les merveilleuses [52] !
cela est bon à savoir. Quoi ? lui demanda la Sultane,
quelle admirable découverte venez-vous donc de
faire ? Oh ! je m'entends bien, répondit le Sultan, c'est
que si jamais on s'avise de me faire des reproches, je
sais à présent ce que j'aurai à répondre. Je suis pourtant bien fâché que cette mortification arrive à Zulica,
elle la méritait certainement, moins que personne :
mais poursuivez, Émir ; il y a de très belles choses
dans ce que vous venez de nous raconter, et ceci me
donne fort bonne opinion du reste.

Fin de la première Partie.

SECONDE PARTIE

CHAPITRE XII

Le même à peu près que le précédent.

Si le désagrément qui arrivait à Zulica, la mortifia beaucoup, il ne lui ôta pas la présence d'esprit qui lui était nécessaire dans un accident aussi fâcheux. Elle félicita Mazulhim, se plaignit de tout autre chose que de ce qui la pénétrait de fureur, et pour tâcher de sauver sa gloire, ne craignit pas de lui faire un honneur qu'assurément il ne méritait point.

Je ne sais si ce fut pour mortifier Zulica, ou, si, contre son ordinaire, il voulait se rendre justice, mais quelque chose qu'elle fît, il ne voulut jamais croire qu'il fût ce qu'elle disait. Il y avait, disait-il opiniâtrement, des jours malheureux, des jours, que si on les prévoyait, on mourrait plutôt que de les attendre.

Zulica convenait bien qu'il y en avait qui en effet, ne commençaient pas d'une façon brillante, mais dont à la fin, on trouvait plus à se louer, qu'à se plaindre. Je vous avoue, ajouta-t-elle avec une tendresse dont en ce moment elle était bien éloignée, que j'ai eu lieu de croire que ce que vous m'avez dit cent fois sur ma beauté, n'était pas sincère, ou que les choses que vous m'avez paru admirer, étaient effacées par des défauts qui vous choquaient d'autant plus que vous les aviez moins prévus, mais, vous m'avez rassurée.

Ah ! Zulica, s'écria l'impitoyable Mazulhim, vos craintes étaient donc bien médiocres ! Je sens tout ce que je dois à vos bontés, mais elles ne m'aveuglent pas, et plus je vous trouve généreuse, plus vous aug-

mentez mes remords. Mais, quelle folie ! repartit-elle,
n'allez pas au moins, vous frapper d'une idée aussi
fausse, rien ne serait plus injuste.

En finissant ces mots, ils se mirent à se promener
dans la chambre, tous deux fort embarrassés l'un de
l'autre, sans amour, sans désirs, et réduits, par leur
mutuelle imprudence, et l'arrangement qu'entraîne un
rendez-vous dans une petite maison, à passer
ensemble le reste d'un jour qu'ils ne paraissaient pas
disposés à employer d'une façon qui pût leur plaire.
Zulica avait de belles réflexions à faire sur la fausseté
des réputations. Ce qui intérieurement la désespérait,
(car je lisais aisément dans son Ame,) c'était l'impossi-
bilité de se venger de Mazulhim. Si je le dis, qui le
croira, se disait-elle ? ou si on le croit, la prévention où
l'on est pour lui, permettra-t-elle de penser qu'il eût eu
autant de tort avec moi, si j'avais eu de quoi l'empêcher de l'avoir. Quelque chose que je fasse, il me sera
impossible de désabuser tout le monde !

Ces idées l'occupaient assez tristement. Pour
Mazulhim, il semblait qu'il fût sur cela, hors de tout
intérêt. Ils se promenèrent quelque temps sans se rien
dire ; de temps en temps cependant, ils se souriaient
d'une façon froide, et contrainte.

Vous rêvez ! lui dit-il enfin. Vous en étonnez-vous ?
répondit-elle d'un air prude ; pensez-vous que d'être
avec quelqu'un comme je suis avec vous, ne soit point
pour une femme raisonnable, une chose extraordinaire ? Non, répliqua-t-il, j'y crois les femmes raisonnables tout à fait accoutumées. Il paraît bien, reprit-
elle, que vous ignorez ce que cela prend sur elles, et
combien, avant que de se rendre, elles éprouvent de
combats. Ce que vous dites, par exemple, est très
probable, répliqua-t-il, car à la façon dont elles les ont
abrégés, il fallait qu'ils les fatiguassent cruellement.

Voilà, s'écria-t-elle, un des plus mauvais propos
qu'on puisse tenir ! Croyez-vous avoir eu bien de
l'esprit quand vous avez dit de pareilles choses ?
Savez-vous bien que ce n'est là qu'un vrai discours de
Petit-Maître ? Je ne l'en tiendrais pas plus mauvais

pour cela, répondit-il. Du moins vous le trouveriez bien faux, reprit-elle, si vous saviez ce qu'il m'en a coûté pour vous prendre. Quoi, s'écria-t-il, vous y avez rêvé ! Cela m'outrage ; je me flattais du contraire, et je vous sais mauvais gré de m'ôter une erreur à laquelle je gagnais, sans que vous y perdissiez rien dans mon esprit. Hé ! dites-moi de grâce, Zâdis vous a-t-il autant coûté de réflexions ? Que voulez-vous dire ? demanda-t-elle froidement, qu'est-ce que c'est que Zâdis ? Je vous demande pardon, répondit-il en raillant, j'aurais juré que vous le connaissiez.

Oui, répondit-elle, comme on connaît tout le monde. Je crois, tout peu connu qu'il vous est, qu'il serait bien fâché, s'il vous savait ici, continua-t-il, et je me trompe fort, ou vos bontés pour moi, le chagrineraient beaucoup. Soyez de bonne foi, ajouta-t-il en lui voyant hausser les épaules, Zâdis vous plaisait avant que j'eusse le bonheur de vous plaire, et je parierais même qu'actuellement, vous êtes bien ensemble.

Voilà, répondit-elle, une plaisanterie d'un bien mauvais genre ! Au fond, continua-t-il, quand vous lui feriez une infidélité, il serait encore trop heureux ; un homme comme Zâdis est peu fait pour être aimé, et j'ai toujours été surpris que, vive comme vous êtes, et d'une gaieté charmante, vous eussiez pu prendre un Amant aussi froid, aussi taciturne ! Vous vous y trompez, Mazulhim, répondit-elle, il n'est que tendre. Je vous l'ai sacrifié, il serait inutile de vous dire le contraire, mais je crains bien que vous ne me forciez bientôt à m'en repentir. Vous étiez légère, répliqua-t-il, et j'avoue que j'étais inconstant, mais moins nous avons jusques ici été capables d'un attachement sérieux, plus nous aurons de gloire à nous fixer l'un l'autre.

A ces mots, il la conduisit de mon côté, mais d'un air qui faisait aisément connaître que la bienséance seule y guidait ses pas. Il est vrai que vous êtes charmante, lui dit-il, et sans un air un peu trop décent que même avec moi vous ne quittez pas, je ne connais personne qui pût mieux que vous, faire le bonheur d'un Amant. J'avoue, répondit-elle, que naturellement je suis réservée ; ce n'est pourtant pas à vous à vous en plaindre. Vous me rendez heureux, sans doute, répliqua-t-il, mais née sans désirs, vous n'accordez pas assez à ceux que vous faites naître, je sens de la contrainte dans tout ce que vous faites pour moi, vous craignez sans cesse de vous livrer trop, et entre nous, je vous soupçonne d'être assez peu sensible [53].

Mazulhim en parlant ainsi à Zulica, lui serrait les mains d'un air passionné. Quoique l'excès de vos charmes m'ait déjà nui, poursuivit-il, je ne saurais me refuser au plaisir de les admirer encore ; dussé-je même en périr, tant de beautés ne me seront pas cachées plus longtemps. Dieux ! s'écria-t-il avec transport, ah ! s'il se peut, rendez-moi digne de mon bonheur.

Quelque chose que Zulica eût dite de son peu de sensibilité, l'admiration où Mazulhim paraissait plongé, la vivacité de ses transports, les soins qu'il prenait pour les lui faire partager, l'émurent, et la troublèrent. Vous plaindrez-vous ? lui dit-elle tendrement. Il ne lui répondit qu'en voulant lui prouver toute sa reconnaissance, mais Zulica se souvenait encore du peu de fond qu'il y avait à faire sur lui, et redoutant tout de l'égarement dans lequel elle le voyait, ah ! Mazulhim, lui dit-elle, d'un ton qui marquait toute sa crainte, n'allez-vous pas m'aimer trop ? Quoique Mazulhim ne pût s'empêcher de rire de sa terreur, elle se trouva moins aimée qu'elle ne craignait de l'être.

Leur bonheur mutuel leur ôta cette contrainte, et cet air ennuyé que depuis quelque temps, ils avaient l'un avec l'autre. Leur conversation s'anima, Zulica qui croyait avoir délivré Mazulhim des mains des enchanteurs, s'applaudissait de l'ouvrage de ses charmes, et Mazulhim, plus content de lui-même, s'abandonnait aussi à son enjouement.

Comme ils étaient dans ces heureuses dispositions, on vint servir ; leur repas fut gai. Zulica, et Mazulhim qui étaient peut-être les deux plus méchantes personnes qu'il y eût à la Cour d'Agra, n'épargnèrent qui que ce pût être.

Ne pourriez-vous pas me dire, demanda Mazulhim, à propos de quoi Altun-Can a depuis quelques jours, pris cet air important que nous lui voyons ?

Mon Dieu ! Sans doute, répondit-elle, est-ce que vous ignorez qu'il est infiniment bien avec Aïscha ? Mais ce serait, à ce qu'il me semble, répondit-il, une raison de plus pour être modeste. Oui, pour un autre, repartit-elle, mais est-ce que vous ne le trouvez pas trop heureux, lui ? Je vous avouerai que non, repartit-il, quelque ridicule que soit Altun-Can, je ne puis m'empêcher de le plaindre ; un homme qui appartient à Aïscha, est, sans contredit, le plus malheureux homme du monde.

Ce qu'il y a de particulier, dit-elle, c'est qu'elle en fait mystère. Ah ! pour le coup, répondit-il, vous cherchez à lui donner un travers ; jamais Aïscha n'a caché ses Amants, et je puis vous jurer qu'à l'âge qu'elle a, et de l'énorme figure dont elle est, elle y sera moins disposée que jamais. Rien n'est pourtant plus réel que ce que je vous dis. Hé bien ! répondit-il, si cela est, c'est qu'Altun-Can lui a demandé le secret.

Et la petite Mésem [54], demanda-t-il, il me semble que vous ne la voyez plus ? C'est qu'on ne peut plus la voir, répliqua-t-elle en prenant un air prude, et qu'elle a une conduite misérable. Vous avez raison, repartit-il fort sérieusement, rien n'est si important pour une femme qui se respecte, que de voir bonne compagnie.

Je trouve, continua-t-il, qu'elle embellit. Tout au contraire, répondit-elle, elle devient hideuse. Je ne suis pas de votre avis, reprit-il, elle prend depuis quelque temps, un fond de jaune, un air d'abattement qui lui sied tout à fait bien ; si elle continue à avoir celui de la mauvaise santé, elle deviendra charmante [55].

Je ne finirais pas, Sire, dit alors Amanzéi en s'interrompant, si je voulais rendre à votre Majesté, tous les propos qu'ils se tinrent. Ah ! je le conçois bien, répondit le Sultan, et je vous permets de les abréger ; pourtant quand j'y songe, vous me feriez plaisir de me les

redire tous. J'oserais représenter à votre Majesté, reprit
Amanzéi, qu'il y en aurait beaucoup qui ne seraient
pas assez intéressants pour... Oui, justement, interrompit le Sultan, cela ne m'intéresserait pas ; mais
pourquoi (car j'ai fait vingt fois cette réflexion-là)
pourquoi, dis-je, dans une histoire, ou dans un conte,
comme vous voudrez, tout n'est-il pas intéressant ?
Par bien des raisons, dit la Sultane ; ce qui sert à
amener un fait, ne saurait par exemple, être aussi
intéressant que le fait même : d'ailleurs si les choses
étaient toujours au même degré d'intérêt, elles lasse-
raient par la continuité ; l'esprit ne peut pas toujours
être attentif, le cœur ne pourrait soutenir d'être toujours ému, et il faut nécessairement à l'un et à l'autre,
des temps de repos. J'entends, répondit le Sultan, c'est
comme pour se divertir mieux, il est à propos de
s'ennuyer quelquefois ; quand on a un certain jugement, qu'on pense d'une certaine façon, on a beau
faire, on devine tout. Enfin donc, Amanzéi.

Mazulhim, moins touché encore l'après-souper, des
charmes de Zulica, qu'il ne l'avait été dans la journée,
entre mille idées d'amusements qu'il lui proposa, ne
trouva jamais ce qui aurait pu lui convenir, et Zulica
se prépara à sortir d'un air qui me fit douter de la
revoir.

Cependant malgré la mauvaise humeur de Zulica,
et la façon dont Mazulhim l'avait traitée, il osa cependant avant que de la quitter, lui demander qu'ils se
revissent, et ajouter avec empressement qu'il fallait
que ce fût dans deux jours. Quoique en ce moment,
elle eût, je crois, peu d'envie de lui accorder ce qu'il
semblait désirer avec tant d'ardeur, elle lui répondit
qu'elle le voulait bien, mais si froidement que je n'ima-
ginai pas qu'elle voulût lui tenir parole.

En cet instant je fis réflexion qu'après le départ de
Mazulhim, je m'ennuierais dans sa petite maison, qu'il
suffirait que j'y revinsse, quand il y reviendrait lui-
même, et que je ne pouvais mieux faire pour m'amuser, et pour m'instruire, que de suivre Zulica chez
elle ; je m'abandonnai à cette idée, et montai avec elle

dans son Palanquin. Aussitôt que je fus dans son Palais, j'allai par le mouvement de l'attraction que Brama avait mis en moi, me cacher dans le premier Sopha qui s'offrit à mes yeux.

Zulica venait le lendemain de se mettre à sa toilette, lorsqu'on lui annonça Zâdis ; elle le fit prier d'attendre, soit qu'elle ne voulût paraître à ses yeux qu'avec toute la beauté qu'elle avait ordinairement, lorsqu'elle s'était préparée, ou qu'elle imaginât qu'il serait indécent, qu'il la vît dans le désordre où elle était alors. Vu la fausseté de Zulica, cette dernière raison n'était peut-être pas aussi imaginaire qu'elle pourrait le paraître.

Zâdis entra enfin ; quand on ne l'aurait pas nommé, au portrait que la veille, j'en avais entendu faire à Mazulhim, je l'aurais reconnu. Il était grave, froid, contraint, et avait toute la mine de traiter l'amour avec cette dignité de sentiments, cette scrupuleuse délicatesse qui sont aujourd'hui si ridicules, et qui peut-être, ont toujours été plus ennuyeuses encore, que respectables.

Zâdis s'approcha de Zulica avec autant de timidité que s'il ne lui eût pas encore déclaré sa passion ; de son côté, elle le reçut avec une politesse étudiée, et cérémonieuse, et un air aussi prude qu'il le fallait pour le tromper toujours.

Tant que les femmes de Zulica furent présentes, ils se parlèrent fort indifféremment de nouvelles, ou d'autres choses aussi frivoles. Zâdis qui croyait être le seul que Zulica eût aimé, et qui ne trouvait pas que les ménagements les plus grands suffissent à ce qu'elle méritait, ne se permettait pas le moindre regard ; et Zulica qui, contre toute apparence, trouvait un homme assez imbécile pour l'estimer, imitait sa réserve, ou ne le regardait qu'avec ces yeux hypocrites, et couchés que l'on voit communément aux prudes, dans quelque occasion qu'elles se trouvent.

Avec quelque soin que Zâdis se contraignît, Zulica crut remarquer dans ses yeux une tristesse différente de celle qu'il y portait toujours ; elle lui demanda vainement ce qu'il avait. A toutes les questions qu'elle lui faisait d'un ton fort doux, il ne répondait que par de profondes révérences, et par des soupirs plus profonds encore.

Lorsqu'elle fut coiffée, ses femmes sortirent. Voulez-vous bien, Zâdis, lui demanda-t-elle d'un air d'autorité, me dire ce que vous avez ? Pensez-vous que m'intéressant à ce qui vous regarde, comme vous savez que je fais, je ne doive pas me fâcher de votre silence ? En un mot, je le veux, répondez-moi, je ne vous pardonnerai pas si vous vous obstinez à vous taire.

Vous me pardonneriez peut-être moins d'avoir parlé, répondit-il enfin, et ce qui m'agite, ne doit d'aucune façon, vous être confié. Zulica insista, et d'une façon si pressante qu'il crut que sans l'offenser, il ne pouvait se taire plus longtemps. Le croiriez-vous, Madame, lui dit-il en rougissant de l'absurdité qu'il trouvait dans ce qu'il allait lui dire, je suis jaloux.

Vous ! Zâdis, s'écria-t-elle d'un air d'étonnement ; c'est moi que vous aimez ! Je vous aime ! Et vous êtes jaloux ! Y pensez-vous bien ? Ah ! Madame, répliquat-il d'un air pénétré, ne m'accablez point de votre colère. Je sens tout le ridicule de mes idées, j'en rougis moi-même. Mon esprit se refuse aux mouvements de mon cœur, et les désavoue ; cependant ils m'entraînent, et tout le respect que j'ai pour vous, toute l'estime que je vous dois, n'empêchent pas que je ne sois cruellement tourmenté. La honte enfin que je me fais de mes soupçons ne les détruit point.

Écoutez-moi, Zâdis, lui répondit-elle d'un air majestueux, et souvenez-vous à jamais de ce que je vais vous dire. Je vous aime, je ne crains point de vous le répéter, et je vais vous donner de mes sentiments, une preuve qui, pour vous, doit être sans réplique, c'est de vous pardonner vos soupçons. Peut-être pourrais-je vous dire que ce qu'il vous en a coûté pour me vaincre, et la façon dont je vis, ne devraient vous laisser aucun lieu de douter de moi, et qu'une personne de mon caractère doit inspirer de la confiance. Je devrais même mépriser vos craintes, ou m'en offenser, mais il est plus doux pour mon cœur de vous rassurer, et mon amour veut bien descendre jusques à une explication.

Ah ! Madame, s'écria Zâdis en se prosternant à ses genoux, je crois que vous m'aimez, et je mourrais de douleur si je pouvais penser, que des soupçons auxquels même, je ne me suis pas arrêté longtemps, fussent pour vous une raison de douter de mon respect. Non, Zâdis, répondit-elle en souriant, je n'en doute pas ; mais, sachons un peu ce qui vous a donné de l'inquiétude ? Qu'importe, Madame, quand je n'en ai plus, reprit-il ? Je le veux savoir, répliqua-t-elle. Hé bien ! dit-il, les soins que Mazulhim a paru vous rendre... Quoi ! interrompit-elle, c'est de lui que vous étiez jaloux ? Ah ! Zâdis, êtes-vous fait pour craindre Mazulhim, et m'avez-vous assez méprisée pour croire qu'il pût jamais me plaire ? Ah Zâdis, dois-je, et puis-je jamais vous le pardonner ?

CHAPITRE XIII

Fin d'une aventure,
et commencement d'une autre.

En achevant ces paroles, ses yeux se mouillèrent de quelques larmes, et Zâdis qui les croyait sincères, ne put s'empêcher d'y mêler les siennes. Oui, j'ai tort, lui disait-il tendrement, et quelque violente que soit ma passion pour vous, je sens qu'elle ne peut pas même, me servir d'excuse. Ah! cruel, répondit-elle en sanglotant, soyez jaloux si vous le voulez, abandonnez-vous à toute votre frénésie, j'y consens, mais si vous me connaissez assez peu pour vous défier de ma tendresse, du moins, ne me soupçonnez pas d'être capable d'aimer Mazulhim.

Je crois que vous ne l'aimez pas, répliqua-t-il, et je n'ai jamais imaginé que vous pussiez prendre du goût pour lui, mais je n'ai pu sans frémir le voir venir ici. Et c'est pourtant, répondit-elle, de tous ceux que vous y voyez, le moins dangereux pour moi. Quand je n'aurais pas le cœur rempli de la passion la plus vive, que Mazulhim m'adorerait, que le nombre de ses agréments surpasserait, s'il était possible, le nombre de ses vices, il serait encore à mes yeux le dernier des hommes. Comment voudriez-vous, qu'une femme, (je ne dis pas qui se respecte, mais qui n'a pas perdu toute honte) voulût prendre Mazulhim? lui qui n'a jamais aimé; qui dit tout haut qu'il est incapable d'une passion, et pour qui le sentiment le plus faible, est encore une chimère; lui enfin qui ne connaît d'autre plaisir que celui de désho-norer les femmes qu'il a. Je laisse là ses ridicules, ce n'est pas assurément que je n'eusse de quoi m'étendre, mais en vérité, je rougirais de vous parler de lui plus longtemps. Au reste, je suis bien aise, quoique je trouve vos soupçons aussi injurieux que déplacés, que vous m'ayez confié le sujet de vos inquiétudes, et je vous réponds que vous ne verrez Mazulhim ici que le temps qui me sera nécessaire pour rompre avec lui sans éclat.

Zâdis en lui baisant la main avec transport, lui rendit grâces mille fois de ce qu'elle faisait pour lui. De quoi me remerciez-vous donc ? lui demanda-t-elle, je ne vous fais point de sacrifice. Mais, Madame, lui dit-il, est-il possible que Mazulhim ne vous ait jamais dit que vous lui paraissiez aimable ? Voilà une belle idée ! s'écria-t-elle en souriant ; oh ! non, je vous assure que Mazulhim me connaît mieux que vous ne me connaissez, et que tout étourdi qu'il veut paraître, il ne l'est pas assez pour s'adresser à des femmes d'un certain genre. Au surplus, pourtant, je ne serais pas surprise que, sans m'avoir jamais désirée, et sans m'avoir de sa vie, parlé de rien, il dît publiquement quelqu'un de ces jours, ou qu'il a été, ou qu'il est avec moi *au mieux* [56]. A la vérité, ajouta-t-elle en riant, il n'y aurait qu'un jaloux comme vous qui pût le croire ; n'est-il pas vrai ? Non, reprit-il, je puis avoir le ridicule de le craindre quelquefois, mais je vous jure que je n'aurai jamais celui de le croire. Et moi, je n'en jurerais pas, répondit-elle. De l'humeur dont vous êtes, ce doit être pour vous, une chose délicieuse que d'entendre mal parler de votre Maîtresse, et de venir lui faire une querelle la plus grande du monde, sur les propos du premier fat qui connaissant votre caractère, aura voulu vous donner de l'inquiétude.

De grâce épargnez-moi, lui dit-il, et songez que la jalousie que vous voulez bien me pardonner... ne sera peut-être pas, interrompit-elle, la dernière d'aujourd'hui ; je ne voudrais, pour vous voir retomber dans vos chagrins, que l'arrivée de Mazulhim. Ne parlons plus de lui, répondit-il, et puisque vous m'avez pardonné, et que jusques à mes injustices, tout vous prouve que je vous adore, ne perdons pas des moments précieux, et daignez me confirmer ma grâce.

A ces mots, que Zulica comprenait fort bien, elle prit un air embarrassé. Que vous êtes incommode avec vos désirs ! lui dit-elle ; ne me les sacrifierez-vous donc jamais ? Si vous saviez combien je vous aimerais, si vous étiez plus raisonnable... Cela est vrai, ajouta-t-elle en le voyant sourire, je vous en aimerais mille fois plus ; je le croirais du moins, et n'ayant rien à craindre de vous, du côté de ce que je hais, vous me verriez me livrer avec beaucoup plus d'ardeur aux choses qui me plaisent.

Tout en disant ces augustes paroles, elle se laissait conduire languissamment de mon côté. Je vous jure, dit-elle à Zâdis, quand elle fut sur moi, que de ma vie, je ne me brouillerai avec vous. Je le voudrais bien, répondit-il, mais je ne l'espère pas. Et moi, répondit-elle, à ce que me coûtent les raccommodements, je commence à le croire.

Malgré sa répugnance, Zulica céda enfin aux empressements de Zâdis, mais ce fut avec une décence ! une Majesté ! une pudeur ! dont on n'a peut-être pas d'exemple en pareil cas. Un autre que Zâdis s'en serait plaint sans doute ; pour lui, attaché aux plus minutieuses bienséances, la vertu déplacée de Zulica, le transporta de plaisir, et il imita du mieux qu'il put, l'air de grandeur, et de dignité qu'il lui voyait, et fut d'autant plus content d'elle, qu'elle lui témoignait moins d'amour.

Je ne sais pourtant pas comment les choses à la fin se tournèrent dans l'imagination de Zulica, mais elle lui proposa de passer la journée avec elle. Pour que personne ne sût qu'ils étaient ensemble, et le temps qu'ils y demeureraient, en un mot, plus pour éviter les discours que pour toute autre raison, elle ordonna qu'on dît qu'elle n'était pas chez elle. Zâdis que sa jalousie n'avait, comme c'est l'ordinaire, rendu que plus amoureux, répondit fort bien aux bontés de Zulica, et malgré sa taciturnité, ne l'ennuya pas une minute. Il sortit enfin, vers la moitié de la nuit, et quitta Zulica, persuadé autant qu'on peut l'être, qu'elle était la femme d'Agra, la plus raisonnable, et la plus tendre.

J'ai dit que je ne croyais pas, à l'air dont Zulica avait quitté Mazulhim, et beaucoup plus encore à sa façon de penser, qu'elle voulût continuer un commerce peu agréable pour une femme de son caractère, et où ni l'amour, ni les plaisirs ne l'intéressaient ; cependant la curiosité l'emporta sur toutes les raisons qu'elle pouvait avoir. Elle dit à Zâdis en le quittant, qu'une affaire fort importante, l'empêcherait de le voir le lendemain, et le soir marqué pour le rendez-vous fut à peine arrivé, qu'elle monta dans son Palanquin, et prit, avec mon Ame qui la suivit, le chemin de la petite maison, où nous ne trouvâmes qu'un Esclave qui attendait, et elle, et Mazulhim.

Comment donc ? dit-elle à l'Esclave, d'un ton brusque, il n'est pas encore ici ? Je le trouve charmant de se faire attendre ! Il est admirable que je sois ici la première. L'Esclave l'assura que Mazulhim allait arriver. Mais, reprit-elle, c'est que ce sont des airs tout particuliers que ceux qu'il se donne ! L'Esclave sortit, et Zulica vint d'un air colère, se mettre sur moi. Comme elle était naturellement impétueuse, elle n'y fut pas tranquille, et en s'accusant tout haut d'être d'une facilité sans exemple, elle jura mille fois de ne plus voir Mazulhim. Enfin elle entendit un char arrêter ; préparée à dire à Mazulhim, tout ce que la colère pouvait lui fournir, elle se leva vivement, et ouvrant la porte : en vérité ! Monsieur, dit-elle, vous avez des façons aussi singulières, aussi rares ! Ah Ciel ! s'écria-t-elle, en voyant l'homme qui entrait.

Je fus presque aussi étonné qu'elle, à la vue d'un homme que je ne connaissais pas. Quoi ! demanda le Sultan, ce n'était pas Mazulhim ? Non, Sire, répondit Amanzéi. Ce n'était pas lui ! dit le Sultan, cela est bien particulier ! Et pourquoi n'était-ce pas lui ? Sire, répondit Amanzéi, Votre Majesté va l'apprendre. Savez-vous bien, reprit le Sultan, que rien n'est si comique que cela ? Cet homme-là se trompait apparemment. Ah ! sans doute, il se trompait, on le voit bien. Mais, dites-moi, Amanzéi, pendant que j'y pense, qu'est-ce que c'est qu'une petite Maison ? Depuis que vous en parlez, j'ai fait semblant de savoir ce que c'était, mais je n'y peux plus tenir. Sire, c'est, repartit Amanzéi, une Mai-

son écartée, où sans suite, et sans témoins, on va... Ah !
oui, interrompit le Sultan, je devine, cela est vraiment
fort commode. Poursuivez.

La colère, et la surprise qui saisirent Zulica à l'aspect
de l'homme qui venait d'entrer, l'empêchant de parler, je
sais, Madame, lui dit cet Indien d'un air respectueux,
combien vous devez être étonnée de me voir. Je n'ignore
pas davantage, les raisons qui vous feraient désirer ici,
toute autre vue que la mienne. Si ma présence vous
interdit, la vôtre ne me cause pas moins d'émotion. Je ne
m'attendais pas que la personne à qui Mazulhim m'a
prié de porter ses excuses, serait celle de toutes à qui, (si
j'avais eu le bonheur d'être à sa place) j'aurais voulu
manquer le moins. Ce n'est pas cependant, que Mazulhim soit coupable, non, Madame, il sait tout ce qu'il doit
à vos bontés ; il brûlait de venir à vos genoux, vous
parler de sa reconnaissance : des ordres cruels, auxquels
même, il a pensé désobéir, quelque sacrés qu'ils lui
doivent être, l'ont arraché à d'aussi doux plaisirs. Il a cru
devoir compter sur ma discrétion plus que sur celle d'un
Esclave, et n'a pas imaginé qu'il fallût mettre au hasard,
un secret où une personne telle que vous, se trouve aussi
particulièrement intéressée.

Zulica était si étonnée de ce qui lui arrivait, que
l'Indien aurait pu parler plus longtemps, sans qu'elle eût
eu la force de l'interrompre. L'embarras où elle était, lui
faisait même souhaiter qu'il eût encore plus de choses à
lui dire. Consternée, et presque sans mouvement, elle
baissait les yeux, n'osait le regarder, rougissait de honte,
et de colère, enfin elle se mit à pleurer. L'Indien lui
prenant civilement la main, la conduisit sur moi, où sans
prononcer une seule parole, elle se laissa tomber.

Je le vois, Madame, continua-t-il, vous vous obstinez à
croire Mazulhim coupable, et tout ce que je puis vous
dire pour le justifier, semble augmenter la colère où vous
êtes contre lui. Qu'il est heureux ! Tout mon ami qu'il
est, que j'envie les précieuses larmes qu'il vous fait
verser ! Que tant d'amour !... Qui vous dit que je l'aime,
Monsieur, interrompit fièrement Zulica qui avait eu le
temps de se remettre ? ne puis-je pas être venue ici pour

des choses où l'amour n'a point de part ? Ne peut-on voir Mazulhim, sans concevoir pour lui les sentiments que vous semblez m'attribuer ? Sur quoi enfin, osez-vous juger qu'il offense mon cœur ?

J'ose croire, répondit l'Indien, en souriant, que si mes conjectures ne sont pas vraies, au moins, elles sont vraisemblables. Les pleurs que vous versez, votre colère, l'heure à laquelle je vous trouve dans un lieu qui jamais n'a été consacré qu'à l'amour, tout m'a fait croire, que lui seul avait eu le pouvoir de vous y conduire. Ne vous en défendez pas, Madame, ajouta-t-il, vous aimez, faites-vous, si vous le voulez, un crime de l'objet, et non de la passion.

Quoi ! s'écria Zulica, que rien ne faisait renoncer à la fausseté, Mazulhim a osé vous dire que je l'aimais ! Oui, Madame. Et vous le croyez ! lui demanda-t-elle avec étonnement. Vous me permettrez de vous dire, répondit-il, que la chose est si probable qu'il serait ridicule d'en douter. Hé bien ! oui, Monsieur, répliqua-t-elle, oui, je l'aimais, je le lui ai dit, je venais ici le lui prouver, l'ingrat avait enfin su m'amener jusque-là. Je ne rougis pas de vous l'avouer, mais le perfide n'aura jamais d'autres preuves de ma faiblesse, que l'aveu que je lui en ai fait. Un jour plus tard ! Ciel ! Que serais-je devenue ?

Eh Madame ! dit froidement l'Indien, pensez-vous que Mazulhim ait eu assez mauvaise opinion de moi, pour ne m'avoir confié que la moitié du secret ? Qu'a-t-il donc pu vous dire ? demanda-t-elle aigrement, a-t-il joint la calomnie à l'outrage, et serait-il assez indigne... Mazulhim peut être indiscret, répondit-il, mais j'ai peine à le croire menteur. Ah le fourbe ! s'écria-t-elle, c'est la première fois que je viens ici. Je le veux bien, puisque vous le voulez, répliqua-t-il, et j'aime mieux croire que Mazulhim m'a trompé, que de douter de ce que vous me dites. Mais, Madame, devant qui vous en défendez-vous ! Si vous vouliez me rendre justice, j'ose me flatter que vous craindriez moins, que je fusse le dépositaire de vos secrets. Vous pleurez ! Ah ! C'est trop honorer l'ingrat ! Belle comme vous êtes, vous sied-il de croire que vous ne pourriez pas vous venger ? Oui, Madame, oui, Mazulhim m'a tout dit ; je n'ignore pas que vous avez comblé ses vœux, je sais même, des détails de son bonheur qui vous étonneraient. Ne vous en offensez point, poursuivit-il, sa félicité était trop grande, pour qu'il pût la contenir ; moins content, moins transporté, sans doute, il aurait été plus discret. Ce n'est pas sa vanité, c'est sa joie qui n'a pu se taire.

Mazulhim ! interrompit-elle avec transport, ah le traître ! Quoi ! Mazulhim me sacrifie ! Mazulhim vous a tout dit ? il a bien fait, poursuivit-elle d'un ton plus modéré, je ne connaissais pas encore les hommes, et grâce à ses soins, j'en serai quitte pour une faiblesse. Eh ! Madame, répondit froidement l'Indien qui feignait de la croire, ce n'est pas vous venger, c'est vous punir. Non, répondit-elle, non, tous les hommes sont perfides, j'en fais une trop cruelle expérience pour en pouvoir douter, non ils ressemblent tous à Mazulhim.

Ah ! Ne le croyez pas, s'écria-t-il, j'ose vous jurer que si vous m'aviez mis à sa place, vous ne l'auriez jamais vu à la mienne. Mais, reprit-elle, ces ordres qui l'ont retenu, ne sont qu'un vain prétexte, et sans doute il m'aban-donne. Ah ! ne craignez point de me l'apprendre. Eh bien ! oui, Madame, répondit l'Indien, il serait inutile de vous le cacher, Mazulhim ne vous aime plus. Il ne m'aime plus ! s'écria-t-elle douloureusement, ah ! ce coup me tue, l'ingrat ! était-ce là le prix qu'il réservait à ma tendresse ?

En finissant ces paroles, elle fit encore quelques excla-mations, et joua tour à tour les larmes, la fureur, et l'abattement. L'Indien qui la connaissait, ne s'opposait à rien, et feignait toujours d'être pénétré d'admiration pour elle. Je sens que je me meurs, Monsieur, lui dit-elle, après avoir longtemps pleuré, ce n'est point à un cœur aussi sensible, aussi délicat que le mien, qu'on peut porter impunément d'aussi rudes coups ; mais qu'aurait-il donc fait si je l'avais trompé ? Il vous aurait adorée, répondit l'Indien. Je ne conçois rien, reprit-elle, à ce procédé, je m'y perds. Si l'ingrat ne m'aimait plus, et qu'il craignît de me l'annoncer lui-même, ne pouvait-il pas me l'écrire ? Romprait-on plus indignement avec l'objet le plus méprisable ? Pourquoi encore, faut-il que ce soit vous qu'il choisisse pour me le faire dire ?

Je ne vois que trop, répliqua l'Indien, que le choix du confident, vous déplaît plus encore que la confidence même, et je puis vous jurer que connaissant, comme je fais, votre injuste aversion pour moi, vous ne m'auriez pas vu ici, si Mazulhim m'avait nommé la Dame à laquelle il me priait de porter ses excuses. Je doute même, (étant pour vous dans des dispositions fort différentes de celles où j'ai le malheur de vous voir pour moi,) que je l'eusse cru, s'il m'eût nommé Zulica ; je n'aurais jamais pu penser qu'il y eût au monde quelqu'un qui pût ne pas faire son bonheur d'être aimé d'elle.

C'est donc fort innocemment, ajouta-t-il, que je contribue à vous donner le chagrin le plus sensible que vous pussiez recevoir, et que je me trouve mêlé dans des secrets que sûrement vous aimeriez mieux voir entre les mains de tout autre qu'entre les miennes. Je ne sais pas ce qui vous le fait croire, répondit-elle d'un air embarrassé, les secrets de la nature de celui dont vous vous trouvez aujourd'hui possesseur, ne se confient ordinairement à personne, mais je n'ai point de raisons particulières...

Pardonnez-moi, Madame, interrompit-il vivement, vous me haïssez ; je n'ignore pas qu'en toute occasion, mon esprit, ma figure, et mes mœurs ont été l'objet de vos railleries, ou de votre plus sévère critique. J'avouerai même que si j'ai quelques vertus, je les dois au désir que j'ai toujours eu de me rendre digne de vos éloges, ou de vous obliger du moins à me faire grâce de ces traits amers dont, depuis que nous sommes dans le monde, vous n'avez pas cessé de m'accabler.

Moi ! Monsieur, dit-elle en rougissant, je n'ai jamais rien dit de vous, dont vous puissiez être fâché ; d'ailleurs à peine nous connaissons-nous, vous ne m'avez jamais donné sujet de me plaindre de vous, et je ne me crois pas assez ridicule... Brisons-là, de grâce, Madame, interrompit-il, une plus longue explication vous gênerait, mais puisque nous sommes sur ce chapitre, permettez-moi seulement de vous dire que par les sentiments que j'ai toujours eus pour vous, (sentiments tels, que votre injustice n'a pas pu un moment les altérer) j'étais l'homme du monde qui méritait le plus votre pitié, et le moins votre haine. Oui, Madame, ajouta-t-il, rien n'a été capable d'éteindre le malheureux amour que vous m'avez inspiré ; vos mépris, votre haine, votre acharnement contre moi, m'ont fait gémir, mais ne m'ont pas guéri. Je connais trop votre cœur pour me flatter qu'il puisse un jour, prendre pour moi, les sentiments que je pourrais désirer, mais j'espère que ma discrétion sur ce qui vous regarde, vous fera revenir de votre prévention, et que si elle est au point que vous ne puissiez jamais m'accorder votre amitié, au moins, vous ne me refuserez pas votre estime.

Zulica gagnée par un discours si respectueux, lui avoua qu'en effet, par un caprice dont elle n'avait jamais pu découvrir la source, elle s'était ouvertement déclarée son ennemie, mais que c'était un tort qu'elle comptait si bien réparer qu'il n'en serait plus question entre eux, et qu'elle l'assurait de son estime, de son amitié, et de sa reconnaissance.

Après l'avoir prié de vouloir bien lui garder le secret le plus inviolable, elle se leva, dans l'intention de sortir.

Où voulez-vous aller, Madame, lui dit l'Indien en la retenant ? vous n'avez ici personne à vous ; j'ai renvoyé mes gens, et l'heure à laquelle ils doivent revenir, est encore bien éloignée. N'importe, répliqua-t-elle, je ne puis rester dans un lieu où tout me reproche ma faiblesse. Oubliez Mazulhim, reprit-il, cette Maison aujourd'hui, n'est point à lui, il me l'a cédée ; permettez à l'homme du monde qui s'intéresse le plus véritablement à vous, de vous prier d'y commander. Songez du moins à ce que vous voulez faire. Vous ne pouvez sortir à l'heure qu'il est, sans risquer d'être rencontrée. Que votre colère ne vous fasse pas oublier ce que vous vous devez. Songez à l'éclat affreux que vous feriez, songez que peut-être demain, vous seriez la fable de tout Agra, et qu'avec une vertu, et des sentiments que l'on doit respecter, l'on vous croirait personne à qui ces sortes d'aventures sont ordinaires.

Zulica résista longtemps aux raisons que Nassès, c'était le nom de l'Indien, lui apportait pour la faire rester. Tout était préparé ici pour vous recevoir, ajouta-t-il, souffrez que j'y passe la soirée avec vous ; ce que vous êtes, ce que je suis moi-même, tout doit vous répondre de mon respect. Je n'appuie pas sur mes sentiments, si j'ose encore vous en parler, c'est uniquement pour vous faire sentir à quel point, je m'intéresse à vous, et pour tâcher de vous ôter les impressions sinistres que l'indiscrétion de Mazulhim, me semble vous avoir laissées.

Après quelque résistance, Zulica persuadée par ce que lui disait Nassès, consentit enfin à rester. Pensant comme vous faites, Madame, lui dit-il, vous devez être bien étonnée de vous trouver si sensible... Bon ! interrompit le Sultan, il ne sait ce qu'il dit, car autant que je puis m'en souvenir, c'est toujours cette Dame qui était fâchée de ce que Mazulhim n'avait pas de bonnes façons pour elle ? Sans doute, dit la Sultane, c'est la même. Un moment de grâce, reprit le Sultan, orientons-nous. Si c'est la même, pourquoi lui dit-il... ce qu'il lui dit ? Vous voyez bien qu'il se trompe. Cette Dame-là est accoutumée à voir des Amants, par conséquent, il est ridicule qu'il lui dise qu'elle doit être bien étonnée ? Ne voyez-vous pas qu'il veut la tourner en ridicule, répondit la Sultane ? Ah ! c'est une autre affaire, répliqua le Sultan, mais pourquoi ne m'en avertit-on pas ? où veut-on que j'aille deviner cela ? Ah ! il se moque d'elle, je le vois bien, mais à propos de quoi s'en moque-t-il ? Voilà ce que je voudrais savoir. Et c'est sans doute, ce qu'Amanzéi vous apprendra, si vous voulez le laisser continuer. Soit, dit le Sultan, ce que j'en dis, comme vous le concevez bien, ce n'est pas que cela ne me soit égal ; on parle pour parler, cela amuse, et pour moi, je ne hais pas la conversation.

CHAPITRE XIV

Qui contient moins de faits que de discours.

Amanzéi, le lendemain, continua ainsi.

Pensant comme vous faites, Madame, disait Nassès à Zulica, vous devez être bien étonnée de vous trouver si sensible ? Cela n'est pas douteux, répondit-elle, et c'est, je vous assure, une aventure bien singulière dans ma vie, que celle qui m'arrive ! Que vous ayez aimé, reprit-il, ce n'est pas ce qui m'étonne ; il y a bien peu de femmes qui se soient sauvées de l'amour ; mais que ce soit Mazulhim qui ait triomphé de votre cœur, de ce cœur qui semblait si peu fait pour connaître l'amour ! C'est, je vous l'avouerai, ce que je ne comprends point.

Je ne le comprends pas moi-même, répondit-elle, et réellement, quand je m'examine, je ne puis concevoir comment il a pu me plaire, et me séduire. Ah ! Madame, s'écria-t-il avec un air pénétré, quelle cruelle destinée que la nôtre ! Vous aimez qui ne vous aime plus, et j'aime, qui ne m'aimera jamais. Pourquoi, toujours arrêté par cette injuste aversion que je savais que vous aviez pour moi, ne vous ai-je pas dit à quel point, vous m'aviez touché ? Peut-être, hélas ! mes soins, ma constance, mon respect vous auraient désarmée. Et peut-être aussi, dit-elle, m'auriez-vous traitée comme Mazulhim me traite. Non, répondit-il en lui prenant la main, non, Zulica se serait vue adorée aussi religieusement qu'elle mérite de l'être [57]. Mais, repartit-elle, Mazulhim m'a tenu les mêmes discours que vous, pourquoi croirais-je que vous n'auriez pas fait les mêmes choses que lui ?

Tout devait vous faire douter de la vérité de ses sentiments, répondit-il ; Mazulhim, inconstant, dissipé, n'a jamais su ce que c'était qu'aimer. Vous ne pouviez pas ignorer qu'il était plus indiscret, et plus trompeur, qu'il ne nous est même permis de l'être. Il est vrai, cependant que quelque infidèle qu'il fût, vous pouviez sans être accusée de trop d'orgueil, prétendre à la gloire de le fixer. La difficulté de vous plaire, vos charmes, le plaisir si doux, et si rare, de régner dans un cœur qu'avant lui, personne ne s'était soumis, tout devait vous faire espérer de sa part, une tendresse éternelle. Ce qui, en toute autre, aurait été une vanité ridicule, ne devenait pour Zulica, qu'une idée si simple qu'elle ne pouvait pas s'empêcher de l'avoir. Il est certain, du moins, répondit-elle modestement, que par ma façon de penser, je pouvais mériter quelques égards. Des égards ! Vous ! s'écria-t-il, ah ! des égards vous rendent-ils tout ce qu'on vous doit ? Ainsi donc, pour prix de vos bontés, vous n'exigeriez que ce qu'on doit à la femme même qu'on estime le moins. Vous voyez pourtant, reprit-elle, que j'ai encore trop exigé.

S'il m'était permis de vous parler, repartit Nassès... Vous le pouvez, interrompit-elle, vous ne devez pas douter que ce qui se passe aujourd'hui entre nous, ne doive nous lier de la plus tendre amitié. Oui, Madame, dit-il vivement, de la plus tendre ; mais, est-ce à moi, est-ce à ce Nassès si longtemps haï, que Zulica daigne promettre l'amitié la plus tendre ! Oui, Nassès, répondit-elle, c'est Zulica qui reconnaît son injustice, qui en est désespérée, et qui vous jure de la réparer par des sentiments, et une confiance à toute épreuve.

Alors elle le regarda obligeamment, il était d'une figure fort agréable, et quoique moins à la mode que Mazulhim, il ne lui cédait en rien. Quoi ! s'écria-t-il encore, c'est vous qui me promettez de m'aimer ! Oui, répliqua-t-elle, mon cœur vous sera ouvert, vous y lirez comme moi-même ; mes moindres sentiments, mes idées, tout vous sera connu.

Ah ! Zulica, dit-il en se jetant à ses genoux, et en lui baisant la main avec ardeur, que ma tendresse saura bien vous payer de ce que vous ferez pour moi ! Avec quel plaisir, ne vous soumettrai-je pas toutes mes pensées ! Maîtresse souveraine de ma vie, vos ordres seuls régleront ma conduite ! Laissons cela, dit-elle en souriant, et levez-vous, je n'aime pas à vous voir à mes genoux, revenons à ce que vous vouliez me dire.

Il se leva, s'assit auprès d'elle, et lui tenant toujours la main, il poursuivit ainsi. Je vais vous interroger, puisque vous voulez bien le permettre. Par quelles voies, Mazulhim a-t-il pu vous plaire ? par quel enchantement, la femme la plus respectable par ses sentiments, et par sa conduite, Zulica enfin l'a-t-elle trouvé aimable ? Comment un homme aussi vain, aussi impétueux, a-t-il pu convenir à une femme aussi sage, aussi modeste que vous ? Car, qu'il plaise à des femmes de son caractère, à ces femmes frivoles, étourdies, dissipées à qui aucun objet, n'inspire de l'amour, et qui cependant, sont vaincues par tous ceux qui se présentent à leurs yeux, qu'il leur plaise, dis-je, cela ne m'étonne pas, mais vous !

Pour commencer avec vous le commerce de confiance que je vous ai promis, répondit Zulica, je vous dirai naturellement que je ne devais pas craindre que Mazulhim pût jamais m'être cher. Ce n'était pas que je me crusse incapable de faiblesse. Sans en avoir fait la cruelle expérience, comme je l'ai faite depuis, je n'ignorais pas qu'il ne faut qu'un moment pour plonger la femme la plus vertueuse, dans les égarements les plus funestes, mais rassurée par mes sentiments, par le temps même qu'il y avait que j'étais dans le monde, sans avoir manqué aux moindres des devoirs qui nous sont prescrits, j'osais me flatter que ce calme serait éternel.

Sans doute, dit Nassès d'un air fort sérieux, rien ne perd les femmes, comme cette sécurité dont vous parlez. Cela est vrai, au moins, répondit-elle, une femme n'est jamais plus exposée à succomber, que lorsqu'elle se croit invincible. J'étais dans ce calme trompeur, continua-t-elle, lorsque Mazulhim s'est offert à mes yeux ; je ne vous dirai pas comment il a fait pour me séduire. Ce que je sais, c'est qu'après lui avoir résisté longtemps, mon cœur s'est ému, ma tête s'est troublée. J'ai senti des mouvements qui prenaient sur moi, d'autant plus que je n'étais pas dans l'habitude de les éprouver. Mazulhim qui savait mieux que moi-même, de quelle nature était mon trouble, en a profité, pour m'engager dans des démarches dont j'ignorais la conséquence ; enfin il m'a amenée au point de me faire venir ici. Je croyais, et il me l'avait promis, qu'il ne voulait que m'entretenir avec plus de liberté, que dans le tumulte du monde, nous n'en pouvions espérer. J'y suis venue, sa présence m'a plus émue que je n'avais pensé ; seule avec lui, je me suis trouvée moins forte contre ses désirs, sans savoir ce que j'accordais, je n'ai pu lui refuser rien, l'amour enfin m'a séduite jusques au bout.

En finissant ces paroles, elle avait les yeux à demi mouillés de larmes qu'elle s'efforçait de répandre. Nassès qui paraissait prendre à sa douleur, la part la plus sincère, en feignant de la consoler, lui disait les choses du monde les plus propres à la désespérer. Surtout, il appuyait malignement, sur le peu de temps que Mazulhim l'avait gardée. Ce n'est pas assurément, lui dit-il, que vous n'ayez de quoi rendre un homme heureux, du moins, on en doit juger ainsi. Il est pourtant vrai, que cette inconstance si prompte de Mazulhim, ferait, si c'était toute autre que vous, penser les choses les plus désavantageuses.

Zulica, à ce propos, fit une mine qui marquait assez à Nassès, qu'elle croyait avoir raison de ne se rien reprocher là-dessus.

On n'ignore pas, reprit Nassès, que les hommes sont assez malheureux, pour ne pouvoir pas jouir longtemps de l'objet même le plus aimable, sans que leurs désirs se ralentissent, mais au moins on aime trois mois, six semaines, quinze jours même, plus ou moins ; on n'a jamais imaginé de quitter une femme aussi brusquement que Mazulhim vous a quittée, vous ; c'est d'un ridicule, d'une horreur même, qu'on ne peut imaginer ! Ah ! Zulica, ajouta-t-il, j'ose encore le répéter, vous m'auriez trouvé plus constant. Zulica lui répondit qu'elle en était bien persuadée, mais que ne voulant plus aimer, ce lui était désormais une chose indifférente, que les hommes fussent constants, ou non, qu'elle désirait même, par la sincère amitié qu'elle avait pour lui, que l'amour qu'il disait sentir, ne fût pas véritable, et qu'elle serait extrêmement fâchée qu'il conservât des sentiments qu'il ne pourrait jamais voir récompensés.

Oui, lui répondit Nassès d'un air triste, je sens bien tout ce que vous me dites. Je trouve dans votre caractère, cette fermeté que j'ai toujours crainte en vous, et que je ne puis m'empêcher d'admirer, quoiqu'elle fasse mon malheur. Si vous étiez moins estimable, j'en serais beaucoup moins à plaindre, car enfin, il me serait permis d'imaginer que puisque vous avez aimé Mazulhim, il ne serait pas impossible que vous m'aimassiez aussi. C'est une idée qu'on pourrait concevoir, avec toutes les femmes du monde, sans les offenser, mais, malheureusement, vous ne ressemblez à personne, et c'est sans tirer à conséquence pour l'avenir que vous avez eu une faiblesse.

Zulica qui, sans doute, riait en elle-même, de la fausse idée que Nassès semblait avoir d'elle, l'assura qu'il lui rendait justice, et s'étendit beaucoup sur l'heureuse façon de penser qu'elle avait reçue de la nature, le peu de disposition qu'elle avait à se laisser toucher, et la froideur dans laquelle, ce qui était pour beaucoup d'autres femmes, des plaisirs d'une extrême vivacité, l'avait laissée, même malgré l'amour violent que lui avait su inspirer Mazulhim.

Tant pis pour vous, Madame, lui dit Nassès ; plus vous êtes estimable, plus vous êtes à plaindre. Votre insensibilité va faire le malheur de votre vie. Toujours Mazulhim sera présent à vos yeux. La façon humiliante dont il vous a quittée, ne sortira pas un moment de votre mémoire ; c'est un supplice qui vous accablera dans la solitude, et dont la dissipation, et les

plaisirs du monde, ne vous distrairont jamais assez.
Mais que faire, lui demanda-t-elle, pour effacer de
mon esprit, une idée aussi cruelle ? Je conviens avec
vous, qu'un nouvel amour, pourrait m'ôter le souvenir
de Mazulhim, mais sans compter les nouveaux malheurs qui peut-être y seraient attachés, puis-je croire
que mon cœur voudrait s'y livrer autant qu'il le faudrait pour assurer ma guérison ? Non, Nassès, croyez-
moi, une femme qui pense d'une certaine façon, ne
saurait aimer deux fois. Idée fausse ! s'écria-t-il, j'en
connais qui ont aimé plus de six, et qui ne s'en esti-
ment pas moins. Vous êtes d'ailleurs dans un cas si
cruel qu'il vous met au-dessus des règles, et que si l'on
savait votre aventure, on vous verrait aimer dix
hommes à la fois, qu'on trouverait que vous ne vous
en dédommageriez pas encore. On aurait assurément
de la bonté de reste, répliqua-t-elle, en souriant. Mais
non, repartit-il, on trouverait cela plus simple que
vous ne croyez. Vous concevez bien, au reste, que ce
que j'en dis, n'est pas pour vous conseiller de les
prendre, puisque c'en serait assez d'un pour me faire
mourir de douleur.

Ah ! dit Zulica en rêvant, c'est qu'on nous trouve si
blâmables quand nous aimons, qu'avec une seule passion, la plus longue, et la plus sincère qu'on puisse
voir, nous avons encore bien de la peine à échapper au
mépris, et que tel est notre malheur, que ce qu'on
regarde en vous, comme des vertus, nous est toujours
compté pour des vices. Oui, autrefois on pensait cela,
répondit-il, mais les mœurs ayant changé, nos idées
ont changé avec elles. Oh ! non, si ce n'était que la
crainte du blâme qui vous retînt, vous pourriez vous
livrer à l'amour. Dans le fond, reprit-elle, vous avez
raison, car, qu'importe qu'on occupe son cœur ?
essentiellement, je n'y vois pas le moindre mal. Et
cependant, répliqua-t-il, avec un esprit qui vous fait
discerner si bien le faux du vrai, vous vous sacrifiez
aux préjugés, comme quelqu'un qui ne saurait pas
raisonner ? Vous voilà déterminée à pleurer toute
votre vie, votre faiblesse pour Mazulhim, plutôt que

de songer sagement à vous en consoler ; vous croyez qu'une femme qui pense d'une certaine façon, ne doit aimer qu'une fois ; vous sentez bien, intérieurement que le principe d'après lequel vous agissez, n'est pas vrai ; mais vous résistez à vos lumières, pour jouir du noble plaisir de vous affliger, et apparemment aussi, pour qu'on ne cesse pas de dire que c'est la perte de Mazulhim que vous voulez pleurer toujours. Ne sont-ce pas là de beaux propos à faire tenir de soi ? De moi ! répondit-elle, mais je me flatte qu'on n'en parlera pas.

Je le crois bien, répliqua-t-il, je sais que vous, Madame, vous ne direz rien de ceci ; il est constant que je n'en parlerai pas, moi ; la chose fait assez peu d'honneur à Mazulhim, pour qu'il se croie obligé à garder le silence ; et cependant si vous ne changez point de façon de penser, tout le monde le saura. Mais, pourquoi, demanda-t-elle ?

Parbleu ! reprit-il, croyez-vous qu'on vous voie affligée, sans qu'on cherche à pénétrer pourquoi vous l'êtes, et que si on le cherche opiniâtrement, enfin, on ne le découvre pas ? Pensez-vous que Mazulhim même, de qui votre douleur flattera la vanité, résiste au plaisir d'apprendre au Public, que c'est sa perte qui la cause ? Cela est vrai ! dit-elle, mais Nassès, est-ce donc qu'il dépendrait de moi, de n'être plus affligée ? Sans doute, répondit-il, cela dépend de vous. Au fond, que regrettez-vous à présent ? Mazulhim ? S'il revenait à vous, consentiriez-vous à le recevoir ? Moi ! s'écria-t-elle, ah ! j'aimerais mieux être au dernier des hommes, que d'être à lui. Si quelque chose qu'il pût faire, rien ne pourrait lui rendre votre cœur, il est donc, reprit-il, bien ridicule que vous le regrettiez.

Dites-moi un peu, demanda le Sultan, en avez-vous encore pour longtemps ? Oui, Sire, répondit Amanzéi. De par Mahomet ! tant pis, répliqua Schah-Baham, voilà des discours qui m'ennuient furieusement, je vous en avertis. Si vous pouviez les supprimer, ou les abréger du moins, vous me feriez plaisir, et je n'en serais pas ingrat. Vous avez tort de vous plaindre, lui dit la Sultane, cette conversation qui vous ennuie, est pour ainsi dire, un fait, par elle-même. Ce n'est point une dissertation inutile, et qui ne porte sur rien, c'est un fait... N'est-ce pas dialogué qu'on dit, demanda-t-elle à Amanzéi en souriant ? Oui, Madame, répondit-il. Cette façon de traiter les choses, reprit-elle, est agréable, elle peint mieux, et plus universellement, les caractères que l'on met sur la scène, mais elle est sujette à quelques inconvénients. A force de vouloir tout approfondir, ou de saisir chaque nuance, par exemple, on risque de tomber dans des minuties, fines peut-être, mais qui ne sont pas des objets assez importants pour que l'on doive s'y arrêter, et l'on excède de détails, et de longueurs, ceux qui écoutent. S'arrêter précisément où il le faut, est peut-être une chose plus difficile, que de créer. Le Sultan a tort de vouloir que dans l'endroit où vous êtes, vous marchiez si rapidement, mais vous l'aurez devant moi, et devant toute personne de goût, si la fureur de parler vous emporte, et si vous ne savez pas sacrifier de temps en temps, les choses mêmes qui vous paraîtront le plus agréables, lorsque vous ne pourriez nous les dire, qu'aux dépens de celles que nous attendons [58]. Le Sultan a tort, dit Schah-Baham, cela est bientôt dit ! Et moi, je vous soutiens que cet Amanzéi-là, n'est qu'un bavard, qui se mire dans tout ce qu'il dit, et qui, ou je ne m'y connais pas, a le vice d'aimer les longues conversations, et de faire le bel esprit. Cela vous choque, ajouta-t-il en se tournant du côté d'Amanzéi, mais c'est que je suis franc, et si vous voulez l'être, je parie que vous avouerez que j'ai raison. Oui, Sire, répondit Amanzéi, et, complaisance de courtisan à part, je suis d'autant plus forcé d'en convenir qu'il y a longtemps qu'on me trouve le défaut que votre Majesté me reproche. Corrigez-vous-en donc, dit Schah-Baham. S'il m'avait été aussi facile de m'en corriger, qu'il me l'a paru d'en convenir, repartit Amanzéi, votre Majesté n'aurait pas eu de reproche à me faire.

La force du raisonnement de Nassès, frappa Zulica, poursuivit-il. Dans le fond, vous avez raison, lui dit-

elle, aussi n'est-ce plus Mazulhim que je pleure, c'est
ma faiblesse, c'est de m'être donnée à un homme si
indigne de moi. J'avoue, répliqua Nassès d'un air
simple, que le tour qu'il vous joue, ne doit pas le
rendre aimable à vos yeux ; cependant si vous voulez
le juger sans prévention, je ne doute pas que vous ne
lui trouviez des agréments, car enfin il en a. Si vous
voulez, répondit-elle dédaigneusement ; d'abord, il
n'est pas bien fait. Je ne sais pas, reprit-il, mais personne, cependant, n'a plus de grâces que lui, il a la
plus belle tête, et la plus belle jambe du monde, l'air
noble, et aisé, l'esprit vif, léger, amusant. Oui, reprit-
elle, je ne nie point qu'il ne soit une bagatelle assez
jolie, mais après tout il n'est que cela, et de plus je
vous assure qu'il s'en faut beaucoup qu'il soit aussi
amusant, qu'on le dit. Entre nous, c'est un fat, d'une
présomption ! d'une suffisance !... Je pardonne un peu
d'orgueil à un homme assez heureux pour vous avoir
plu, interrompit Nassès, on en prend à moins, tous les
jours.

Mais, Nassès, répondit-elle, pour un homme qui me
dit qu'il m'aime, et qui veut que je le croie apparemment, vous me tenez de singuliers propos. Tout
odieux que vous est à présent Mazulhim, répondit
Nassès, il vous l'est encore moins que moi, et je
croirais risquer plus à vous parler d'un amant que
vous n'aimerez jamais, que je ne fais à vous entretenir
d'un que vous avez tendrement aimé. Il vous occupe
encore si vivement, que jamais je ne prononce son
nom, que vos yeux ne se mouillent de larmes, actuellement encore ils s'en remplissent, et vous voulez en
vain me les cacher. Ah ! retenez vos pleurs, aimable
Zulica, s'écria-t-il, ils me percent le cœur ! Je ne puis,
sans un attendrissement qui me devient funeste, les
voir couler de vos yeux.

Zulica, qui depuis quelque temps n'avait pas envie
de pleurer, ne put entendre ce discours, sans se croire
obligée de verser de nouvelles larmes. Nassès qui se
divertissait de tout le manège qu'il lui faisait faire à son
gré, la laissa quelque temps dans cette douleur affec-

tée. Cependant pour ne pas perdre ses moments auprès d'elle, il s'amusa à lui baiser la gorge qu'elle avait extrêmement découverte. Elle fut assez long-temps sans daigner songer à ce qu'il faisait, et ce ne fut qu'après lui avoir laissé là-dessus entière liberté, qu'elle s'avisa d'y trouver à redire. Vous n'y pensez pas, Nassès, lui dit-elle ayant toujours un mouchoir sur ses yeux, voilà des libertés qui me blessent. Vrai-ment ! Je le crois, répondit-il, n'allez-vous pas prendre cela pour une faveur ? regardez-moi donc, ajouta-t-il, que je voie vos yeux. Non, reprit-elle, ils ont trop pleuré pour être beaux. Sans vos larmes, répliqua-t-il, vous me paraîtriez bien moins belle.

Écoutez-moi, continua-t-il, l'état où je vous vois, m'afflige, je veux absolument que vous vous en tiriez. Je vous ai prouvé la nécessité où vous êtes d'aimer encore, et je vais autant qu'il me sera possible, vous prouver actuellement que c'est moi qu'il faut que vous aimiez. Je doute, répondit-elle, que vous y réussissiez. C'est ce que nous allons voir, reprit-il ; premièrement, vous convenez de m'avoir haï sans sujet, c'est une injustice que vous ne pouvez réparer qu'en m'aimant à la fureur. Elle sourit. D'ailleurs, continua-t-il, je vous aime, et tout facile qu'il vous est de faire prendre à qui que ce soit, plus d'amour même qu'il ne vous plaira peut-être de lui en inspirer, jamais vous ne trouverez personne aussi disposé que moi, à vous aimer avec toute la tendresse que vous méritez.

Que nous ayons tort, ou raison, il est constant qu'en général, nous pensons mal des femmes ; nous nous sommes persuadés qu'elles ne sont ni fidèles, ni constantes, et sur ce fondement, nous croyons ne leur devoir ni constance, ni fidélité. De passions, par conséquent on n'en voit guère ; il faudrait pour nous déterminer à en prendre une, que nous sussions qu'une femme mérite des sentiments moins légers que ceux que communément on lui accorde ; examiner son caractère, et sa façon de vivre, et de penser, et régler là-dessus, le degré d'estime que nous pouvons lui devoir... hé bien ! interrompit-elle, qui vous en empêche ? Vous vous moquez, Madame, répondit-il, cette étude prend du temps ; pendant que nous en serions occupés, une femme nous préviendrait d'inconstance, et c'est un si cruel accident pour nous, que pour n'y pas être exposés, nous la quittons souvent, avant que de savoir si elle mérite que nous l'aimions plus longtemps. Mais, demanda-t-elle, qu'est-ce que tout cela peut conclure pour vous ?

Le voici, répondit-il ; mais ce mouchoir sera-t-il éternellement sur vos‸ yeux ? Ne vous ai-je pas regardé ? lui dit-elle. Pas assez, répondit-il, je ne veux plus que ce mouchoir paraisse, ou je vous hais, s'il est possible, autant que vous m'avez haï.

Alors elle le regarda en souriant, et d'une façon assez tendre. Continuez donc, lui dit-elle, en se penchant sur lui. Oui, répondit-il en la serrant fortement dans ses bras, je vais continuer, n'en doutez point. Ce que j'ai vu de vous ici, poursuivit-il, me vaut l'étude dont je vous parlais, vous a acquis toute mon estime, et conséquemment a redoublé mon amour pour vous. Un autre que moi ne peut donc pas vous aimer autant que je vous aime, il ne verrait de vous que vos charmes, et la beauté de votre âme, serait une chose dont il ne pourrait jamais être sûr, puisque rien ne lui prouverait jusques à quel point vous portez la délicatesse des sentiments. Il l'apprendrait, direz-vous, en me voyant agir. Eh ! Madame, (je vais parler mal de nous,) pensez-vous qu'un homme dissipé, étourdi, sans mœurs surtout sur ce qui regarde les femmes, et ne trouvant pas de moyen plus sûr pour les mépriser toujours, que de ne leur faire jamais l'honneur de les examiner, pensez-vous, dis-je, qu'il s'aperçoive des choses qui devraient vous assurer son estime, ou qu'il ne vous accuse pas de forcer votre caractère, et de vous parer à ses yeux de vertus que vous ne possédez point ? Oui, je le crois, dit-elle, ce que vous dites-là, par exemple, est, on ne peut pas plus sensé.

Nassès pour la remercier de cet éloge, voulut d'abord lui baiser la main, mais la bouche de Zulica, se trouvant plus près de lui, ce fut à elle qu'il jugea à propos de témoigner sa reconnaissance. Ah ! Nassès, lui dit-elle doucement, nous nous brouillerons. Vous voyez donc bien, poursuivit-il sans lui répondre, que puisque je suis l'homme du monde qui vous estime le plus, et qui a le plus de raison de le faire, je dois être aussi le seul que vous puissiez aimer. Non, répondit-elle, l'amour est trop dangereux. Vieille maxime d'Opéra, si plate, si usée, répliqua-t-il, qu'on ne la voudrait seulement pas aujourd'hui passer dans un madrigal, et qui, au reste, n'empêchera point du tout, que vous ne m'aimiez. Je vous en avertis.

Si ce n'est pas elle qui m'en empêche, répondit-elle... Mais pourquoi me demander de l'amour ? ne vous ai-je pas promis de l'amitié [59] ? Sans doute ! répliqua-t-il, l'effort est généreux ! il est constant que si je ne vous aimais pas, je vous tiendrais quitte pour cela, et peut-être même à moins, mais les sentiments que j'ai pour vous, ne peuvent être payés que par le plus tendre retour de votre part, et je puis vous jurer que je n'oublierai rien pour vous inspirer toute l'ardeur que je vous demande. Je vous proteste aussi, répondit-elle, que je n'oublierai rien pour m'en défendre. Ah, ah ! dit-il, vous voulez prendre des précautions contre moi, j'en suis charmé, ce m'est une preuve que vous me croyez dangereux. Vous avez raison. En vous aimant comme je fais, je le serai pour vous, plus que personne. Avec une femme moins estimable que vous, je ne serais pas si sûr de ma victoire.

Cependant, reprit-elle, plus je suis estimable, plus je résisterai. Tout au contraire, répliqua-t-il, les coquettes seules coûtent à vaincre, on leur persuade aisément qu'elles sont aimables, mais on ne les touche pas de même, et de toutes les conquêtes, la plus aisée, c'est celle d'une femme raisonnable. Je ne l'aurais assurément pas cru, dit-elle. Rien n'est pourtant plus vrai, répondit-il. Vous ne pouvez pas douter que je ne vous aime, vous, par exemple. Répondez, en doutez-vous ? Soyez de bonne foi ! Je viens d'être si sottement crédule, repartit-elle, que je crois qu'on ne me persua-

dera de longtemps. Mais, Mazulhim à part, insista-t-il,
qu'en croyez-vous ? Elle répondit qu'elle croyait qu'il
ne la haïssait pas, il s'obstina, et enfin obtint d'elle,
qu'elle était persuadée qu'il l'aimait. Et vous, poursuivit-il, vous ne me trouvez plus odieux ? Odieux ! dit-
elle, non sans doute, je puis vouloir être indifférente,
mais je ne veux plus être injuste.

Vous croyez que je vous aime ! s'écria-t-il, vous ne
me haïssez pas, et vous imaginez que vous me résiste-
rez longtemps ! Vous ! avec cette vérité que vous avez
dans le caractère ! vous vous flattez que vous pourrez
me rendre malheureux, lorsque vos propres désirs,
vous parleront en ma faveur ! que vous fixerez un
temps pour céder, et que ce ne sera que lorsqu'il sera
arrivé, que vous croirez pouvoir vous rendre avec
décence ! Non, Zulica, non, j'ai meilleure opinion de
vous, que vous-même. Vous n'aurez point assez de
fausseté pour vouloir désespérer un Amant que vous
aimez, vous ignorerez l'art perfide de me conduire de
faveur en faveur, jusques à celle qui doit à jamais
combler, et ranimer mes désirs, l'instant où je vous
attendrirai, sera celui où je mourrai de plaisir entre vos
bras, et cette bouche charmante, ajouta-t-il avec transport...

Fort bien cela, fort bien, interrompit le Sultan, vous
me tirez d'une grande peine. Ma foi ! Je commençais à
craindre que cela ne fût jamais. Ah ! la sotte créature
que cette Zulica, avec ses façons ! En effet ! dit la
Sultane, il faut convenir qu'on ne peut pas faire
attendre des faveurs plus longtemps. Comment donc !
résister une heure ! Cela est sans exemple ! Ce qu'il y a
de vrai, répondit le Sultan, c'est que cela m'ennuyait
autant que s'il y eût eu quinze jours, et que pour peu
qu'Amanzéi eût encore retardé la chose, je serais mort
de chagrin, et de vapeurs, mais qu'auparavant, il lui en
aurait coûté la vie, et que je lui aurais appris à faire
périr d'ennui, une tête couronnée.

CHAPITRE XV

Qui n'amusera pas ceux
que les précédents ont ennuyés.

Au silence qui se fit dans cet instant dont votre Majesté était hier si contente, dit Amanzéi le lendemain, je jugeai que Nassès empêchait Zulica de parler, et qu'elle l'empêchait de poursuivre. Ah ! Nassès, s'écria-t-elle, dès qu'elle le put, Nassès ! songez-vous à ce que vous faites ? si vous m'aimiez ! Plus Nassès craignait les reproches de Zulica, moins il lui laissait la liberté de lui en faire. Jamais, je n'ai, mieux qu'en cet instant, conçu combien il est avantageux d'être opiniâtre avec les femmes. Mais écoutez-moi, disait Zulica, Nassès ! Écoutez-moi ! Voulez-vous donc que je vous déteste ?

Tous mots, qui entrecoupés, prononcés faiblement, perdaient leur force, et n'imposaient pas. Zulica vit bien qu'il était inutile qu'elle parlât davantage à un homme perdu dans ses transports, et à qui l'on aurait, sans aucun fruit, dit les plus belles choses du monde. Que faire ? Ce qu'elle fit. Après s'être précautionnée contre les entreprises que Nassès, au milieu de son trouble, tentait avec toute la témérité possible, et s'être mise à cet égard, hors de toute crainte, elle attendit patiemment qu'il fût en état d'entendre les discours qu'elle lui préparait sur ses impertinences. Nassès, cependant, soit pour obtenir plus aisément son pardon, soit qu'en effet Zulica l'eût troublé, ne la laissa en liberté que pour tomber sur son sein, et dans un abattement qui ne devait pas le laisser sensible à quelque autre chose qu'à l'état où il se trouvait.

Embarras nouveau pour Zulica, car, à quoi sert-il de parler à quelqu'un qui ne saurait entendre. Ce qui, en cet instant, pouvait lui rendre moins pénible, le silence auquel elle était forcée, c'est qu'il n'y avait pas d'apparence que Nassès eût l'esprit assez libre pour faire dessus des commentaires. Elle tenta pourtant de se retirer tout à fait d'entre ses bras, et n'y réussit point. Quand il revint de son trouble, il avait l'air si tendre ! Ses premiers regards errèrent sur Zulica d'une façon si touchante ! Il referma les yeux si languissamment ! poussa de si profonds soupirs, que loin de pouvoir lui montrer autant de colère qu'elle s'en était flattée, elle commença, malgré son insensibilité naturelle, à se sentir émue, et à partager ses transports. Cette vertueuse personne était perdue, si Nassès eût pu s'apercevoir des mouvements dont elle était agitée. Nassès enfin rendu à lui-même, saisit la main de Zulica. Nassès, lui dit-elle d'un ton colère, est-ce ainsi que vous croyez vous faire aimer ?

Nassès s'excusa sur la violence de son ardeur qui, disait-il, ne lui avait pas permis plus de ménagement. Zulica lui soutint que l'amour, quand il est sincère, était toujours accompagné de respect, et que l'on n'avait des façons aussi peu mesurées que les siennes, qu'avec les femmes que l'on méprisait. Lui de son côté soutint qu'il n'y avait qu'à celles qui inspiraient des désirs que l'on manquait de respect, et que rien ne devait mieux prouver à Zulica, la force du sien que l'emportement qu'elle s'obstinait à condamner en lui.

Si je vous avais moins estimée, poursuivit-il, je vous aurais demandé ce que je viens de ravir, mais quelque légères que soient les faveurs que je vous ai dérobées, je n'ignorais pas que vous me les refuseriez. Sûr de les obtenir de vous, je n'aurais pas songé à ne les devoir qu'à moi-même. Plus on pense bien d'une femme, plus on est forcé d'être coupable auprès d'elle de trop de hardiesse, rien n'est si vrai. Je n'en crois pas un mot, répondit Zulica, mais quand ce que vous venez de me dire, serait vrai, c'est toujours une règle établie de ne pas commencer l'aveu de ses sentiments par des façons aussi singulières que celles que vous avez.

Supposez que j'eusse brusqué les choses autant que vous le dites, répliqua-t-il, ce serait encore une attention pour vous, dont vous devriez me remercier. Non, reprit-elle avec impatience, vous avez dans l'esprit, des opinions d'une bizarrerie dont rien n'approche ! Il est plaisant, repartit-il, que ces opinions que vous traitez de bizarres, soient toutes fondées en raison. Celle que vous me reprochez actuellement, est d'une vérité que sûrement je vous ferai sentir, car, non seulement vous avez de l'esprit, mais encore vous l'avez juste, mérite assez rare dans votre sexe, pour que l'on puisse vous en féliciter. Le compliment ne me séduit pas, dit-elle d'un ton brusque, et je vous avertis que je n'en fais que le cas que je dois. C'est sans doute un désagrément pour moi, répondit-il, de vous voir si peu sensible aux discours obligeants que je vous tiens. En un mot, Monsieur, interrompit-elle, pour entreprendre de certaines choses, il faut au moins avoir persuadé ; trouvez bon que je vous le dise.

Je vous entends, Madame, reprit-il, vous voulez que je vous perde dans le monde, hé bien ! Je vous y perdrai. Je voulais vous mettre à portée de m'aimer, sans que qui que ce fût s'en doutât, mais puisque ce ménagement de ma part, vous déplaît, je vous rendrai des soins, Madame, on saura que je vous aime, et je ne vous épargnerai aucune des tendres étourderies qui pourront apprendre au Public quels sont les sentiments que j'ai pour vous. Mais, que voulez-vous dire ? lui demanda-t-elle, vous êtes un étrange homme ! C'est par respect pour moi, que vous me faites une impertinence que je ne devrais jamais vous pardonner, c'est par une attention infinie sur ce qui me regarde, que vous me brusquez, comme la femme du monde qui mériterait le moins d'égards ! C'est vous qui faites mille choses condamnables, et c'est moi qui ai tort ! dites-moi, de grâce, comment tout cela se peut faire ?

Si vous étiez moins neuve en amour, répliqua-t-il, vous m'épargneriez toutes ces explications-là. Je vous dirai pourtant que quelque gênantes qu'elles puissent être pour moi, j'aime sans comparaison, mille fois mieux vous donner des leçons sur cette matière, que de vous voir assez instruite pour n'en avoir pas besoin. Êtes-vous encore à savoir que ce sont moins les bontés qu'une femme a pour son Amant, qui la perdent, que le temps qu'elle les lui fait attendre ? Croyez-vous que je puisse vous aimer, et être malheureux sans que mes assiduités auprès de vous, sans que les soins que je prendrai pour vous attendrir, échappent au Public ? Je deviendrai triste, et (ma discrétion fût-elle extrême) on n'ignorera pas que vos seules rigueurs causent ma mélancolie. Enfin, car il en faut toujours venir là, vous me rendrez heureux [60]. Pensez-vous qu'avec quelque attention que je m'observe, vos yeux, les miens, cette tendre familiarité qui malgré tous nos efforts, naîtra entre nous, ne découvrent pas notre secret ?

Zulica, par son étonnement, et son silence, semblait approuver ce que lui disait Nassès. Vous voyez donc bien, poursuivit-il, que quand je vous presse de me rendre promptement heureux, c'est moins encore pour moi que pour vous, que je vous le demande. En suivant mes conseils, si vous m'épargnez des tourments, vous évitez l'éclat qui suit toujours les commencements d'une passion. D'ailleurs, dans la situation où nous avons été ensemble, je ne pourrais, sans tout découvrir, marquer d'abord de l'amour pour vous. D'accord tous deux, nous imposerons au Public, sur nos affaires, tant que nous le jugerons à propos ; persuadé que vous me détestez, il ne pourra jamais imaginer que, d'un sentiment qui lui est si contraire, vous ayez passé si rapidement à l'amour. Il vous sera facile au reste, d'amener naturellement notre réconciliation.

A la Cour, ou chez la première Princesse où nous nous trouverons ensemble, vous saisirez quelque occasion que ce soit de me faire une politesse, ne vous inquiétez pas de la conjoncture, j'aurai soin de la faire naître. Je répondrai avec empressement à ce que vous m'aurez dit d'obligeant, je parlerai tout haut de l'envie que j'ai que vous ne me haïssiez plus. Je vous ferai même proposer par quelqu'un de nos amis communs, de vouloir bien que je vous voie ; vous direz que vous le voulez bien, je me ferai présenter à vous, je retournerai vous voir : je vanterai les charmes de votre commerce, et le malheur que j'ai eu d'en avoir été si longtemps privé. Il n'en faudra pas davantage pour justifier mes empressements : ils paraîtront simples, et naturels, et nous aurons d'autant plus le plaisir à nous aimer, que nous jouirons de celui de le cacher à tout le monde. Non, répondit-elle en rêvant, si je vous rendais si promptement heureux, je craindrais trop votre inconstance. J'avoue que je ne serais pas fâchée de lier avec vous, un commerce fondé sur plus d'estime, de confiance, et d'amitié, qu'on n'en trouve ordinairement dans le monde ; je vous dirai plus, je ne haïrais pas l'amour, si un Amant pouvait n'exiger d'une femme que l'aveu de sa tendresse.

Ce que vous demandez, reprit-il tendrement, est une chose plus difficile avec vous qu'avec quelque femme que ce puisse être. J'avoue aussi que quelque peu que vous accordiez, on doit en être plus flatté que d'obtenir tout d'une autre. Mais, Zulica, croyez-moi, je vous adore, vous m'aimez, faites le bonheur de l'homme du monde qui ressent pour vous la passion la plus vive ! Si vous saviez borner vos désirs, répondit-elle avec émotion, et que ce que l'on pourrait vous accorder, ne fût pas pour vous, un droit de demander davantage, on pourrait essayer de vous rendre moins malheureux, mais... Non, Zulica, interrompit-il vivement, vous serez contente de mon obéissance.

Sur cette parole que Zulica sentait bien aussi périlleuse qu'elle l'était, elle se pencha nonchalamment sur Nassès qui se précipitant sur elle, usa sans ménagement des faveurs qui venaient de lui être accordées. Ah Zulica ! lui dit-il tendrement, un moment après, ne sera-ce qu'à votre complaisance que je devrai d'aussi doux instants, et ne voulez-vous donc pas qu'ils le deviennent autant pour vous, qu'ils le sont déjà pour moi ?

Zulica ne répondit rien, mais Nassès ne se plaignit plus. Bientôt il fit passer dans l'âme de Zulica, tout le feu qui dévorait la sienne. Bientôt il oublia la parole

qu'il venait de lui donner, et elle ne se souvint pas
elle-même de ce qu'elle avait exigé de lui. Elle se
plaignit à la vérité, mais si doucement que ce fut moins
un reproche qu'un soupir tendre, que l'espèce de
plainte qui lui échappa. Nassès sentant à quel point il
l'égarait, crut ne devoir pas perdre d'aussi précieux
instants. Ah Nassès ! lui dit-elle, d'une voix étouffée, si
vous ne m'aimez pas, que vous allez me rendre à
plaindre !

Quand les craintes de Zulica sur l'amour de Nassès
auraient été aussi vraies, et aussi vives qu'elles paraissaient l'être, il y avait apparence que les transports de
Nassès les auraient dissipées. Aussi, presque assuré
qu'elle ne douterait pas longtemps de son ardeur, il ne
jugea pas à propos de perdre à lui répondre, un temps
qu'il devait employer à la rassurer, et d'une façon plus
forte qu'il ne l'aurait pu faire par les discours les plus
touchants. Zulica ne s'offensa point de son silence ;
bientôt même, (car il ne faut souvent qu'une bagatelle
pour faire perdre de vue, les choses les plus importantes) elle ne parut plus s'occuper d'une crainte que,
sans faire une injure mortelle à Nassès, elle croyait ne
pouvoir plus garder. D'autres idées, plus douces sans
doute, succédèrent à celles-là. Elle voulut parler, mais
elle ne put proférer que quelques mots sans suite, et qui
n'exprimaient rien que le trouble de son Ame.

Lorsqu'il eut cessé, Nassès se jeta à ses genoux. Ah !
laissez-moi, lui dit-elle en le repoussant faiblement.
Quoi ! répondit-il d'un air étonné, aurais-je eu le malheur de vous déplaire, et serait-il possible que vous
eussiez à vous plaindre de moi ? Si je ne m'en plains
pas, reprit-elle, ce n'est pas que je n'eusse de quoi le
faire. Eh ! de quoi vous plaindriez-vous, répliqua-t-il,
ne deviez-vous pas être lasse d'une aussi cruelle résistance ? Je conviens, répondit-elle, que beaucoup de
femmes, se seraient rendues plus tôt, mais je n'en sens
pas moins que j'aurais dû vous résister plus longtemps.
Alors elle le regarda avec ce trouble, cette langueur
dans les yeux qui annoncent, et excitent les désirs.
M'aimez-vous ? lui demanda Nassès aussi tendrement

que s'il l'eût aimée lui-même. Ah ! Nassès, s'écria-t-elle,
quel plaisir vous ferait un aveu que vos emportements
m'ont déjà arraché ; m'avez-vous là-dessus, laissé quelque chose à vous dire ? Oui, Zulica, répondit-il ; sans
cet aveu charmant que je vous demande, je ne puis être
heureux ; sans lui, je ne puis jamais me regarder que
comme un ravisseur. Ah ! voulez-vous me laisser un si
cruel reproche à me faire ? Oui, Nassès, dit-elle en
soupirant, je vous aime !

Nassès allait remercier Zulica, lorsque l'Esclave de
Mazulhim vint servir, il en soupira... Parbleu ! je le
crois bien, interrompit le Sultan, voilà comme sont les
valets ! On ne les voit jamais que quand on a le moins
besoin de leur présence. N'ayez pas peur qu'il soit venu
tantôt, pendant que Nassès, et Zulica m'ennuyaient
tant ! Il faut précisément qu'il vienne interrompre,
quand j'ai le plus de plaisir à entendre. Vous m'avez
étonné, vous, lui dit la Sultane, de n'avoir rien dit.
Tubleu ! répliqua-t-il, je n'avais garde de les troubler ;
j'avais trop d'envie de savoir comment tout ceci finirait.
J'en suis fort content, ajouta-t-il en se tournant vers
Amanzéi ; voilà ce qui peut s'appeler une situation
touchante, j'en ai encore les larmes aux yeux. Quoi ! lui
dit la Sultane, vous pleurez de cela ? Pourquoi donc
pas ? répondit-il, cela est fort intéressant, ou je me
trompe fort. C'est pour moi, comme une Tragédie, et
si vous n'en pleurez point, c'est que vous n'avez pas le
cœur bon [61]. En achevant ces paroles qu'il prenait pour
une épigramme sanglante contre la Sultane, il ordonna
d'un air satisfait, à Amanzéi de poursuivre.

Nassès soupira de se voir interrompu, poursuivit
Amanzéi, ce n'était pas qu'il fût amoureux, mais il avait
cette impatience, cette ardeur qui sans être amour,
produit en nous des mouvements qui lui ressemblent,
et que les femmes regardent toujours comme les symp-
tômes d'une vraie passion, soit qu'elles sentent
combien il leur est nécessaire avec nous de paraître s'y
tromper, ou qu'en effet, elles ne connaissent rien de
mieux. Zulica, qui n'attribuait qu'à ses charmes,
l'impatience qu'elle remarquait dans Nassès, en avait

toute la reconnaissance possible, mais pour soutenir ce caractère de personne réservée, qu'elle s'était donné, elle lui fit signe, en lui serrant la main, d'avoir devant l'Esclave de Mazulhim un peu de circonspection. Ils se mirent à table.

Après le souper... Tout doucement s'il vous plaît, interrompit Schah-Baham, je veux, si cela ne vous déplaît pas, les voir souper. J'aime, sur toutes choses, les propos de table. Vous avez dans l'esprit, une inconséquence bien singulière ! lui dit la Sultane ; vous vous êtes impatienté mille fois, à des discours qui étaient nécessaires, et vous en demandez actuellement qui, absolument hors de l'histoire qu'on vous raconte, ne peuvent que l'allonger ! Hé bien ! répondit le Sultan, si je veux être inconséquent, moi, y a-t-il quelqu'un ici qui puisse m'en empêcher ? Voyons ? Je veux bien qu'on apprenne qu'un Sultan est fait pour raisonner comme il lui plaît ; que tous mes ancêtres, ont eu le même privilège que celui qu'on me dispute ; que jamais femme bel-esprit, n'a eu le crédit de les empêcher de parler comme ils voulaient, et que ma grand-Mère même à qui, je crois, vous n'avez pas l'audace de vous comparer, n'a jamais eu celle de contredire Schah-Riar mon aïeul, fils de Schah-Mamoun, qui engendra Schah-Techni, lequel [62]... Ce que j'en dis, au reste, continua-t-il plus modérément, c'est plus pour vous faire voir que je sais ma généalogie, que pour contrarier personne, et vous pouvez poursuivre, Amanzéi.

C'est, dit Zulica, un instant après qu'elle se fut mise à table, une chose bien singulière que la façon dont les événements les plus marqués de notre vie, sont amenés ! Qui dirait à une femme, vous aimerez ce soir, à la fureur, un homme, non seulement auquel vous n'avez jamais pensé, mais que même vous haïssez, elle ne le croirait pas ; et pourtant, il n'est pas sans exemple que cela arrive ! Je vous en réponds, repartit Nassès, et je serais bien fâché que cela n'arrivât pas. De plus, il est certain que rien n'est si commun que de voir les femmes aimer violemment quelqu'un qu'elles voient pour la première fois, ou qu'elles ont haï. C'est même de là que naissent les passions les plus vives. Et pourtant, reprit-elle, vous trouvez des gens, mais je dis, beaucoup, qui vous soutiennent qu'il n'y a presque point de coups de sympathie.

Savez-vous, répondit Nassès, qui sont les gens qui soutiennent cela ? ce sont, ou de jeunes gens qui ne connaissent pas encore le monde, ou des femmes dont l'esprit est prude, et le cœur froid, de ces femmes indolentes qui ne prennent une passion qu'avec toutes les précautions possibles, ne s'enflamment que par degrés, et vous font acheter bien cher, un cœur où vous trouvez toujours plus de remords, que de tendresse, et dont vous ne jouissez jamais parfaitement. Hé bien ! répondit-elle, ces femmes-là, toutes ridicules qu'elles sont, ont encore des partisans ; et, moi qui vous parle, il n'y a pas bien longtemps que je pensais comme elles.

Vous ! répliqua-t-il, mais savez-vous bien que vous avez tous les préjugés qu'on peut avoir ? Cela se peut, reprit-elle, mais actuellement j'en ai un de moins, car je crois aux coups de sympathie. Quant à moi, dit-il, je sais qu'ils sont fort communs. Je connais même, une femme qui y est si sujette, qu'elle en trouve ordinairement trois ou quatre dans la journée. Ah ! Nassès, s'écria-t-elle, cela n'est pas possible ! Quand vous diriez simplement que cela n'est pas ordinaire, savez-vous bien, repartit-il, que vous vous tromperiez encore, et qu'une femme qui a le malheur d'être née fort tendre, (si pourtant c'en est un,) ne peut pas répondre un moment d'elle-même ? Je vous suppose, vous, dans la nécessité de m'aimer, que ferez-vous ? Je vous aimerai, répondit-elle. Hé bien ! supposez à présent, continuat-il, une femme qui soit dans la nécessité d'aimer par jour, trois, ou quatre hommes. Je la trouve bien à plaindre, dit-elle. Soit, j'en conviens, mais que voulez-vous qu'elle fasse ? Qu'elle fuie, me direz-vous ? Mais on ne va pas loin dans une chambre ; quand on s'y est promené quelque temps, on s'est lassé, il faut se rasseoir. Cet objet qui vous a frappé, est toujours présent à vos yeux. Les désirs se sont irrités par la résistance qu'on a faite, et la nécessité d'aimer, loin d'en être diminuée, n'en est devenue que plus pressante. Mais, répondit-elle en rêvant, en aimer quatre ! Puisque le nombre vous choque, répliqua-t-il, j'en ôte deux.

Ah ! dit-elle, cela devient plus vraisemblable, et plus possible même. Que de façons, pourtant n'avez-vous pas faites, s'écria-t-il, pour n'en aimer qu'un ! Taisez-vous, lui dit-elle en souriant, je ne sais où vous prenez tous les raisonnements que vous me faites, et où je prends, moi, toutes les réponses que je vous fais. Dans la nature, répondit-il. Vous êtes vraie, sans art, vous m'aimez assez pour ne vouloir rien me cacher de ce que vous pensez, et je vous en estime d'autant plus qu'il y a bien peu de femmes qui aient autant de vérité dans le caractère.

Avec tous ces propos, et quelques autres qui ne furent pas intéressants, Nassès parvint à gagner le dessert. Il fut à peine servi que se voyant sans témoins, il se leva avec feu, et se mettant aux genoux de Zulica, vous m'aimez ! lui dit-il. Eh ! ne vous l'ai-je pas assez dit ! répondit-elle languissamment ? Ciel ! s'écria-t-il en se relevant, et en la prenant dans ses bras, puis-je trop vous l'entendre dire, et pouvez-vous trop me le prouver ! Ah Nassès ! répondit-elle, en se laissant aller sur lui, et sur moi, quel usage faites-vous de ma faiblesse !

Eh que diable ! dit le Sultan, voulait-elle donc qu'il en fît ? Ceci n'est pas mauvais ! Elle aurait, je crois, été bien fâchée qu'il l'eût laissée plus tranquille. Non ! Les femmes sont d'une singularité... bien singulière ! elles ne savent jamais ce qu'elles veulent. On ignore toujours comme on est avec elles... Quelle colère ! interrompit la Sultane, quel torrent d'épigrammes ! Que vous avons-nous donc fait ? Non, dit le Sultan, c'est sans colère que je dis tout cela. Est-ce que pour trouver les femmes ridicules, on a besoin d'être fâché contre elles ? Vous êtes d'une causticité sans exemple, lui dit la Sultane, et je crains bien que vous qui haïssez tant les beaux esprits, vous n'en deveniez un incessamment. C'est cette Zulica qui m'a fâché, repartit le Sultan, je n'aime point les façons déplacées. Que votre Majesté prenne moins d'humeur contre elle, dit Amanzéi, elle n'en fit pas longtemps.

CHAPITRE XVI

Qui contient une Dissertation
qui ne sera pas goûtée de tout le monde.

Après avoir dit ce peu de mots qui ont déplu à votre
Majesté, Zulica se tut. Croyez-vous, lui demanda
enfin Nassès, que Mazulhim vous aimât mieux que je
ne fais ? Il me louait davantage, répondit-elle, mais il
me semble que vous m'aimez mieux. Je ne veux vous
laisser aucun lieu de douter de ma tendresse, repartit-il, oui, Zulica, vous apprendrez bientôt, combien
Mazulhim m'est inférieur en sentiment.

Eh quoi ! reprit-elle, quoi !... Nassès ne la laissa pas
achever, et elle ne se plaignit pas d'avoir été inter-
rompue. Ah Nassès ! s'écria-t-elle tendrement, que
vous êtes digne d'être aimé ! Nassès ne répondit à cet
éloge, qu'en homme qui croyait qu'on le loucrait
moins sur le présent, si l'on ne prétendait point par là,
l'encourager sur l'avenir. Il avait attendri Zulica, il
parvint à l'étonner ; aussi prit-elle pour lui, une considération, même une sorte de respect, qui, vu le motif
qui les lui faisait obtenir, devenaient extrêmement
plaisantes, et qui doivent flatter un homme, d'autant
plus qu'elles ne sont pas chez les femmes, l'effet de la
prévention, comme le sentiment. Nassès, assez
content de lui-même, crut qu'il pouvait suspendre
pour un moment, l'admiration qu'il causait à Zulica.
Avoir triomphé d'elle, n'était rien pour lui : il la
connaissait trop pour en être flatté, et les bontés
qu'elle lui marquait, loin de diminuer la haine qu'il lui
portait, l'avaient augmentée. Il se sentait pour elle, ce

mépris profond, qui nous rend impossibles la dissimulation, et les ménagements avec les personnes qui nous l'inspirent ; et dans cette disposition, il ne croyait pas pouvoir lui montrer assez tôt, toute l'impression que sa conduite avec lui, avait faite sur son Ame.

Vous trouvez donc, lui demanda-t-il, que je ne vous loue pas si bien que Mazulhim ? Oui, répondit-elle, mais je trouve en même temps que vous savez aimer mieux que lui. Voilà, répliqua-t-il, une distinction que je n'entends pas ; quelle valeur attachez-vous actuellement au mot d'aimer [63] ? Celle qu'il a, repartit-elle, je ne lui en connais qu'une, et ce n'est que de celle-là que je prétends parler ; mais vous qui me paraissez aimer si bien, pourquoi me demandez-vous ce que c'est que l'amour ? Si je le demande, répliqua-t-il, ce n'est pas que je l'ignore, mais, comme chacun définit ce sentiment, suivant son caractère, je voulais savoir ce qu'en particulier, vous entendez, vous, en disant que je vous aime mieux que Mazulhim ne vous aimait. Je ne puis connaître la différence que vous mettez entre lui, et moi, si vous ne m'apprenez pas ce que c'était que sa façon d'aimer. Mais, répondit-elle, en affectant de rougir, c'est qu'il a le cœur épuisé, lui.

Le cœur épuisé ! reprit-il, voilà une expression qui selon moi, n'offre point de sens déterminé. Le cœur s'épuise, sans doute, sur une passion trop longue, mais Mazulhim ne pouvait pas se trouver avec vous, dans ce cas-là, puisque pour ses yeux, et son imagination, vous étiez un objet nouveau. Par conséquent, ce que vous me dites de lui, n'est pas ce que vous devriez m'en dire. Je n'en dirai pourtant que cela, répondit-elle ; ce que j'en sais, c'est (du moins je m'en doute) qu'il y a peu d'hommes moins faits pour aimer que lui, et ne m'interrogez pas davantage, car je sens que sur cet article, je n'ai rien de plus à vous répondre.

Ah ! Je vous entends, répliqua-t-il ; cependant, je ne reconnais point Mazulhim au portrait que vous m'en faites. Mais, reprit-elle, il me semble que je ne vous dis rien de lui. Ah ! pardonnez-moi, repartit-il, on sent aisément ce qu'on reproche à un homme quand on dit de lui, qu'il a le cœur épuisé ; c'est une expression modeste, et mesurée, mais on l'entend. Je suis surpris pourtant que vous ayez eu à vous plaindre de lui. Je ne m'en plains pas, Nassès, répondit-elle, mais puisque vous voulez savoir ce que j'en pense, je vous dirai qu'il est vrai que j'en ai été surprise. Ah ! ah ! dit-il, quoi ! vous l'avez trouvé ?... Cela est étonnant ! reprit-elle, à ce que je crois du moins.

Oh ! Je m'en rapporterais bien à vous. Sans doute ! répondit-elle ironiquement, l'expérience m'a donné là-dessus, de si grandes lumières !... Expérience ou non, répliqua-t-il, on sait ce que doit être un Amant quand on veut bien ne lui laisser plus rien à désirer ; il y a là-dessus une tradition établie ; mais j'avoue encore une fois que vous me surprenez, car Mazulhim... Hé bien ! Nassès, interrompit-elle, c'est à un point qu'on ne saurait imaginer ! Je ne saurais revenir de ma surprise, répondit-il, je sais de lui des choses incroyables, des prodiges ! Ce sera apparemment lui qui vous les aura contés, dit-elle ? Quand ce n'aurait été que par amour-propre, je me serais, repartit-il, défié d'un pareil récit. Non, il ne m'a parlé de rien ; je vous dirai plus, il a là-dessus une vraie modestie. Pour modeste, répondit-elle, il ne l'est pas, mais quelquefois peut-être, il se rend justice.

Madame, Madame, lui dit-il, une réputation aussi brillante que celle de Mazulhim, doit avoir un fonde-ment, et vous ne me ferez jamais croire que quelqu'un dont toutes les femmes d'Agra pensent bien, soit un homme si peu estimable. Eh ! pensez-vous, répondit-elle, qu'une femme mécontente de Mazulhim (s'il est vrai cependant qu'il puisse s'en trouver qui soient sensibles à ce dont nous parlons) dise à qui que ce soit, la raison pour laquelle, elle en est si mécontente ? Précisément oui, reprit-il, elle ne le dira pas à tout le monde, mais elle le dira à quelqu'un, et la preuve de cela, c'est que vous me le dites à moi. Je n'ignore pas que je ne dois cette confidence, qu'à la façon dont nous sommes ensemble. Mais Mazulhim a plu à d'autres personnes que vous. Après lui, elles ont aimé

des gens à qui sans doute, elles confiaient leurs aventures. Il y a peut-être dans Agra, plus de mille femmes
qui n'ont pas résisté à Mazulhim ; il y aurait par
conséquent, quarante mille hommes, ou à peu près,
qui sauraient dans la plus exacte vérité, ce qu'il est, et
vous voudriez qu'entre des femmes piquées, et des
hommes humiliés, un secret de cette nature, eût été
enseveli ? Cela n'est pas probable ! Non, Madame,
encore une fois, non, un homme tel que Mazulhim
vous a paru, n'en aurait pas imposé si longtemps.

Vous dirai-je plus ? Vous connaissez Telmisse ? elle
n'est plus assurément, ni jeune, ni jolie ! Il n'y a que
dix jours au plus, que Mazulhim lui a prouvé toute
l'estime possible, et qu'il a mérité, et acquis toute la
sienne. C'est pourtant un fait. Telmisse le dit à qui
veut l'entendre ; ce n'est pas une personne à dire
gratuitement du bien de quelqu'un, et nous ne
connaissons point de femme de qui le suffrage fasse
plus d'honneur, et soit plus difficile à obtenir que le
sien. Pouvez-vous après cela, penser mal de Mazulhim ? Non, répondit-elle sèchement, je crois qu'il est
incomparable. C'est ma faute, sans doute, ajouta-t-elle
avec un souris dédaigneux, si je ne l'ai pas trouvé tel.
Je ne suis pas fait pour le penser, reprit-il, mais il est
vrai qu'il y a là-dedans, quelque chose d'inconcevable.
Au surplus, vous ne croiriez peut-être pas une chose !
Si j'étais femme, les gens de l'espèce dont Mazulhim
vous a paru, me plairaient infiniment plus que les
autres. Je crois, répondit-elle, que ce ne serait pas une
raison de n'en pas vouloir, ou de les quitter, mais je
vous avouerai que je ne vois pas à propos de quoi, il
faudrait leur donner la préférence [64].

Ils aiment mieux, dit-il ; eux seuls connaissent les
soins, et la complaisance : plus ils sentent qu'on leur
fait grâce de les aimer, plus ils s'empressent à mériter
de l'être : nécessairement soumis, ils sont moins
Amants qu'Esclaves. Sensuels, et délicats, ils ima-
ginent sans cesse, mille dédommagements, et l'amour
leur doit peut-être ce qu'il a de plus ingénieux plaisirs.
Leur arrive-t-il de se transporter ? ce n'est point à un

mouvement aveugle, et par conséquent jamais flatteur pour une femme, qu'elle doit l'ardeur dont leur âme se remplit ; c'est elle seule, ce sont ses charmes qui subjuguent la nature. Peut-il jamais y avoir pour elle, de triomphe plus doux, et plus vrai !

Vous ne m'étonnez point, lui dit Zulica, vous aimez les opinions singulières. Vous pensez trop bien, répondit-il, pour que celle-ci vous paraisse telle, et je sais que plus d'une femme... Laissons cela, interrompit-elle, je n'ai jamais disputé sur les choses qui ne m'intéressaient pas. Au reste, c'est à ce qu'il me semble, moins à vous qu'à Mazulhim, à tâcher de faire recevoir cette opinion.

Elle a raison, dit le Sultan. Quand s'en va-t-elle ? Que vous êtes impatient ! répondit la Sultane. Ce n'est pas que je m'ennuie, reprit le Sultan, à beaucoup près, mais quoique je me divertisse fort, il me semble que j'aimerais tout autant, entendre quelque autre chose. Je suis comme cela, moi. Que voulez-vous dire ? lui demanda la Sultane. Est-ce que cela ne s'entend pas ? répondit-il, je me trouve fort clair. Quand je dis que je suis comme cela, c'est que je pense qu'un plaisir, quelquefois, n'empêche pas qu'on n'en souhaite un autre. Je vais encore me faire mieux entendre. Il y a mille choses qui perdent à être expliquées, interrompit la Sultane, on vous entend, voulez-vous quelque chose de plus ? Oui, dit le Sultan, je veux qu'Amanzéi finisse son histoire. Il faut pour cela qu'il la continue, répondit la Sultane. Au contraire, reprit Schah-Baham, il me semble que s'il la laissait là, il la finirait beaucoup plus tôt ; mais comme je suis la complaisance même, je lui permets de poursuivre, à condition pourtant que cela ne tirera pas à conséquence.

Au surplus, poursuivit Zulica, vous m'obligeriez beaucoup si vous vouliez bien ne me plus parler de Mazulhim. Très volontiers, répondit-il ; c'est ce cœur épuisé dont vous avez parlé qui nous a fait tomber sur une dissertation fort inutile en effet, et que je me reprocherais, puisqu'elle vous a fâchée, si je ne me rappelais que ma tendresse pour vous, et le désir de

savoir pourquoi vous croyiez que je vous aimais mieux
que Mazulhim, l'ont seuls amenée. Plus les sentiments
que vous me marquez, me sont chers, moins vous
devriez me blâmer d'une curiosité que je n'ai que
parce que je vous aime. Non, répondit-elle d'un air
triste, il me semble que depuis quelques moments,
vous ne m'aimez plus autant que vous m'aimiez, je ne
sais pas pourquoi je le crois, mais je le crois enfin, et
cette idée m'afflige.

Je suis enchanté de vous la voir, répliqua Nassès ;
ces sortes d'inquiétudes qui, pour n'avoir pas d'objet,
n'en tourmentent pas moins vivement, ne peuvent être
senties que par un cœur, également tendre, et délicat :
vous me faites injustice, mais cette injustice même, me
prouve combien vous m'aimez, et vous ne m'en êtes
que plus chère. Rassurez-vous, poursuivit-il, aimable
Zulica, Ciel ! Que de plaisirs je trouve à bannir vos
craintes ! Zulica ! charmante Zulica ! Ah ! pour votre
bonheur, et le mien, puissent-elles renaître sans cesse !
En disant ces paroles, il prenait Zulica dans ses bras,
et l'accablait des caresses les plus tendres. Que vous
me donnez de transports ! s'écria-t-elle, je sens tous les
vôtres passer dans mon cœur, ils le remplissent, le
troublent, le pénètrent ! Ah Nassès ! quel plaisir pour
moi de vous en devoir de si doux, et que je connaissais
si peu ! Vous seul !... Oui, vous seul !... Mais Nassès !
Ah cruel !...

Quoique Zulica ne cessât point de parler, il ne me
fut plus possible d'entendre ce qu'elle disait. C'est
qu'apparemment elle parlait trop bas, dit le Sultan ?
Cela est vraisemblable, répondit Amanzéi. Et puis,
continua le Sultan, c'est qu'il est vrai que vous ne
perdîtes pas beaucoup à ne plus l'entendre, car, ou je
suis bien trompé, ou il n'y avait pas le sens commun
dans ce qu'elle disait ; du moins, moi, je n'y ai rien
compris. Je suis de votre avis, Sire, reprit Amanzéi,
rien n'était moins clair. Cependant, ou Nassès l'entendait, ou il n'avait pas en ce moment, plus d'esprit
qu'elle, car il disait à peu près les mêmes choses. Ne
vous le dis-je pas ? repartit le Sultan, ces gens-là
n'avaient pas le sens commun !

Lorsque Nassès, et Zulica furent devenus plus raisonnables, continua Amanzéi, Zulica en le regardant tendrement, vous êtes charmant, Nassès, lui dit-elle, ah ! pourquoi ne vous ai-je pas aimé plus tôt ! Vous devez moins vous en plaindre que moi, répondit-il, moi, dis-je, à qui chaque instant fait sentir que je n'ai commencé de vivre que depuis que vous m'avez aimé. Lorsque je songe à quelles beautés, Mazulhim a fermé les yeux, que je le plains ! Quoi Zulica ! dans ces lieux où nous sommes, dans ces mêmes lieux que vos bontés pour moi, me rendent aussi chers, que celles que vous y avez eues pour lui, me les ont d'abord fait trouver odieux, l'ingrat a pu ne pas rougir d'en avoir aimé d'autres, et renoncer pour jamais à son inconstance ! Quel génie ! Quel Dieu même ! veillait pour moi, lorsque après l'avoir rendu insensible à tant de charmes, il lui inspira le dessein de me choisir pour vous apprendre sa perfidie. Ah Zulica ! quel n'aurait pas été mon malheur, s'il vous avait été fidèle, ou si quelque autre que moi... Arrêtez, interrompit majestueusement Zulica, s'il m'avait été fidèle, je n'aurais jamais aimé que lui, mais pour le bannir de mon cœur, il ne fallait pas moins que Nassès. Je crois puisque vous m'avez choisi, répondit-il, que j'étais en effet le seul qui pût vous plaire, mais quand je songe à l'état où vous étiez ici, à ce que pouvait exiger de vous, un étourdi que Mazulhim vous aurait envoyé, à quel prix, peut-être, il aurait mis son silence, je ne puis m'empêcher de frémir.

Je ne vois pas bien pourquoi, répondit-elle ; ne voulant rien accorder, il m'aurait été assez indifférent que l'on eût exigé quelque chose. Vous n'en pouvez pas répondre, dit-il ; il y a pour les femmes, de terribles situations, et celle où je vous ai vue, était peut-être une des plus affreuses !... Tant qu'il vous plaira, interrompit-elle, mais je vous prie de croire qu'il est bien moins cruel pour une femme qui a des sentiments, d'être abandonnée d'un homme qui l'aime, que de se livrer à quelqu'un qu'elle n'aime pas. Cela n'est pas douteux, répliqua-t-il, mais c'est une terrible chose que d'être prise [65] dans une petite Maison. Je ne sais pas, si j'étais femme, et que cela m'arrivât, ce que je ferais, mais il me semble que je serais bien aise que l'homme qui m'y aurait surprise, voulût bien n'en dire mot.

Vous seriez bien aise ! reprit-elle, apparemment, cela est tout simple ; et moi aussi j'aurais été bien aise, qui que ce fût qui m'eût surprise ici, qu'il n'en eût rien dit. Le beau propos ! Il faut que vous perdiez l'esprit pour en tenir de pareils ! Pensez-vous qu'un honnête homme ait besoin pour se taire, qu'on l'engage au silence par les choses que vous imaginez, et croyez-vous d'ailleurs qu'on fasse certaines propositions à des femmes d'un certain genre ? Certainement oui, répond-it-il. Toute femme surprise dans une petite Maison, prouve qu'elle a le cœur sensible, on tire là-dessus de terribles conséquences, et communément plus la femme est aimable, moins l'homme est généreux.

Oh ! C'est un conte, reprit Zulica, le goût seul, mais je dis, le goût le plus vif, peut excuser une femme de s'être rendue, et je ne crois pas, quoi qu'on en puisse dire, qu'il y en eût une qui voulût acheter aussi cher que vous le croyez, la discrétion dont elle aurait besoin ; et l'honneur... Bon ! interrompit-il, croyez-vous qu'une femme craigne jamais de sacrifier son honneur à sa réputation ? Enfin, répondit-elle, je ne le ferais pas, et je ne connais point de situation, quelque terrible qu'elle fût, qui pût me déterminer à accorder à un homme, ce que mon cœur voudrait toujours lui refuser. Il faut être bien délicat, reprit-il, pour faire cette distinction, et s'y arrêter ; en attendant que l'on puisse gagner le cœur, on cherche à engager une femme, de façon que ce qu'elle ait de mieux à faire, soit de vous le donner, et assez souvent, elle est trop heureuse de pouvoir finir par là.

Je commence à vous entendre, Monsieur, lui dit-elle, vous voulez me faire sentir que vous ne croyez me devoir qu'à la situation où vous m'avez trouvée ici, et vous aimez mieux imaginer que vous n'aviez pas de quoi me plaire, que de ne pas mal penser de moi.

Voilà donc, ajouta-t-elle en pleurant, le bonheur dont
je m'étais flattée ? Ah Nassès ! était-ce de vous que je
devais attendre un procédé aussi cruel ? Mais, Zulica,
répondit-il, croyez-vous que j'aie oublié la résistance
que vous m'avez faite, et ce qu'il m'en a coûté pour
obtenir de vous mon bonheur ? Eh ! pensez-vous,
reprit-elle en sanglotant, que je ne sente pas que vous
me reprochez de ne m'être pas assez longtemps défendue ? Hélas ! Entraînée par le goût que j'avais pour
vous, plus encore que par celui que vous me mar-
quiez, j'ai cédé sans craindre qu'un jour, vous me
feriez un crime de n'avoir pas assez longtemps résisté.
Mais quelle idée est donc la vôtre, Zulica ! répondit-il
en se rapprochant d'elle ; moi ! Vous reprocher d'avoir
fait mon bonheur ! Pouvez-vous le croire ! Moi qui
vous adore, ajouta-t-il en n'oubliant rien de tout ce qui
pouvait lui prouver qu'il disait vrai. Laissez-moi, lui
dit-elle en le repoussant faiblement, laissez-moi, s'il est
possible ! oublier combien je vous ai aimé.

La résistance de Zulica était si douce, que quand les
empressements de Nassès auraient été moins vifs, ils
en auraient encore triomphé. Vous ! cesser de
m'aimer ! lui disait-il d'un air tendre, en ajoutant à ce
discours, tout ce qui pouvait le rendre plus persuasif,
vous, qui devez faire éternellement mon bonheur !
Non, votre cœur n'est point fait pour me haïr quand le
mien ne garde que pour vous, ses plus tendres sentiments. Non, répondit Zulica, d'un ton qui commençait à ne pouvoir plus marquer de la colère, non,
traître que vous êtes ! Vous ne me tromperez plus.
Ciel ! ajouta-t-elle plus doucement encore, n'êtes-vous
pas le plus injuste, et le plus cruel des hommes ! Ah !
Laissez-moi... Non, vous ne me persuadez plus... Je ne
dois pas vous pardonner... Que je vous hais !

Malgré toutes ces protestations de haine que Zulica
faisait à Nassès, il ne voulut pas croire un moment
qu'il pût être haï, et Zulica, en effet, semblait ne pas se
soucier beaucoup qu'il crût qu'il n'était plus aimé. Je
ne sais pas si je me flatte, lui dit-il enfin, mais je
jurerais presque que vous me haïssez moins que vous

ne dites. Le beau triomphe ! répondit-elle en haussant les épaules, croyez-vous que je vous en déteste moins ? Est-ce ma faute si... Mais cela est vrai je vous hais beaucoup. Ne riez pas, ajouta-t-elle, rien n'est plus certain que ce que je dis. Je vous estime trop pour le penser, répondit-il, et cela est au point que je vous verrais inconstante, que je n'en voudrais rien croire. Je suis, et je veux être persuadé que vous m'aimez autant que vous pouvez aimer quelque chose. En ce cas-là, reprit-elle, je vous aime donc autant qu'il est possible ; mon cœur n'est point fait pour des sentiments modérés. Je le crois bien, répliqua-t-il, et c'est aussi ce que je voulais dire. Plus on a de délicatesse, plus on a les passions vives, et quand j'y songe, une femme est bien malheureuse quand elle pense comme vous. En vérité ! j'ose le dire, la dépravation est telle aujourd'hui, que plus une femme est estimable, plus on la trouve ridicule ; je ne dis pas que ce soient les femmes seules qui lui fassent cette injustice, cela serait tout simple, mais ce que l'on ne conçoit pas, c'est que ce sont les hommes ! Eux, qui leur demandent sans cesse des sentiments ! Cela n'est que trop vrai, dit-elle.

Je le vois dans le monde, continua-t-il, qu'y cherchons-nous ? L'amour ? Non sans doute. Nous voulons satisfaire notre vanité, faire sans cesse parler de nous ; passer de femme en femme ; pour n'en pas manquer une, courir après les conquêtes, même les plus méprisables : plus vains d'en avoir eu un certain nombre, que de n'en posséder qu'une digne de plaire ; les chercher sans cesse, et ne les aimer jamais [66]. Ah ! que vous avez raison, s'écria-t-elle, mais aussi, c'est la faute des femmes, vous les mépriseriez moins, si toutes pensaient d'une façon, avaient des sentiments qui pussent les faire respecter. Je l'avoue à regret, répondit-il, mais il est certain qu'on ne saurait nier que les sentiments ne soient un peu tombés. Un peu ! dit-elle avec étonnement, ah ! dites beaucoup. Il y a encore des femmes raisonnables assurément, mais ce n'est pas le plus grand nombre. Je ne parle point de celles qui aiment, car je crois que vous les trouvez vous-mêmes, plus à plaindre qu'à blâmer, mais pour une que l'amour seul conduit, combien n'en est-il pas qui loin de pouvoir le prendre pour excuse, font tout ce qu'elles peuvent, pour qu'on ne puisse pas seulement les soupçonner de le connaître. Il y a, repartit-il, bien peu de femmes assez équitables pour parler comme vous. A quoi sert-il de vouloir dissimuler des choses aussi connues, répondit-elle ? Je vous dirai, pour moi, qu'autant que je voudrais qu'on ménageât les femmes raisonnables, autant je voudrais qu'on accablât de mépris, celles dont la conduite est du dernier délabrement. Toute faiblesse est excusable, mais en vérité ! l'on ne peut trop condamner le vice.

On le condamne, répliqua-t-il, mais on le tolère ; le vice ne paraît ce qu'il est que dans celles qui ne sont point faites pour inspirer des désirs, et le plus grand agrément peut-être des femmes d'aujourd'hui, est cet air indécent qui annonce qu'on en peut facilement triompher.

Je n'ignore pas, répondit-elle, que ce sont celles-là que vous cherchez le plus ; ce n'est jamais le cœur que vous demandez. Comme vous n'aimez pas, vous ne vous souciez pas d'être aimés, et pourvu que vous triomphiez de la personne [67], la conquête du reste, vous paraît toujours inutile.

Un moment, Amanzéi, dit le Sultan. Quand est-ce donc qu'il la méprise ? L'admirable question ! s'écria la Sultane. Ce que je dis, répondit le Sultan, n'est point par méchanceté. Une question, une fois, c'est une question [68], et je n'ai pas tort à ce qu'il me semble, de faire celle-là. On m'ennuie, et l'on ne veut pas encore que je parle, cela est plaisant, oui ! On me donne pour un conte, un recueil de conversations où n'y a le mot pour rire que quand on n'y parle pas, et c'est moi qui ai tort ! En un mot comme en mille, Amanzéi, si demain, Nassès n'a pas méprisé Zulica, je ne vous dis que cela, mais c'est à moi que vous aurez affaire.

CHAPITRE XVII

Qui apprendra aux femmes novices, s'il en est,
à éluder les questions embarrassantes.

Votre Majesté, dit Amanzéi le lendemain, se sou-
vient sans doute... Oui, interrompit brusquement le
Sultan, je me souviens qu'hier je mourus d'ennui ;
est-ce cela que vous me demandiez ? Si le conte vous
ennuie, dit la Sultane, il n'y a qu'à le finir. Non pas s'il
vous plaît, répondit le Sultan, je veux qu'on le continue, et qu'on ne m'ennuie pas, si cela se peut,
s'entend, car je ne demande point des choses impossibles. Amanzéi reprit ainsi la parole.

Vous par exemple, continua Zulica, je crains que
vous n'ayez fort peu de délicatesse. Vous me faites
tort, répondit-il d'un air tranquille, je suis naturellement fort susceptible d'amour. J'avouerai pourtant
que j'ai eu plus de femmes que je n'en ai aimées. Mais,
voilà qui est infâme ! répliqua-t-elle, je ne conçois pas
comment on peut se vanter de cela ! Je ne m'en vante
pas non plus, repartit-il, je dis simplement ce qui est.
Je crois, dit-elle, que vous avez trompé bien des
femmes. J'en ai quitté quelques-unes, et n'en ai point
trompé, répondit-il ; elles ne m'avaient point prié
d'être constant, par conséquent, je ne leur avais pas
promis de l'être, et vous concevez bien que quand on
se prend sans conditions, on n'a d'aucun côté, à se
plaindre qu'on en ait violé quelqu'une.

Je serais curieuse au possible, dit Zulica, de savoir
tout ce que vous avez fait. Vous faut-il, repartit Nassès, une histoire de ma vie, bien circonstanciée ? Cela

serait long, et je craindrais de vous ennuyer beaucoup.
Je puis cependant, vous obéir sans risque, en supprimant les détails. Il y a dix ans que je suis dans le monde, j'en ai vingt-cinq, et vous êtes la trente-troisième beauté que j'aie conquise en affaire réglée. Trente-trois ! s'écria-t-elle. Il est pourtant vrai que je n'en ai eu que cela, répondit-il, mais ne vous en étonnez pas ; je n'ai jamais été à la mode, moi.

Ah Nassès ! dit-elle, que je suis à plaindre de vous aimer, et que difficilement, je pourrais compter sur votre constance ! Je ne vois pas pourquoi, répondit-il, croyez-vous que pour avoir eu trente-trois femmes, je doive vous en aimer moins ? Oui, reprit-elle ; moins vous auriez aimé, plus je pourrais croire qu'il vous resterait des ressources pour aimer encore, et qu'enfin vous ne seriez pas absolument usé sur le sentiment. Je crois, répliqua-t-il, vous avoir prouvé que je n'ai pas le cœur épuisé ; d'ailleurs à vous parler avec franchise, il y a bien peu d'affaires où l'on se serve du sentiment. L'occasion, la convenance, le désœuvrement, les font naître presque toutes. On se dit, sans le sentir, qu'on se paraît aimable ; on se lie, sans se croire, on voit que c'est en vain qu'on attend l'amour, et l'on se quitte de peur de s'ennuyer. Il arrive aussi quelquefois qu'on s'est trompé à ce que l'on sentait, on croyait que c'était de la passion, ce n'était que du goût, mouvement, par conséquent, peu durable, et qui s'use dans les plaisirs, au lieu que l'amour semble y renaître [69]. Tout cela, comme vous voyez, fait qu'après avoir eu beaucoup d'affaires, on n'en est quelquefois pas encore à sa première passion.

Vous n'avez donc jamais aimé, lui demanda-t-elle ? Pardonnez-moi, répliqua-t-il, j'ai aimé deux fois à la fureur, et je sens à la façon dont je commence avec vous, que si, depuis, mon cœur n'a pas été ému, ce n'était pas comme je le croyais, qu'il ne dût plus l'être, mais parce qu'il n'avait pas encore rencontré l'objet qui devait lui faire retrouver plus de sentiments qu'il ne craignait d'en avoir perdus. Mais vous qui m'interrogez, me serait-il, à mon tour, permis de vous

demander combien de fois, vous vous êtes enflammée ? Oui, repartit-elle, et je vous le permettrais
encore plus volontiers, si je ne vous l'avais pas déjà
dit ; vous n'ignorez pas que Mazulhim, et vous, êtes
les seuls qui ayez pu me plaire.

Quand nous nous connaissions moins, reprit-il, il
était naturel que vous me tinssiez ce langage. Je n'ai
pas même trouvé à redire que tout impossible qu'il
était de me cacher Mazulhim, vous ayez cependant
voulu le faire ; mais à présent que la confiance doit
être établie, et que je n'ai moi-même, rien de caché
pour vous, il me paraîtrait singulier, je l'avoue, que
vous ne me fissiez pas le dépositaire de vos secrets.
Vous le seriez assurément, répondit-elle, si je m'en
étais réservé quelques-uns, mais je vous jure que je
n'ai rien à me reprocher là-dessus, et qu'il me paraît
même étonnant que, pour le peu de temps qu'il y a
que je vous aime, j'aie en vous une aussi grande
confiance, et qu'enfin je croie devoir en être aussi
sûre, que je le suis de moi-même.

J'en suis charmé, Madame, répondit-il d'un air
piqué, j'ose dire cependant qu'après la façon dont je
me suis livré, j'étais en droit d'attendre mieux de vous.

A ces mots, il voulut s'éloigner, mais elle le retenant : quelle est donc cette fantaisie, Nassès ? lui
demanda-t-elle tendrement, comment se peut-il que
tantôt, vous vous fussiez fait un crime de douter de ce
que je vous disais, et qu'à présent il semble que vous
vous reprocheriez de me croire ? S'il faut vous le dire,
Madame, répondit-il, tantôt, je ne vous croyais pas,
mais occupé alors d'un intérêt plus pressant pour moi,
j'ai cru qu'il valait mieux travailler à vous persuader,
que d'entrer dans des détails qui ne pouvaient, en cet
instant, que vous déplaire, et que je n'étais pas même
en droit d'exiger de vous. Mais Nassès, insista-t-elle,
je vous jure que je n'ai à vous dire que ce que je vous
ai dit.

Cela n'est pas possible, Madame, interrompit-il
brusquement. Depuis plus de quinze ans que vous
êtes dans le monde, il n'est pas croyable que vous

n'ayez souvent été attaquée, et qu'au moins, vous ne vous soyez point quelquefois rendue. Vous seriez la première, qui dans un espace de temps aussi considérable, n'aurait eu que deux Amants, ou vous serez forcée de convenir que le goût de la galanterie vous aurait pris bien tard. Cela ne serait pas assez nouveau, Monsieur, pour être trouvé incroyable, répondit-elle, et je suis bien trompée s'il n'est arrivé à d'autres que moi, d'être longtemps indifférentes, faute d'avoir rencontré de bonne heure, l'objet auquel il était réservé de les rendre sensibles. Je n'ai certainement rien à vous dire, mais quand il serait vrai que j'eusse, sur cet article, quelque chose à vous confier, la crainte de vous perdre, m'empêcherait toujours de le faire. J'ai presque toujours vu le mépris, suivre ces sortes de confidences, et quoique pour avoir autrefois aimé, nous ne soyons point coupables envers l'objet qui nous occupe, il est cependant fort rare que sa vanité nous pardonne de n'avoir pas été le premier qui nous ait rendu sensibles.

Mais, quelle idée ! lui dit-il, qui, moi ! Je vous mépriserais parce que vous me donneriez, en m'avouant tout ce que vous avez fait, une nouvelle preuve de votre tendresse, et peut-être, la plus convaincante de toutes, par la peine qu'on a communément à l'obtenir ? Eh bien ! Vous avez aimé Mazulhim, cela m'a-t-il étonné ? Vous en estimé-je moins ? Pourquoi voudriez-vous que quelques Amants de plus, fissent sur moi, une impression désagréable ? ai-je quelque chose à démêler avec ceux qui m'ont précédé ? Est-ce votre faute, si le destin ne m'a pas offert à vos yeux le premier ? Non, Zulica, non ; je ne suis pas même de l'avis de ceux qui croient qu'une femme qui a beaucoup aimé, n'est plus capable d'aimer encore. Loin que je pense que le cœur s'use en aimant, je suis, au contraire, persuadé que plus on aime, plus on est vif sur le sentiment, plus on a de délicatesse.

Suivant ce principe, répondit-elle, vous ne seriez donc pas flatté d'être le premier amant d'une femme ?

J'ose dire que non, répliqua-t-il, et voici sur quoi je fonde une façon de penser qui peut-être vous paraît ridicule.

Dans cet âge tendre où une femme n'a point encore aimé, si elle désire d'être vaincue, c'est moins encore parce qu'elle est pressée par le sentiment, que parce qu'elle désire de le connaître ; elle veut enfin moins aimer que plaire. On l'éblouit plus qu'on ne la touche. Comment la croire quand elle dit qu'elle aime ? a-t-elle, pour s'assurer de la nature, et de la force de son sentiment actuel, de quoi le comparer ? dans un cœur, où par leur nouveauté, les plus faibles mouvements sont des objets considérables, la moindre émotion paraît trouble, et le simple désir, transport ; et ce n'est pas enfin quand on connaît aussi peu l'amour qu'on peut se flatter de le ressentir, et qu'on doit le persuader.

Peut-être en effet, s'exagère-t-on ses mouvements, répondit Zulica, mais du moins on ne dit que ce qu'on croit sentir, et, que ce désordre parte du cœur, ou qu'il n'existe que dans l'imagination, l'Amant en est-il moins heureux ? Non, Nassès, avec quelque désavantage que vous peigniez les premiers sentiments, je vous aimerais, s'il était possible, mille fois plus que je ne vous aime, si j'étais la première à qui vous rendissiez hommage.

Vous y perdriez plus que vous ne pensez, répliqua-t-il. Je suis à présent mille fois plus en état de sentir ce que vous valez, que je ne l'aurais été dans le temps que vous voudriez que je vous eusse aimée. Tout alors m'échappait, esprit, délicatesse, sentiment. Toujours tenté, n'aimant jamais, mon cœur ne s'émouvait point, même dans ces moments, où emporté par mes transports, je n'étais plus à moi-même. Cependant on me croyait amoureux, je croyais l'être aussi. L'on s'applaudissait de pouvoir me rendre si sensible ; moi-même je me félicitais d'être capable d'une aussi délicate volupté : il me semblait qu'il n'y avait dans la nature, que moi d'assez heureux pour sentir aussi vivement les charmes de l'amour. Sans cesse aux pieds

de ce que j'aimais, quelquefois languissant, jamais
éteint, je trouvais dans mon Ame, mille ressources
dont j'étais étonné de pouvoir faire si peu d'usage. Un
seul regard portait le trouble, et le feu dans mes sens ;
mon imagination toujours bien au-delà de mes plaisirs... Ah Nassès ! Nassès ! s'écria vivement Zulica,
que vous deviez être aimable ! Non ! Vous n'aimez
plus comme vous aimiez alors.

Mille fois davantage, répliqua-t-il ; dans le temps
dont je vous parle, je n'aimais point. Emporté par le
feu de mon âge, c'était à lui, non à mon cœur que je
devais tous ces mouvements que je croyais de l'amour,
et j'ai bien senti depuis [70]... Ah ! interrompit-elle, il est
impossible que vous n'ayez point perdu à être désa-
busé. La jalousie, la défiance, mille monstres qu'alors
vous vous seriez seulement fait scrupule d'imaginer,
empoisonnent à présent vos plaisirs. Plus instruit,
vous avez moins aimé, vous avez donc été moins
heureux. Votre esprit n'a pu s'éclaircir qu'aux dépens
de votre cœur ; vous raisonnez mieux sur le sentiment,
mais vous n'aimez plus si bien.

Ce raisonnement, répondit-il, serait autant contre
vous, que contre moi, et je dois croire, en supposant
toujours que Mazulhim a été votre premier Amant,
que vous ne pouvez pas m'aimer autant que vous
l'avez aimé, lui. Je ne serais point surprise du tout, que
vous eussiez cette idée, répliqua-t-elle, vous ne suivez
avec plaisir que celles auxquelles je puis perdre, mais
laissons cela. Point du tout, dit-il, ne le laissons pas.

Au reste, continua-t-elle aigrement, à la façon dont
vous avez vécu, il n'est pas bien surprenant que vous
pensiez mal des femmes. Et si c'était, interrompit-il, la
façon dont les femmes vivent qui fût cause que je n'en
pense pas bien ? Vous allez dire qu'il est impossible
que cela soit. Non, je vous jure, reprit-elle d'un air
dédaigneux, je n'en prendrai pas la peine. Ah !
j'entends, repartit-il, vous craindriez qu'elle ne fût
inutile. Vous ne voulez donc pas absolument me dire
qui vous avez aimé ?

Quoi ! s'écria-t-elle, pensez-vous encore à cela ? si

vous m'aimiez, pourriez-vous douter de ce que je vous dis ? En vérité ! Zulica, lui dit-il, vous m'en croirez si vous voulez, mais ceci devient du dernier ridicule.

Zulica, qui, comme votre Majesté a pu le voir, dit Amanzéi, cherchait depuis longtemps à détourner la conversation... Elle faisait bien, interrompit le Sultan, mais vous auriez, vous, fait beaucoup mieux si vous l'aviez rapprochée, et si vous m'aviez épargné toutes ces dissertations que vous y avez mises à tort, et à travers. Vous convenez que vous n'êtes qu'un bavard, et ce n'est que pour en parler plus ! Comment voulez-vous qu'on tienne à ces perfidies-là ? En un mot, comme en mille, finissez votre histoire.

Zulica, continua Amanzéi, opposa longtemps encore de mauvaises défaites aux empressements de Nassès. Enfin, elle parut se rendre, et après avoir tiré parole de lui qu'il ne l'en estimerait pas moins ; plus je me suis défendue de satisfaire votre curiosité, lui dit-elle, moins à présent, j'y devrais céder. Vous me saurez peut-être, moins de gré de l'aveu qu'enfin vous m'arrachez, que vous ne me voudrez de mal de vous l'avoir refusé si longtemps. Vous aurez tort. Vous ne devez pas ignorer qu'il est plus aisé d'inspirer un nouveau goût à une femme, que de la faire convenir de ceux qu'elle a eus. Je ne sais si c'est par fausseté que quelques-unes pensent ainsi, mais pour moi, je puis vous jurer que mon silence n'était pas fondé sur un aussi indigne motif. Je crois qu'il est impossible que l'on se rappelle avec plaisir, une faiblesse qui loin de se retracer à votre imagination avec les charmes qu'elle avait autrefois pour vous, ne s'y présente jamais qu'accompagnée des remords qu'elle vous cause, ou du souvenir douloureux des mauvais procédés d'un Amant. Cela est exactement vrai, dit Nassès, une femme délicate est bien à plaindre.

Fort bien, dit le Sultan, mais pour le plaisir que je prends à vous entendre, je désire que vous remettiez à demain la suite, (car je n'ose encore dire la fin) de cette inouïe conversation.

CHAPITRE XVIII

Rempli d'allusions, fort difficiles à trouver.

Vous saurez donc, continua Zulica, que quand j'entrai dans le monde, je ne laissai pas, (sans être pourtant plus belle qu'une autre) de trouver plus d'Amants que je n'en désirais, toute sotte que j'étais alors sur ce que l'on appelle l'empire de la beauté. Quand je dis des Amants, j'entends cette foule de gens désœuvrés qui disent qu'ils aiment, plus par habitude que par sentiments ; qu'on écoute parce qu'il le faut, et qui parviennent plus aisément à nous faire croire que nous sommes aimables, qu'à se le faire trouver eux-mêmes. Ils amusèrent longtemps ma vanité, et ne m'en rendirent pas plus sensible. Née délicate, je craignais l'amour ; je sentais que je trouverais difficilement un cœur aussi tendre, aussi vrai que le mien ; et que le plus grand malheur qui puisse arriver à une femme raisonnable, est d'avoir une passion, quelque heureuse même qu'elle puisse être. Tant que je dus être indifférente, ces considérations prirent tout sur moi, mais je connus enfin qu'elles n'avaient retenu mon cœur, que parce qu'on n'avait pas encore su le toucher, et que ce calme dont nous nous applaudissons, est moins en nous l'ouvrage de la raison, que l'effet du hasard. Un moment, un seul moment suffit pour troubler mon cœur ! Voir, aimer, adorer même : sentir à la fois, et avec une extrême violence, ce que l'amour a de plus doux, et de plus cruels mouvements ; être livrée au plus flatteur espoir, retomber de là, dans les plus cruelles incertitudes, tout cela fut l'ouvrage d'un regard, et d'une minute. Étonnée, confuse même d'un état si nouveau pour mon Ame ; dévorée de désirs qui jusques alors m'avaient été inconnus, sentant la nécessité d'en démêler la cause, craignant de la connaître : absorbée dans cette douce émotion, cette divine langueur qui avait surpris tous mes sens, je n'osais m'aider de ma raison pour détruire des mouvements qui tout confus, tout inexplicables qu'ils étaient pour moi, me faisaient déjà jouir de ce bonheur qu'on ne peut définir, et quand on le sent, et quand on ne le sent plus.

Je vis enfin que j'aimais. Quelque empire que ce mouvement eût déjà pris sur moi, j'essayai de le combattre. Les leçons du devoir ; la crainte de me perdre dans le monde ; soupirs, larmes, remords, tout fut inutile, ou, pour mieux dire, tout augmentait encore, ce sentiment cruel dont j'étais tyrannisée. Ah Nassès ! quel ne fut pas mon plaisir, quand dans les soins respectueux, quoique empressés de ce que j'adorais, je connus que j'étais aimée ! Quel trouble ! Quels transports ! Avec quel ménagement, quels égards, ne m'apprenait-il pas sa passion ! Quelle douleur d'être obligée de contraindre la mienne !

Que vous êtes heureux, Nassès ! de pouvoir au premier mouvement dont votre Ame est agitée, l'apprendre à l'objet qui le cause ; de ne pas connaître cette dissimulation si nécessaire pour nous conserver votre estime, mais si pénible pour un cœur tendre ! Combien de fois en l'entendant soupirer auprès de moi, soupirais-je de douleur de ne l'oser faire pour lui ! Quand ses yeux s'attachaient tendrement sur les miens, que j'y trouvais cette expression douce, et langoureuse, que j'y trouvais enfin l'amour même, ah ! comment dans ces instants qui me mettaient si loin de moi, avais-je la force de me dérober à cette volupté qui m'entraînait ? Enfin, il parla. Nassès ! Vous ignorez le plaisir que donne ce tendre, ce charmant aveu. On ne vous dit qu'on vous aime qu'après vous l'avoir fait désirer, et quelquefois trop longtemps ; qu'après vous

avoir fait redire mille fois que vous aimez : mais voir
un Amant timide, un Amant adoré, mais qui ne sait
pas son bonheur, pénétré de sentiment, de crainte, de
respect, venir à vos pieds, vous déclarer tout ce qu'il
sent pour vous ; manquer même d'expressions en
voulant vous l'apprendre ; tremblant autant de l'émotion que son amour lui donne, que de la crainte qu'il
ne soit pas agréé ; voler au-devant de ses paroles, se les
répéter tout bas, se les graver dans le cœur : en lui
répondant qu'on ne le croit pas, se faire intérieurement un crime de son mensonge ; s'exagérer même ce
qu'il vous dit, ajouter à tout l'amour qu'il vous
montre, celui que vous sentez pour lui, Nassès !
Croyez-moi, de tous les spectacles, de tous les plaisirs,
ceux dont je vous parle, sont assurément les plus
doux.

Si la vanité suffit pour vous rendre agréable, le
spectacle que vous me peignez si vivement, répondit
Nassès, je conçois que quand l'amour y mêle l'intérêt
du cœur, il n'en est pas pour vous de plus satisfaisant.
Mais enfin, il parla, cet Amant si tendrement aimé ;
répondîtes-vous ?

Peignez-vous mon embarras, répliqua-t-elle ;
combattue par l'amour, et par la vertu, si la dernière
ne l'emporta pas, du moins, elle me servit à masquer
l'autre, mais ce ne fut point autant que je le désirais.
Livrée trop longtemps à ses discours, mon émotion
découvrit le secret de mon cœur, et en croyant ne lui
répondre que froidement, ma bouche, et mes yeux lui
dirent mille fois que ma tendresse égalait la sienne.

C'est un malheur qui est arrivé à d'autres, répondit
froidement Nassès ; hé bien ! Qui était cet homme si
dangereux que, le voir, et l'aimer ne furent, malgré
votre fierté naturelle, qu'une même chose ? Que vous
importe son nom, demanda-t-elle, ne vous dis-je pas
ce que vous vouliez savoir ? Pas encore, répliqua-t-il,
et vous sentez bien vous-même, que la confidence
n'est pas complète. Hé bien ! répondit-elle, c'était le
Raja Amagi.

Amagi ! s'écria-t-il, quel temps avez-vous donc pris

pour l'avoir ? Il est mon ami, ne me cache rien, et je sais que, depuis qu'il est dans le monde, il n'a véritablement aimé que Canzade. Amagi ! répéta-t-il, mais ne vous tromperiez-vous point ?

Assurément ! s'écria-t-elle à son tour, voilà une singulière question, elle est unique ! Point du tout, reprit-il, vous allez voir qu'elle est fort simple. Amagi m'a dit que malgré son extrême tendresse pour Canzade, et le peu d'envie qu'il avait de lui manquer [71], il s'était quelquefois amusé ailleurs, parce qu'il y a des femmes qui font des avances si peu ménagées, et que nous sommes si fats, que le mépris qu'elles nous inspirent, ne nous empêche pas de leur savoir gré, pour le moment du moins, de ce qu'elles font pour nous. En me parlant des infidélités qu'il avait faites à Canzade, il m'a avoué qu'il se les reprochait d'autant plus que parmi les femmes qui l'avaient quelquefois arraché à elle, il n'en avait pas trouvé une qui méritât de l'estime, et de l'attachement, et qui ne fît pour lui, par dérèglement de tête seulement, ce qu'il avait été assez ridicule pour attribuer quelquefois à un sentiment si vif qu'il leur avait fait oublier toutes bienséances. Vous n'êtes pas de ces femmes-là, vous ? Par conséquent je dois croire qu'il ne vous a pas aimée.

Vous voyez bien qu'il ne vous dit pas tout, répondit-elle, car il m'a aimée plus de trois ans, avec toute l'ardeur possible. S'il ne me l'a pas dit, repartit-il, ce n'était pas qu'il voulût m'en faire un mystère, mais c'est qu'apparemment, il ne s'est pas souvenu de me le dire. Fut-ce vous qui lui fîtes une infidélité ? Me ferez-vous longtemps de pareilles questions, lui demanda-t-elle ? Je vous en demande pardon, reprit-il, mais vous êtes si peu faite pour être quittée, qu'elle ne doit pas vous surprendre. Il vous quitta donc ? Après lui qui est-ce qui vous occupa ?

Personne, répondit-elle d'un air simple. Longtemps livrée à la douleur de l'avoir perdu, je me flattais que je ne pouvais plus être sensible, mais Mazulhim parut, et je ne me tins point parole.

Parbleu ! s'écria-t-il, les femmes sont bien malheu-

reuses, et bien cruellement exposées à la calomnie !
Cela n'est que trop vrai, dit-elle, mais, à propos de
quoi vous en souvenez-vous à présent ? A propos de
vous, repartit-il, à qui, puisqu'il faut vous le dire, on a
l'injustice de donner un peu plus d'aventures que je
vois que vous n'en avez eues. Oh ! répondit-elle, cela
ne me fâche, ni ne m'étonne. Pour peu qu'une femme
ne fasse pas peur, on n'imagine point qu'elle ne soit
pas plus sensible qu'il ne le faudrait : et ce sont
souvent les hommes qu'elle a voulu écouter le moins,
que le Public lui donne le plus ; mais quoi qu'il en soit,
cela ne me fait rien. Ne serait-il donc pas possible de
vous obliger à parler d'autres choses ? Il n'est donc pas
vrai que vous ayez eu tous les Amants qu'on vous a
donnés ? lui demanda-t-il encore. Zulica ne répondit à
cette nouvelle impertinence qu'en haussant les
épaules. Ne vous fâchez point de ce que je vous dis,
continua-t-il ; si vous étiez moins aimable, je croirais
plus aisément que vous ne diminuez rien de votre
histoire. Pardonnez-moi, répondit-elle aigrement, j'ai
eu toute la terre. Enfin, reprit-il, voici ce qu'on m'a
dit.

Vos commencements sont douteux [72] ; on sait pourtant que dans votre très grande jeunesse, passionnée
pour les talents, et persuadée que le meilleur moyen
pour en acquérir, et les perfectionner, est d'intéresser
vivement à nous, ceux qui les possèdent, vous ne
dédaignâtes pas vos Maîtres, et que c'est ce qui fait
que vous chantez avec tant de goût, et que vous
dansez avec tant de grâce.

Ah ! Grand Dieu ! Quelle horreur ! s'écria Zulica.
Vous avez raison de vous récrier là-dessus, Madame,
répondit-il froidement, car en effet, cela est horrible.
Pour moi, je ne vous condamne pas, et je saurais
même assez vous estimer de ce que dans un âge où les
femmes qui, un jour, doivent être le moins réservées,
ont tous les préjugés imaginables, vous avez eu assez
de force d'esprit pour sacrifier ceux que votre naissance, et l'éducation devaient vous avoir donnés. A
votre entrée dans le monde, convaincue qu'on ne

saurait y être trop fausse, vous cachâtes sous un air
prude, et froid, le penchant qui vous porte aux plaisirs. Née peu tendre, mais excessivement curieuse,
tous les hommes que vous vîtes alors, piquèrent votre
curiosité, et autant que vous le pûtes, vous les
connûtes à fond. Quand on a autant d'esprit, et de
pénétration que vous, l'étude d'un homme, n'est pas
une chose bien difficile, et j'ai ouï-dire que celui que
vous vous attachâtes le plus à observer, ne vous
occupa pas huit jours. Ces amusements Philoso-
phiques éclatèrent, on donna un mauvais tour à vos
intentions ; sans renoncer à votre curiosité, vous la
modérâtes, cependant ce ne fut pas pour longtemps.
Vos occupations particulières, n'ayant pas l'aveu de
ceux qui en étaient les témoins, vous crûtes devoir
vous soustraire à leurs yeux, vous renonçâtes à la
solitude, et vous allâtes porter dans le monde, ce
penchant naturel qui vous portait à tout connaître.

La Princesse Saheb avait alors Iskender pour
Amant, vous voulûtes juger par vous-même, si l'on
pouvait se fier à son goût, et vous le lui enlevâtes. Elle
ne vous l'a jamais pardonné, et s'en plaint même
encore tous les jours.

Ah ! juste Ciel ! s'écria Zulica outrée de fureur, est-il
au monde, de plus abominables calomnies !

On m'a assuré, continua-t-il avec le même sang-
froid qu'il avait commencé, que vous quittâtes bientôt
Iskender, pour prendre Akébar-Mirza à qui (parce
que tout Prince qu'il était, il vous ennuyait) vous
associâtes le Vizir Atamulk, et l'Émir Noureddin ; que
le Prince ne vous entretenant jamais que du mauvais
état de sa santé (que vous connaissiez pour être plus
déplorable encore qu'il ne disait), le Vizir étant trop
occupé des affaires de l'État, pour l'être de vos
charmes, autant qu'il l'aurait dû, et ne vous amusant
jamais que des détails de sa profonde politique, et
l'Émir, des grandes actions qu'il avait faites à la
Guerre, vous vous étiez dégoûtée de trois personnages, plus importants qu'aimables.

On ose ajouter que sachant combien il est dange-

reux à la Cour, de se faire des ennemis, vous leur aviez
laissé ignorer vos dispositions à leur égard, et que
forcée de les ménager, vous vous étiez avec tout le
mystère possible, jetée entre les bras du jeune Vélid
qui moins grand, moins profond, moins guerrier, mais
plus agréable que ses rivaux, vous avait lui seul, pendant quelque temps, dédommagée de l'ennui qu'ils
vous causaient. On dit encore, que voyant Vélid moins
amoureux, et ayant besoin pour réveiller son ardeur,
de lui donner de l'inquiétude, vous aviez pris Jemla ;
que Vélid fâché de se voir un rival, et vous épiant avec
soin, avait enfin découvert les trois autres, et que toute
cette affaire, jusque-là si judicieusement conduite,
avait fini pour vous par l'éclat le plus injurieux, et vous
avait donné les plus cruelles, et les plus publiques
mortifications.

Ah ! C'en est trop, interrompit Zulica en se levant,
et je vais... Un moment encore, s'il vous plaît,
Madame, dit Nassès en la retenant, on a poussé
l'impudence jusques à me dire, que voyant que les
affaires réglées ne vous réussissaient pas, haïssant
l'amour, mais tenant encore aux plaisirs, vous ne vous
étiez plus permis que des amusements passagers, assez
agréables pour remplir vos moments, mais jamais
assez vifs pour intéresser votre cœur. Sorte de Philosophie qui, pour le dire en passant, n'a pas laissé de
faire quelque progrès dans ce siècle-ci, et dont il serait
aisé de démontrer la sagesse, et l'utilité, si c'était ici le
temps de le faire.

A la fin de ce récit, Zulica se mit à pleurer de fureur,
et Nassès feignant de ne s'en pas apercevoir, continua
ainsi : vous concevez bien que je vous rends trop de
justice, que je vous connais trop à présent pour croire
absolument tout ce qu'on m'a dit. Vous me faites trop
de grâce, répondit-elle. Non, reprit-il modestement, ce
que je fais pour vous, est tout simple, et pour savoir
l'opinion que je dois en avoir, je n'ai qu'à consulter la
façon dont vous vous êtes rendue à mes désirs ; mais
en ne croyant pas tout, vous sentez bien aussi qu'il est
impossible que je ne croie rien.

Pourquoi donc ? lui demanda-t-elle, tout ce qu'on vous a dit est si probable, que je ne puis concevoir que vous vouliez avoir pour moi, un ménagement si déplacé ? Je crois donc seulement, reprit-il,... Ah ! croyez tout, Monsieur, interrompit-elle, croyez tout, et ne nous revoyons jamais. Quand vous le mériteriez, répondit-il, c'est un effort dont je ne serais pas capable ; jugez si, en vous croyant innocente, je pourrais prendre assez sur moi, être assez barbare pour faire ce que vous semblez me conseiller. Non, non, Monsieur, répliqua-t-elle, vous croyez tout ce qu'on vous a dit, vous le croyez, et vous ne valez pas la peine que je vous désabuse. Ainsi donc, reprit-il, nous allons être brouillés ? Une même soirée aura vu naître, et finir votre ardeur, car je ne parle pas de la mienne, ajouta-t-il en soupirant, je ne sens que trop qu'elle sera éternelle.

Oui, Monsieur, répondit Zulica, oui, nous serons brouillés, et pour jamais. Pour jamais ! s'écria-t-il, c'est-à-dire que vous me quittez aussi promptement que vous m'avez pris ? C'est, en honneur, une chose que je ne croyais pas possible. Mais comment cette constance si prodigieuse dont vous vous piquez, cette Ame si délicate sur le sentiment, peuvent-elles s'accommoder d'un procédé pareil ! Quelle cruelle violence, n'allez-vous pas vous faire pour me tenir parole ! Que je vous plains ! Après tout, rien n'est plus heureux pour moi, puisque vous deviez changer, que de vous voir changer si promptement ; un plus long commerce avec vous, m'aurait rendu votre inconstance trop douloureuse. Je me flatte pourtant encore que vous ferez vos réflexions, et que s'il est vrai que votre goût pour moi, soit totalement éteint, vous craindrez, du moins, que je ne puisse dire que comblé de vos bontés les plus particulières, vous, ayant tous les sujets du monde, de vous louer de moi, vous n'avez pas pu gagner sur vous, d'être constante seulement vingt-quatre heures. Après les petites libertés que vous m'avez permises, on trouvera votre procédé mauvais, je vous en avertis. Non, continua-t-il en s'avançant

vers elle et en la serrant tendrement dans ses bras,
non, vous ne ferez pas cette injustice à l'Amant du
monde, le plus passionné. Qui moi ! s'écria-t-elle en se
débattant dans ses bras avec violence, moi ! Je serais
encore à vous ! Elle ajouta à ce propos, tout ce qui
pouvait marquer vivement à Nassès son indignation
contre lui. Ce fut en vain qu'il voulut triompher de ses
efforts ; son dépit la servant mieux que n'avait fait
cette sévère vertu pour laquelle, elle combattait si mal
à propos, il fut obligé de disputer contre elle, jusques à
des faveurs si peu importantes qu'il n'avait pas encore
cru les lui devoir demander. Elle se défendait toujours
contre lui, lorsqu'un Char qu'ils entendirent arrêter,
suspendit l'attaque, et la résistance.

Voilà sans doute mes gens, Monsieur, lui dit-elle, et
je pars. Je ne vous presse pas de réfléchir sur ce qui
s'est passé entre nous, cela vous serait inutile ; plus on
est capable d'un mauvais procédé, moins on est fait
pour le sentir.

En achevant ces paroles, elle se leva, et elle allait
sortir, lorsque ce que je dirai demain à votre Majesté,
la força de demeurer [73]. Pourquoi demain ? dit le Sultan, pensez-vous que vous ne me le dissiez pas
aujourd'hui, si j'en avais la fantaisie ? heureusement
pour vous, je n'ai sur tout ceci, aucune curiosité ; et
soit demain, soit un autre jour, tout cela m'est indifférent.

CHAPITRE XIX

Ah ! Tant mieux !

Après ce qui s'était passé entre Zulica, et Mazulhim, elle devait peu s'attendre à le revoir, c'était cependant lui qui entrait. Elle recula de surprise en le voyant, et les pleurs succédant à son étonnement, elle se laissa tomber sur moi. Il feignit de ne pas remarquer l'état où sa présence la mettait, et s'avançant vers elle d'un air libre, je viens, Reine, lui dit-il, vous demander pardon. Un enchaînement d'affaires, accablantes, affreuses, désespérantes, m'a empêché de me rendre à vos ordres... Quoi ! Vous pleurez ! Ah Nassès ! cela n'est pas bien, vous avez abusé de ma facilité, de mon amitié, de ma confiance !... Mais, mais, au vrai, je ne comprends rien à tout ceci, moi. Vous êtes fâchée ! C'est que j'en suis furieux, désolé, je ne m'en consolerai jamais. Ceci fait une aventure unique, étonnante, du premier rare !... Enfin, ne peut-on pas savoir ce que c'est que tout cela ? Dites donc vous autres ? vous ne parlez point ? Ah ! Je vois ce que c'est ; j'en suis la cause innocente. Vous me croyez infidèle, oui, vous le croyez. Que vous connaissez peu mon cœur ! Je reviens à vous, mille fois, je dis, mille fois, plus tendre, plus épris, plus enchanté que jamais [74].

Plus Mazulhim feignait de tendresse, plus Zulica, déconcertée, abattue, s'obstinait au silence. Nassès qui jouissait malignement de sa confusion, craignait, s'il répondait à Mazulhim, qu'elle ne profitât de ce temps-là pour se remettre, et attendait impatiemment

qu'elle répondît elle-même. Ce fut en vain. Ils res-
tèrent quelque temps tous trois dans le silence. De
grâce, éclaircissez-moi ce mystère, dit enfin Mazulhim
à Nassès, est-ce de vous, ou de moi que Madame a à
se plaindre ? Ne m'aime-t-elle plus, vous aime-t-elle ?
Point du tout, repartit Nassès, c'est moi, puisqu'il faut
vous le dire, que l'infidèle juge à propos de ne plus
aimer. Nous sommes brouillés. Ah Perfide ! dit
Mazulhim, après les serments que vous m'aviez faits
de m'être toujours fidèle... Quelle horreur ! Ce n'est
qu'avec une peine extrême que je suis parvenu à
consoler Madame de votre perte, répondit Nassès ;
c'est une justice que je lui dois, et pour faire mon
devoir jusques au bout, je vais, quelque chose qu'il
m'en coûte, vous laisser essayer si vous pourrez avec
plus de facilité, la consoler de la mienne. Adieu,
Madame, poursuivit-il en s'adressant à Zulica, mon
bonheur n'a pas duré longtemps, mais je connais trop
la bonté de votre cœur, pour ne pas espérer qu'un jour
vous me rendrez ce que votre prévention me fait
perdre aujourd'hui. En cas qu'il vous plaise de vous
souvenir de moi, soyez sûre que je serai toujours à vos
ordrcs.

Lorsque Nassès fut parti, Zulica se leva brusquement, et sans regarder Mazulhim, voulut sortir aussi.
Non, Madame, lui dit-il d'un air respectueux, je ne
puis me déterminer à vous quitter sans m'être justifié ;
il se pourrait aussi que vous eussiez quelques petites
excuses à me faire, et de quelque façon que ce soit, il
me paraît indécent que nous nous séparions sans nous
être expliqués. Garderez-vous toujours le silence ? Ne
vous souvient-il plus que vous m'aviez promis une
constance éternelle ? Ah Monsieur ! répondit-elle en
pleurant, n'ajoutez pas à vos autres indignités, celle de
me parler encore d'un amour que vous n'avez jamais
ressenti. Hé bien ! répliqua-t-il, voilà les femmes ! On
manque malgré soi, on en gémit, on sèche, on languit
de douleur ; et lorsqu'on n'a mérité que d'être plaint,
que l'on revient, plein des plus tendres transports, se
jeter aux pieds de ce qu'on aime, on se trouve

abhorré ! Après tout, vous seriez moins injustes, si vous étiez moins délicates. Avec les Ames sensibles, on n'a jamais de petits torts. Je vous remercie de votre colère, pourtant ; sans elle, j'aurais peut-être ignoré toute ma vie, combien vous m'aimez, et je vous en aurais, moi-même aimée moins. Mais, dites-moi donc, ajouta-t-il en s'approchant d'elle familièrement, êtes-vous réellement bien fâchée ?

Zulica ne répondit à cette question qu'en le regardant avec le dernier mépris. C'est qu'au fond, continua-t-il, il me serait bien aisé de me justifier ; mais oui, ajouta-t-il en lui voyant hausser les épaules, très aisé, je ne dis rien de trop. Car, voyons, quels sont mes torts avec vous ?

En vérité ! s'écria-t-elle, j'admire votre impudence ! me faire venir ici, ne vous y pas rendre ; tout mauvais, tout impertinent, tout méprisable même qu'est ce procédé, vous êtes fait pour l'avoir, il ne m'a point étonnée ; mais y joindre la dernière perfidie ! M'envoyer ici un inconnu que vous instruisez de ma faiblesse quand vous devriez la cacher à toute la terre... Oui ! La cacher ! interrompit-il ; ce serait un beau mystère, et fort utile au reste, que celui-là. Pensez-vous qu'une affaire entre personnes comme nous puisse s'ignorer ? Mais je suppose que, contre votre expérience même, vous vous fussiez assez aveuglée pour croire qu'on ne vous nommerait pas, en quoi, (permettez-moi de vous le demander) vous ai-je exposée ? Notre secret n'est-il pas mieux entre les mains d'un homme d'un certain rang, qu'entre celles d'un esclave ? Avais-je même alors, pour vous l'envoyer, celui qui a auprès de moi le détail de ces sortes de choses, et n'était-il pas ici à nous attendre ? le temps me pressait. J'ai choisi pour vous instruire de ce qui m'arrivait, celui de mes Amis à qui je sais le plus de mœurs, Nassès enfin qui, outre des mœurs a de l'esprit, est l'homme du monde qui, assurément mérite le plus d'être vu avec plaisir, et à qui j'ose le dire, on doit le plus d'estime, et de considération.

Au reste, je prendrai la liberté de vous dire que je ne

vois pas bien pourquoi, après les remerciements que vous l'avez si généreusement mis à portée de vous faire, vous vous plaignez de ce que je vous l'ai envoyé. Entre nous, cet article pourrait mériter éclaircissement ; vous ne me le donnerez pourtant qu'en cas qu'il vous plaise de le faire, car, soit dit sans vous fâcher, je ne suis ni aussi curieux, ni aussi incommode que vous.

Que d'impertinence, et de fatuité ! s'écria Zulica. Doucement, s'il vous plaît, Madame, sur les exclamations de ce genre, dit vivement Mazulhim ; tel que vous me voyez, il y a mille choses sur lesquelles, je pourrais me récrier aussi, et je vous demande en grâce de ne pas m'obliger à prendre ma revanche. Si vous voulez bien me faire l'honneur de m'en croire, nous nous parlerons amicalement ; peut-être y gagnerez-vous autant que moi. Voyons un peu ? La présence de Nassès vous a fâchée d'abord, je n'en doute pas ; et ce dont je doute aussi peu, c'est que pour vous mettre à l'aise avec lui, vous l'avez accablé de toutes les faveurs que vous aviez la bonté de me destiner.

Quand cela serait, répondit fièrement Zulica... J'entends, interrompit-il, cela est. Hé bien ! oui, reprit-elle courageusement, oui, je l'ai aimé. N'abusons pas ici des mots, répliqua-t-il, vous ne l'avez point aimé, mais cela est revenu au même. Convenez, puisqu'à présent vous le connaissez un peu, que c'est un homme d'un rare mérite.

Ce que j'en sais, repartit-elle froidement, c'est que s'il est fat, insolent, et sans égards, il a du moins de quoi se le faire pardonner, et que tel qui ose prendre les mêmes tons, aurait plus d'une raison pour être modeste.

Toute détournée qu'est cette épigramme, reprit-il, je sens à merveille [75] qu'elle s'adresse à moi, et je veux bien, sans que cela tire à conséquence, vous donner la petite consolation de me l'entendre avouer. Je pousserai même les égards beaucoup plus loin, et ne me permettrai pas une justification dont peut-être la politesse serait blessée.

Que vous tenez de misérables propos ! s'écria-t-elle
en le regardant d'un air de pitié, et que le ton railleur,
et léger convient mal à une *espèce*[76] comme vous !
Vous aurez beau faire, Madame, répondit-il, je ne
m'écarterai ni du respect que je vous dois, ni du plan
sur lequel j'ai résolu de vous entretenir. Je ne serai pas
fâché de vous offrir en ma personne un modèle de
modération ; peut-être qu'en ne me voyant point me
démentir, vous serez tentée de m'imiter. Vous l'exer-
cerez donc tout seul, cette modération si vantée,
repartit-elle en se levant, car je vais... Non, s'il vous
plaît, Madame, dit-il en la retenant, vous ne me quitte-
rez point ; ce n'est pas ainsi que des gens comme nous
doivent finir ; pour votre honneur, pour le mien, nous
devons mutuellement nous prêter à un éclaircissement, et éviter un éclat qui serait beaucoup plus à
craindre pour vous que pour moi. En un mot, Zulica,
vous m'écouterez.

Soit que Zulica sentît le tort que cette aventure
pouvait lui faire si elle se répandait, et qu'elle crût,
toutes réflexions faites, ne devoir rien oublier pour
engager Mazulhim au silence ; soit que trop méprisable pour être longtemps fâchée qu'on la méprisât, sa
colère commençât à se calmer ; elle se rejeta sur le
Sopha, mais sans regarder Mazulhim, qui peu touché
de cette marque de dépit, reprit ainsi son discours.
Vous convenez que vous avez pris Nassès ; un autre
vous dirait que communément une femme ne
s'engage dans une nouvelle affaire, que quand celle
qu'elle avait, est entièrement rompue, et là-dessus il
vous accablerait de tout le mépris qu'en apparence
semble mériter cette conduite : pour moi qui ai assez
d'usage du monde pour sentir comment cela s'est fait,
loin de vous en savoir mauvais gré, je vous en aime
davantage.

Ce n'était cependant pas l'effet que je voulais produire sur votre cœur, répondit-elle. Vous n'en pouvez
rien savoir, répliqua-t-il : dans le trouble où vous étiez,
était-il possible que vous démêlassiez les motifs qui
vous faisaient agir. Vous me croyiez inconstant, on

vous pressait de vous venger ; si vous m'aviez moins aimé, vous ne l'auriez pas fait, et Nassès aurait tenté vainement de vous mener aussi loin qu'il l'a fait. Il n'appartient, croyez-moi, qu'à la passion la plus vive, d'inspirer ces mouvements qui ne laissent pas aux réflexions, le temps, ou la liberté d'agir. Je ne saurais assez m'étonner que Nassès ait été assez peu délicat pour vouloir profiter du moment où vous vous trouviez, ou assez aveuglé pour ne pas voir que, même entre ses bras, vous étiez toute à un autre, et que sans votre amour pour moi, vous ne l'auriez jamais rendu heureux.

Oh ! Non, répondit-elle, il m'a plu, et je vous ai fait assurément une infidélité dans toutes les règles. Vanité toute pure de votre part, répliqua-t-il, n'allez pas croire cela, rien n'est moins vrai.

Comment donc ? dit-elle, rien n'est moins vrai ! Je trouve assez singulier que vous vouliez savoir mieux que moi, ce qui en est. Je le sais pourtant si bien que je pourrais vous dire mot à mot, comment il s'y est pris pour vous séduire, répondit-il ; Nassès vous a trouvée belle, il a mieux aimé vous instruire des désirs que vous lui donniez, que de me justifier, et je parierais même que loin de vous parler en ma faveur, il a... Cela n'est pas douteux, interrompit-elle. Ne vous dis-je pas ? continua-t-il. Quel misérable triomphe a-t-il remporté là, et qu'il est peu flatteur ! Après tout, il y a des gens à qui il faut pardonner ces petits stratagèmes, ils en ont besoin pour plaire.

Quoi ! lui dit-elle avec étonnement, vous oseriez me soutenir que vous n'êtes point infidèle. Assurément, reprit-il, je ne l'étais pas, et c'est ce qui rend votre aventure si plaisante. Vous n'étiez pas coupable ! répéta-t-elle, qu'étiez-vous donc devenu ! Je ne suis, répliqua-t-il, sorti de chez l'Empereur, qu'à l'heure à laquelle vous m'avez vu arriver ici ; et Zâdis même à qui, par parenthèse, on a fait mille plaisanteries sur ce qu'il a été hier perdu tout le jour, ne m'a point quitté ; il peut vous le dire.

Au nom de Zâdis, Zulica frémit, et regarda en

rougissant Mazulhim qui sans paraître remarquer aucun de ses mouvements, continua ainsi.

Quoique j'aie toujours pour vous un goût fort vif, vous concevez bien que nous ne vivrons plus ensemble dans cette intimité que vous m'aviez permise. Ce n'est pas que je ne vous pardonne tout, mais un commerce lié ne nous convient plus ; au reste, nous nous étions pris plus de fantaisie que d'amour ; ce n'était point le sentiment qui nous unissait ; ce qui arrive ne doit ni vous mortifier, ni me déplaire, ni nous empêcher de céder au caprice, si, sans vouloir nous reprendre, nous nous en trouvons quelquefois susceptibles l'un pour l'autre. Je me flatte, répondit-elle dédaigneusement, qu'en faisant cet arrangement, vous en sentez tout le ridicule, et que vous n'espérez pas de m'y faire consentir. Pardonnez-moi, reprit-il ; vous êtes trop raisonnable pour ne pas sentir ce que l'on doit d'égards, et de ménagements à ses anciens amis ; d'ailleurs, vous n'ignorez pas qu'aujourd'hui, c'est un usage établi de former autant d'affaires que l'on peut, et d'accorder tout à ses nouvelles connaissances, sans pour cela retrancher rien aux anciennes. Vous trouverez bon que les choses s'arrangent comme j'ai l'honneur de vous le dire, et que je regarde ce point-là comme très décidé entre nous.

A ce honteux marché, Zulica très digne qu'on le fît avec elle, s'offensa pourtant de ce que Mazulhim osait la croire capable de ce qu'elle faisait tous les jours, et voulut le prendre avec lui sur un ton de dignité qui ne la rendant que plus méprisable, ne l'encouragea que plus à ne la pas ménager.

S'il n'était pas si tard, lui dit-il, je vous prouverais que loin que vous ayez à vous plaindre de moi, vous avez mille remerciements à me faire. Je n'ignore pas que Zâdis a passé hier chez vous, et seul avec vous, toute la journée, et une grande partie de la nuit. Plus curieux que je n'étais jaloux, et sûr que vous manqueriez à la parole que vous m'aviez donnée de ne le jamais revoir, je vous ai fait observer tous deux... Il n'était pas besoin, interrompit-elle, que vous en pris-

siez la peine. Je n'ai point prétendu me cacher, et le
motif qui m'a fait recevoir hier Zâdis chez moi, ne
peut jamais que me faire honneur. Ah ah ! dit-il d'un
air surpris, cela est très particulier ! Votre air railleur
n'empêchera point que je ne dise vrai, répliqua-t-elle ;
je n'avais pas encore rompu absolument avec lui, et
c'était pour lui annoncer que je ne le verrais jamais...
Que vous passâtes, interrompit-il, tout le jour, et toute
la nuit avec lui. Je ne vous contredis pas sur le motif,
tout extraordinaire qu'il est ; car enfin vous avouerez
qu'il est rare qu'une femme se renferme vingt-quatre
heures avec un homme quand elle ne veut que se
brouiller avec lui. Mais comme une chose, pour être
sans exemple, peut n'en être pas moins sensée, je
conçois, moi qui ne cherche uniquement qu'à vous
justifier, que Zâdis recevant de vous la confirmation
de son malheur, en a pensé mourir de désespoir à vos
genoux, et que touchée de l'abattement où votre
inconstance le jetait, vous l'avez consolé avec toute
l'humanité dont vous êtes capable, sans que vos soins
pour lui, prissent rien sur la fidélité que vous m'aviez
jurée. Un homme désespéré est peu raisonnable, on a
de la peine à l'amener à une conduite sensée ; il faut
dire, redire, retourner mille fois la même chose ;
essuyer des regrets, des reproches, des larmes, de la
fureur : rien ne prend plus de temps. Au reste, je vous
dirai que vous n'avez pas à regretter celui que vous
avez employé à tâcher de calmer Zâdis, il était
aujourd'hui d'une gaieté charmante. Zâdis gai ! Cela
vous paraît-il concevable ! Si, comme je me garderai
bien d'en douter, vous me dites vrai, ou vos conseils
ont eu bien de l'empire sur lui, ou pour vous regretter
aussi peu qu'il le fait, il fallait qu'il vous aimât bien
faiblement. Si l'un fait honneur à votre esprit, l'autre
en fait assez peu à vos charmes ; mais je ne vous
afflige pas, vous savez à quoi vous en tenir là-dessus.
A tout événement, vous deviez bien lui recommander
de paraître triste, au moins pour le temps que vous
pouviez avoir besoin de me tromper.

Zulica, à ces paroles, voulut essayer de se justifier,

mais Mazulhim l'interrompant, tout ce que vous pourriez me dire, Madame, lui dit-il, serait inutile. Épar-
gnez-vous une justification que je ne vous demande,
ni ne veux recevoir, et qui vous coûterait sans me
satisfaire. Adieu, ajouta-t-il en se levant, il est tard, et
nous devrions déjà nous être séparés. Ah ! A propos,
que ferez-vous de Nassès ?

Zulica, à cette question, parut étonnée. Ce que je
vous demande, poursuivit-il, me paraît sensé. Vous
vous êtes quittés mal, et il me semble qu'en cela vous
avez manqué de prudence. Si vous faites bien, vous le
reverrez ; croyez-moi, évitez un éclat. Il ne doit pas
vous être plus difficile de le garder en le haïssant, qu'il
ne vous l'a été de le prendre sans l'aimer. Si vous vous
obstinez à ne le pas revoir, il parlera peut-être, et
quoique rien assurément ne soit si simple que ce que
vous avez fait, il se trouverait des gens assez noirs,
assez injustes pour vous donner le tort, et pour faire
d'une chose tout ordinaire, l'histoire la plus singulière,
et la plus ridicule. Ce n'est pas, dans le fond, ce qu'on
en dira qui doit vous inquiéter ; quand on porte un
certain nom, qu'on est d'un certain rang, une affaire
de plus, ou de moins n'est pas une chose à laquelle on
doive regarder de si près, mais c'est qu'il faut éviter de
se faire des ennemis. Demain, je vous le présenterai.
Moi ! s'écria-t-elle, je vous reverrais ! Eh oui ! répondit-il en lui présentant la main pour descendre, il
faudra prendre cela sur vous. Si par hasard, Zâdis est
assez extraordinaire pour le trouver mauvais, comptez
sur moi, ou il sera forcé de vous quitter, ou il s'accou-
tumera à la fin à nous voir vous faire assidûment notre
cour.

En achevant ces paroles, il lui offrit encore la main,
et voyant qu'elle s'obstinait à la refuser, quelle misère !
lui dit-il en la lui prenant malgré elle, vous faites
l'enfant à un point qui n'est pas supportable.

Alors ils sortirent. Ils sortirent ! s'écria le Sultan, ah !
le grand mot, c'est à mon gré, le meilleur de votre
histoire, et ne revinrent-ils pas ? Je ne revis plus
Zulica, répondit Amanzéi, mais je vis encore long-

temps Mazulhim. Et toujours, dit le Sultan, comme vous savez... Parbleu ! c'était un rare garçon ! Quelle femme eut-il après Zulica ? Beaucoup qui ne valaient pas mieux qu'elle, et quelques-unes qui ne méritaient pas de l'avoir, et dont le destin me faisait pitié. Mais à propos, demanda Schah-Baham à la Sultane, n'avez-vous pas trouvé que Mazulhim traite bien mal cette Zulica ? Je la trouve si méprisable, répliqua la Sultane, que je voudrais, s'il était possible, qu'il l'eût encore plus punie. Il m'a semblé à moi, repartit le Sultan, qu'elle était trop douce avec lui ; cela n'est pas dans la nature. Et moi, je crois le contraire, dit la Sultane ; une femme telle que Zulica n'a point de ressources contre le mépris ; et comme l'ignominie de sa conduite, la livre aux plus cruelles insultes, la bassesse de son caractère, et cette honte intérieure dont malgré elle-même, elle se sent toujours accablée, ne lui laissent pas la force de les repousser. D'ailleurs quand il serait vrai qu'Amanzéi eût outré l'humiliation de Zulica, loin de lui en faire des reproches, je lui en saurais bon gré. Ce serait en quelque façon donner des préceptes de vice, que de le peindre heureux et triomphant. Oh oui ! reprit le Sultan, cela est bien nécessaire ! Mais laissons cela, la dispute m'aigrit, et je ne doute point que je ne me fâchasse, si nous parlions plus longtemps. Quand vous eûtes quitté Mazulhim, où allâtes-vous, Amanzéi ?

CHAPITRE XX

Amusements de l'Ame.

Quelques plaisirs que je trouvasse dans la petite Maison de Mazulhim, l'intérêt de mon Ame me força de m'en arracher, et persuadé que ce ne serait pas là que je trouverais ma délivrance, j'allai chercher quelque Maison où je fusse, s'il était possible, plus heureux que dans toutes celles que j'avais déjà habitées. Après plusieurs courses qui n'offrirent à mes yeux que des choses que j'avais déjà vues, ou des faits peu dignes d'être racontés à votre Majesté, j'entrai dans un vaste Palais qui appartenait à un des plus grands Seigneurs d'Agra. J'y errai quelque temps, enfin je fixai ma demeure dans un Cabinet orné avec une extrême magnificence, et beaucoup de goût, quoique l'un semble toujours exclure l'autre. Tout y respirait la volupté ; les ornements, les meubles, l'odeur des parfums exquis qu'on y brûlait sans cesse, tout la retraçait aux yeux, tout la portait dans l'Ame ; ce Cabinet enfin aurait pu passer pour le temple de la mollesse, pour le vrai séjour des plaisirs.

Un instant après que je m'y fus placé, je vis entrer la divinité à qui j'allais appartenir. C'était la fille de l'Omrah chez qui j'étais. La jeunesse, les grâces, la beauté, ce je ne sais quoi qui seul les fait valoir, et qui plus puissant, plus marqué qu'elles-mêmes, ne peut cependant jamais être défini, tout ce qu'il y a de charmes, et d'agréments, composait sa figure. Mon Ame ne put la voir sans émotion, elle éprouva à son aspect, mille sensations délicieuses que je ne croyais pas à son usage. Destiné à porter quelquefois une si belle personne, non seulement je cessai de me tourmenter sur mon sort, mais même je commençai à craindre d'être obligé de commencer une nouvelle vie.

Ah ! Brama, me disais-je, quelle est donc la félicité que tu prépares à ceux qui t'ont bien servi, puisque tu permets que les Ames que ton juste courroux a réprouvées, jouissent de la vue de tant d'attraits ! Viens, continuais-je avec transport, viens ! Image charmante de la divinité, viens calmer une Ame inquiète qui déjà serait confondue avec la tienne, si des ordres cruels ne la retenaient pas dans sa prison.

Il sembla dans cet instant que Brama voulût exaucer mes vœux. Le Soleil était alors à son plus haut point, il faisait une chaleur excessive ; Zéïnis se prépara bientôt à jouir des douceurs du sommeil, et tirant elle-même les rideaux, ne laissa dans le Cabinet que ce demi-jour si favorable au sommeil, et aux plaisirs, qui ne dérobe rien aux regards, et ajoute à leur volupté, qui rend enfin la pudeur moins timide, et lui laisse accorder plus à l'amour.

Une simple tunique de gaze, et presque tout ouverte, fut bientôt le seul habillement de Zéïnis ; elle se jeta sur moi nonchalamment. Dieux ! avec quels transports je la reçus ! Brama, en fixant mon Ame dans des Sophas lui avait donné la liberté de s'y placer où elle le voudrait ; qu'avec plaisir en cet instant j'en fis usage !

Je choisis avec soin l'endroit d'où je pouvais le mieux observer les charmes de Zéïnis, et je me mis à les contempler avec l'ardeur de l'Amant le plus tendre, et l'admiration que l'homme le plus indifférent n'aurait pu leur refuser. Ciel ! Que de beautés s'offrirent à mes regards ! Le sommeil enfin vint fermer ces yeux qui m'inspiraient tant d'amour.

Je m'occupai alors à détailler tous les charmes qu'il me restait encore à examiner, et à revenir sur ceux que j'avais déjà parcourus. Quoique Zéïnis dormît assez tranquillement, elle se retourna quelquefois, et chaque

mouvement qu'elle faisait, dérangeant sa tunique,
offrait à mes avides regards de nouvelles beautés. Tant
d'appas achevèrent de troubler mon Ame. Accablée
sous le nombre, et la violence de ses désirs, toutes ses
facultés demeurèrent quelque temps suspendues.
C'était en vain que je voulais former une idée, je
sentais seulement que j'aimais, et sans prévoir, ou
craindre les suites d'une aussi funeste passion, je m'y
abandonnais tout entier.

Objet délicieux ! m'écriai-je enfin, non, tu ne peux
pas être une mortelle. Tant de charmes ne sont pas
leur partage ! Au-dessus même des êtres Aériens, il
n'en est point que tu n'effaces. Ah ! daigne recevoir les
hommages d'une Ame qui t'adore, garde-toi de lui
préférer quelque vil mortel. Zéïnis ! Divine Zéïnis !
Non, il n'en est point qui te mérite ; non, Zéïnis !
puisqu'il n'en est point qui puisse te ressembler !

Pendant que je m'occupais de Zéïnis avec tant
d'ardeur, elle fit un mouvement, et se retourna. La
situation où elle venait de se mettre, m'était favorable,
et malgré mon trouble, je songeai à en profiter. Zéïnis
était couchée sur le côté, sa tête était penchée sur un
coussin du Sopha, et sa bouche le touchait presque. Je
pouvais, malgré la rigueur de Brama accorder quelque
chose à la violence de mes désirs ; mon Ame alla se
placer sur le coussin, et si près de la bouche de Zéïnis
qu'elle parvint enfin à s'y coller tout entière.

Il y a, sans doute, pour l'Ame, des délices que le
terme de plaisir n'exprime pas, pour qui même celui
de volupté n'est pas encore assez fort. Cette ivresse
douce, et impétueuse où mon Ame se plongea, qui en
occupa si délicieusement toutes les facultés, cette
ivresse ne saurait se peindre.

Sans doute notre Ame embarrassée de ses organes,
obligée de mesurer ses transports sur leur faiblesse, ne
peut, quand elle se trouve emprisonnée dans un corps,
s'y livrer avec autant de force que lorsqu'elle en est
dépouillée. Nous la sentons même quelquefois dans
un vif mouvement de plaisir, qui voulant forcer les
barrières que le corps lui oppose, se répand dans toute

sa prison, y porte le trouble, et le feu qui la dévore, cherche vainement une issue, et accablée des efforts qu'elle a faits, tombe dans une langueur qui pendant quelque temps semble l'avoir anéantie. Telle est, à ce que je crois du moins, la cause de l'épuisement où nous jette l'excès de la volupté.

Tel est notre sort, que notre Ame toujours inquiète au milieu des plus grands plaisirs, est réduite à en désirer plus encore qu'elle n'en trouve. La mienne collée sur la bouche de Zéïnis, abîmée dans sa félicité, chercha à s'en procurer une encore plus grande. Elle essaya, mais vainement à se glisser tout entière dans Zéïnis ; retenue dans sa prison par les ordres cruels de Brama, tous ses efforts ne purent l'en délivrer. Ses élans redoublés, son ardeur, la fureur de ses désirs, échauffèrent apparemment celle de Zéïnis. Mon Ame ne s'aperçut pas plutôt de l'impression qu'elle faisait sur la sienne, qu'elle redoubla ses efforts. Elle errait avec plus de vivacité sur les lèvres de Zéïnis, s'élançait avec plus de rapidité, s'y attachait avec plus de feu. Le désordre qui commençait à s'emparer de celle de Zéïnis, augmenta le trouble, et les plaisirs de la mienne. Zéïnis soupira, je soupirai ; sa bouche forma quelques paroles mal articulées, une aimable rougeur vint colorer son visage. Le songe le plus flatteur vint enfin égarer ses sens [77]. De doux mouvements succédèrent au calme dans lequel elle était plongée. Oui ! tu m'aimes ! s'écria-t-elle tendrement. Quelques mots interrompus par les plus tendres soupirs, suivirent ceux-là. Doutes-tu, continua-t-elle, que tu ne sois aimé ?

Moins libre encore que Zéïnis, je l'entendais avec transport et n'avais plus la force de lui répondre. Bientôt son Ame aussi confondue que la mienne, s'abandonna toute au feu dont elle était dévorée, un doux frémissement... Ciel ! Que Zéïnis devint belle !

Mes plaisirs, et les siens se dissipèrent par son réveil. Il ne lui resta plus de la douce illusion qui avait occupé ses sens, qu'une tendre langueur à laquelle elle se livra avec une volupté qui la rendait bien digne des plaisirs dont elle venait de jouir. Ses regards où l'amour même regnait, étaient encore chargés du feu qui coulait dans ses veines. Quand elle put ouvrir les yeux, ils avaient déjà perdu de l'impression voluptueuse que mon amour, et le trouble de ses sens y avaient mise, mais qu'ils étaient encore touchants ! Quel mortel, en se devant le bonheur de les voir ainsi, ne serait expiré de l'excès de sa tendresse, et de sa joie !

Zéïnis ! m'écriais-je avec transport, aimable Zéïnis ! C'est moi qui viens de te rendre heureuse ; c'est à l'union de ton Ame, et de la mienne, que tu dois tes plaisirs. Ah ! Puisses-tu les lui devoir toujours, et ne répondre jamais qu'à mon ardeur. Non, Zéïnis, il n'en peut jamais être de plus tendre, et de plus fidèle. Ah ! Si je pouvais soustraire mon Ame au pouvoir de Brama, ou qu'il pût l'oublier ; éternellement attachée à la tienne, ce serait par toi seule que son immortalité pourrait devenir un bonheur pour elle, et qu'elle croirait perpétuer son être. Si je te perds jamais, Ame que j'adore ! Eh ! Comment dans l'immensité de la nature, ou accablé de ces liens cruels dont Brama me chargera peut-être, pourrai-je te retrouver ! Ah Brama ! Si ton pouvoir suprême m'arrache à Zéïnis, fais au moins que quelque douloureux que me soit son souvenir, je ne le perde jamais !

Pendant que mon Ame parlait si tendrement à Zéïnis, cette fille charmante semblait s'abandonner à la plus douce rêverie, et je commençai à m'alarmer de la tranquillité avec laquelle elle avait pris ce songe, dont quelques instants auparavant, je trouvais tant à me féliciter. Zéïnis, me disais-je, est sans doute accoutumée aux plaisirs qu'elle vient de goûter. Quelque chose qu'ils aient pris sur ses sens, ils n'ont point étonné son imagination : elle rêve, mais elle ne paraît pas se demander la cause des mouvements dont elle a été agitée. Familiarisée avec ce que l'amour a de plus doux, et de plus tendres transports, je n'ai fait que lui en retracer l'idée. Un mortel plus heureux a déjà développé dans le cœur de Zéïnis, ce germe de tendresse que la nature y a mis. C'est son image, non mon ardeur qui l'a enflammée ; elle connaît l'amour, elle en a parlé, elle semblait au milieu de son trouble, être occupée du soin de rassurer un Amant qui, peut-être, est accoutumé à porter entre ses bras, ses craintes, et son inquiétude. Ah Zéïnis ! s'il est vrai que vous aimiez, que dans l'état où m'a mis la colère de Brama, mon sort va devenir horrible !

Mon Ame errait entre toutes ces idées, lorsque j'entendis frapper doucement à la porte. La rougeur de Zéïnis à ce bruit imprévu augmenta mes craintes. Elle raccommoda avec promptitude, le dérangement où les erreurs de son sommeil l'avaient laissée, et plus en état de paraître, elle ordonna qu'on entrât. Ah ! me dis-je avec une extrême douleur, c'est peut-être un rival qui va s'offrir à ma vue ; s'il est heureux, quel supplice ! s'il le devient, que Zéïnis soit telle que quelquefois je la suppose, et que ce soit à elle que je doive ma délivrance, quel coup affreux pour moi si je suis forcé de me séparer d'elle après les sentiments qu'elle m'a inspirés !

Quoique par la connaissance que j'avais des mœurs d'Agra, je dusse être rassuré contre la crainte de quitter Zéïnis, et qu'il fût assez vraisemblable qu'à l'âge de quinze ans à peu près qu'elle paraissait avoir, elle n'eût pas tout ce que Brama demandait pour me rendre à une autre vie, il se pouvait aussi que j'eusse tout à craindre d'elle de ce côté-là, et quelque cruel qu'il fût pour moi d'être témoin des bontés qu'elle aurait pour mon rival, je préférais ce supplice à celui de la perdre.

A l'ordre de Zéïnis, un jeune Indien de la figure la plus brillante, était entré dans le Cabinet. Plus il me parut digne de plaire, plus il excita ma haine ; elle redoubla à l'air dont Zéïnis le reçut. Le trouble, l'amour, et la crainte se peignirent tour à tour sur son visage : elle le regarda quelque temps avant que de lui parler ; il me parut aussi agité qu'elle, mais à son air timide, et respectueux, je jugeai que s'il était aimé, on ne le favorisait pas encore. Malgré son trouble, et son extrême jeunesse (car il ne me parut guère plus âgé que Zéïnis,) il semblait n'en être pas à sa première passion, et je commençai à espérer que je n'aurais de cette aventure, que le chagrin que je pouvais le mieux supporter.

Ah Phéléas ! lui dit Zéïnis avec émotion, que venez-vous chercher ici ? Vous que j'espérais y trouver, répondit-il en se jetant à ses genoux, vous sans qui je ne puis vivre, et qui voulûtes bien hier me promettre de me voir sans témoins. Ah ! n'espérez pas, reprit-elle vivement, que je vous tienne parole ; sortons, je ne veux pas rester plus longtemps dans ce Cabinet. Zéïnis, répliqua-t-il, m'enviez-vous le bonheur de rester seul un moment avec vous, et se peut-il que vous vous repentiez si tôt de la première faveur que vous m'accordez ? Mais, répondit-elle d'un air embarrassé, ne puis-je pas vous parler ailleurs qu'ici, et si vous m'aimiez, vous obstineriez-vous à me demander une chose pour laquelle j'ai tant de répugnance ?

Phéléas sans lui répondre, lui saisit une main, et la baisa avec toute l'ardeur dont j'aurais été capable. Zéïnis le regardait languissamment, elle soupirait ; encore émue de ce songe qui lui avait peint son Amant si pressant, et où elle avait été si faible, disposée encore plus à l'amour par les impressions qui lui en étaient restées ; chaque fois que ses yeux se tournaient vers Phéléas, ils devenaient plus tendres, et reprenaient insensiblement un peu de cette volupté que mon amour y avait mise quelques moments auparavant.

Malgré le peu d'expérience de Phéléas, sa tendresse qui le rendait attentif à tous les mouvements de Zéïnis, les lui laissait assez remarquer pour qu'il ne pût pas douter qu'elle le voyait avec plaisir. Zéïnis, d'ailleurs, simple, et sans art, ne cachant à Phéléas que par pudeur l'état où sa présence la mettait, en croyant lui dérober beaucoup du trouble dont elle était agitée, le lui montrait tout entier. Phéléas n'en savait pas assez pour triompher d'une coquette dont la fausse vertu, et les airs décents l'auraient effrayé, mais il n'était que trop dangereux pour Zéïnis qui pressée par son

amour, ignorait, même en craignant de céder, la façon
dont elle aurait pu se défendre.

Avec quelque plaisir qu'elle vît Phéléas à ses
genoux, elle le pria de se lever. Loin de lui obéir, il les
lui serrait avec une expression si tendre, et des transports si vifs que Zéïnis en soupira. Ah Phéléas ! lui
dit-elle avec émotion, sortons d'ici, je vous en conjure.
Me craindrez-vous toujours, lui demanda-t-il tendrement ? Ah Zéïnis ! Que mon amour vous touche peu !
Que pouvez-vous craindre d'un amant qui vous
adore, qui presque en naissant fut soumis à vos
charmes, et qui depuis, uniquement touché d'eux, n'a
voulu vivre que pour vous ! Zéïnis ! ajouta-t-il en ver-
sant des larmes, voyez l'état où vous me réduisez !

En achevant ces paroles, il leva sur elle ses yeux
chargés de pleurs ; elle le fixa quelque temps d'un air
attendri, et cédant enfin aux transports que l'amour, et
la douleur de Phéléas lui causaient ; ah cruel ! lui
dit-elle d'une voix étouffée par les pleurs qu'elle
tâchait de retenir, ai-je mérité les reproches que vous
me faites, et quelles preuves puis-je vous donner de
ma tendresse, si après toutes celles que vous en avez
reçues, vous voulez en douter encore ? Si vous
m'aimiez, répondit-il, ne vous oublieriez-vous pas
avec moi dans cette solitude, et loin d'en vouloir sortir,
auriez-vous quelque autre crainte que celle qu'on ne
vînt nous y troubler ? Hélas ! reprit-elle naïvement, qui
vous dit que j'en aie d'autres ?

A ces mots, Phéléas quittant brusquement ses
genoux, courut à la porte, et la ferma ; en revenant, il
rencontra Zéïnis, qui devinant ce qu'il allait faire,
s'était levée pour l'en empêcher : il la prit entre ses
bras, et malgré la résistance qu'elle lui opposait, il la
remit sur moi, et s'y assit auprès d'elle.

CHAPITRE DERNIER.

Je ne sais si Zéïnis imagina que quand une porte est fermée, il est inutile de se défendre, ou, si craignant moins d'être surprise, elle-même se craignit plus ; mais à peine Phéléas fut-il auprès d'elle, que rougissant moins de ce qu'il faisait que de ce qu'elle appréhendait qu'il ne voulût faire, avant même qu'il lui demandât rien, d'une voix tremblante, et d'un air interdit, elle le supplia de vouloir bien ne lui rien demander. Le ton de Zéïnis était plus tendre qu'imposant, et ne fâcha, ni ne contint Phéléas. Couché auprès d'elle, il la serrait dans ses bras avec tant de fureur que Zéïnis en commençant à connaître combien elle devait le craindre, malgré elle, partagea ses transports.

Quelque émue qu'elle fût, elle tâcha de se débarrasser des bras de Phéléas, mais c'était avec tant d'envie d'y rester, que pour rendre ses efforts inutiles, il n'eut pas besoin d'en employer de bien grands. Ils se regardèrent quelque temps sans se rien dire, mais Zéïnis sentant augmenter son trouble, et craignant enfin de ne pouvoir pas en triompher, pria, mais doucement, Phéléas de vouloir bien la laisser.

Ne voudrez-vous donc jamais me rendre heureux, lui demanda-t-il ? Ah ! répondit-elle avec une étourderie que je ne lui ai pas encore pardonnée, vous ne l'êtes que trop, et avant que vous vinssiez, vous l'avez été bien davantage.

Plus ces paroles parurent obscures à Phéléas, plus il

lui parut nécessaire d'apprendre de Zéïnis, ce qu'elles voulaient dire. Il la pressa longtemps de les lui expliquer, et quelque répugnance qu'elle eût à parler davantage, il la pressait si tendrement, la regardait avec tant de passion qu'enfin il acheva de la troubler. Mais, si je vous le dis, dit-elle d'une voix tremblante, vous en abuserez. Il lui jura que non avec des transports qui loin de la rassurer sur ses craintes, ne devaient pas lui laisser douter qu'il ne lui manquât de parole. Trop émue pour pouvoir former cette idée, ou trop peu expérimentée pour connaître toute la force de la confidence qu'elle allait lui faire ; après s'être encore faiblement défendue contre ses empressements, elle lui avoua qu'un moment avant qu'il entrât, s'étant endormie, elle l'avait vu, mais avec des transports dont elle n'avait jamais eu d'idée. Étais-je entre vos bras, lui demanda-t-il en la serrant dans les siens ? Oui, répondit-elle en portant sur lui des yeux troublés. Ah ! continua-t-il avec une extrême émotion, vous m'aimiez plus alors que vous ne m'aimez à présent. Je ne pouvais pas vous aimer plus, répliqua-t-elle, mais il est vrai que je craignais moins de vous le dire. Après ? lui demanda-t-il. Ah Phéléas ! s'écria-t-elle en rougissant, que me demandez-vous ? Vous étiez plus heureux que je ne veux que vous le soyez jamais, et vous n'en étiez pas moins injuste.

Phéléas, à ces mots, ne pouvant plus contenir son ardeur, et devenu plus téméraire par la confidence que Zéïnis lui avait faite, se soulevant un peu, et se penchant sur elle, fit ce qu'il put pour approcher sa bouche de la sienne. Quelque hardie que fût cette entreprise, Zéïnis peut-être ne s'en serait pas offensée, mais Phéléas uniquement occupé de se rendre heureux, porta son audace si loin qu'elle ne crut pas devoir lui pardonner ce qu'il faisait. Ah Phéléas ! s'écria-t-elle, sont-ce là les promesses que vous m'avez faites, et craignez-vous si peu de me fâcher ?

Quelque violents que fussent les transports de Phéléas, Zéïnis se défendit si sérieusement, et il vit tant de colère dans ses yeux, qu'il crut ne devoir plus s'opiniâ-

trer à une victoire qu'il ne pouvait remporter sans
offenser ce qu'il aimait, et qui même, par la résistance
de Zéïnis, devenait extrêmement douteuse pour lui.
Soit respect, soit timidité, enfin il s'arrêta et, n'osant
plus regarder Zéïnis ; non, lui dit-il tristement, quelque cruelle que vous soyez, je ne m'exposerai plus à
vous déplaire. Si je vous étais plus cher, vous craindriez sans doute moins de faire mon bonheur, mais
quoique je ne doive plus espérer de vous rendre sensible, je ne vous en aimerai pas moins tendrement.

En achevant ces paroles, il se leva d'auprès d'elle, et
sortit. Mortellement fâchée que Phéléas la quittât, et
n'osant cependant pas le rappeler, la tête appuyée sur
ses mains, Zéïnis pleurait, et était demeurée sur le
Sopha. Inquiète pourtant du départ de son Amant,
elle se levait pour savoir ce qu'il était devenu, lorsque
ramené par sa tendresse, il rentra dans le Cabinet. Elle
rougit en le revoyant, et se laissa retomber sur moi en
poussant un profond soupir. Il courut se jeter à ses
genoux, lui prit tendrement la main, et n'osant la
baiser, il l'arrosa de ses larmes. Ah levez-vous ! lui dit
Zéïnis sans le regarder. Non, Zéïnis, lui dit-il, c'est à
vos pieds que j'attends mon arrêt ; un seul mot... Mais
vous pleurez ! Ah Zéïnis ! Est-ce moi qui fais couler
vos larmes ?

La barbare Zéïnis en ce moment, lui serra la main,
et tournant vers lui des yeux que les pleurs qu'ils
versaient, embellissaient encore, soupira sans lui
répondre. Le trouble qui régnait dans ses yeux, ne fut
pas plus obscur pour Phéléas qu'il ne l'était pour
moi-même. Ciel ! s'écria-t-il en l'embrassant avec
fureur, serait-il possible que Zéïnis me pardonnât !
Zéïnis garda encore le silence. Hélas ! Phéléas ne per-
dit rien de ce qu'il semblait lui dire, et sans interroger
davantage Zéïnis, il alla chercher jusque sur sa bouche
l'aveu qu'elle semblait lui refuser encore.

En cet instant, je n'entendis plus que le bruit de
quelques soupirs étouffés. Phéléas s'était emparé de
cette bouche charmante où mon âme un instant avant
lui... Mais pourquoi rappelé-je un souvenir encore si

cruel pour moi. Zéïnis s'était précipitée dans les bras
de son Amant ; l'amour, un reste de pudeur qui ne la
rendait que plus belle, animaient son visage, et ses
yeux. Ce premier trouble dura longtemps. Phéléas, et
Zéïnis tous deux immobiles, respirant mutuellement
leur Ame, semblaient accablés de leurs plaisirs.

Tout cela, dit alors le Sultan, ne vous faisait pas
grand plaisir, n'est-il pas vrai ? Aussi, de quoi vous
avisiez-vous de devenir amoureux, pendant que vous
n'aviez pas de corps ? Cela était d'une folie inconcevable, car, en bonne foi, à quoi cette fantaisie pouvait-
elle vous mener ? Vous voyez bien qu'il faut savoir
raisonner quelquefois. Sire, répondit Amanzéi, ce ne
fut qu'après que ma passion fut bien établie, que je
sentis combien elle devait me tourmenter, et selon ce
qui arrive ordinairement, les réflexions vinrent trop
tard. Je suis vraiment fâché de votre accident ; car je
vous aimais assez sur la bouche de cette fille que vous
avez nommée, reprit le Sultan, c'est réellement dom-
mage qu'on vous ait dérangé.

Tant que Zéïnis avait résisté à Phéléas, dit Amanzéi,
je m'étais flatté que rien ne pourrait la vaincre, et
lorsque je la vis plus sensible, je crus qu'arrêtée par les
préjugés de son âge, elle ne porterait pas sa faiblesse
jusques où elle pouvait faire mon malheur. J'avouerai
cependant que quand je lui entendis raconter ce
songe, que j'avais cru qu'elle ne devait qu'à moi, que
j'appris d'elle-même que l'image de Phéléas, était la
seule qui se fût présentée à elle, et que c'était au
pouvoir qu'il avait sur ses sens, et non à mes transports qu'elle avait dû ses plaisirs, il me resta peu
d'espoir d'échapper au sort que je craignais tant.
Moins délicat cependant, que je n'aurais dû l'être, je
me consolais du bonheur de Phéléas, par la certitude
que j'avais de le partager avec lui. Quelque chose qu'il
eût dite à Zéïnis de sa passion, et de la fidélité qu'il lui
avait toujours gardée, il ne me paraissait pas possible
qu'il fût parvenu à l'âge de quinze, ou seize ans, sans
avoir eu au moins quelque curiosité qui l'empêcherait
de délivrer mon Ame de cette captivité qui m'avait

longtemps paru si cruelle, et que je préférais dans cet instant au poste le plus glorieux qu'une Ame pût remplir. Tout désespéré que j'étais de la faiblesse de Zéïnis, j'en attendis les suites avec moins de douleur, dès que je me fus persuadé que, quelque chose qui arrivât, je ne serais pas contraint de la quitter.

Quelque affreuse que fût pour moi, la tendre léthargie où ils étaient plongés, et que chaque soupir qu'ils poussaient, paraissait augmenter encore, elle retardait les téméraires entreprises de Phéléas, et quoiqu'elle me prouvât à quel point ils sentaient leur bonheur, je priais ardemment Brama de ne point permettre qu'elle se dissipât. Inutiles vœux ! J'étais trop criminel pour que deux Ames innocentes, et dignes de leur félicité, me fussent sacrifiées.

Phéléas, après avoir langui quelques instants sur le sein de Zéïnis, pressé par de nouveaux désirs, que la faiblesse de son Amante, avait rendu plus ardents, la regarda avec des yeux qui exprimaient la délicieuse ivresse de son cœur. Zéïnis embarrassée des regards de Phéléas, détourna les siens en soupirant. Quoi ! Tu fuis mes regards, lui dit-il, ah ! tourne plutôt vers moi tes beaux yeux ! Viens lire dans les miens, toute l'ardeur que tu m'inspires.

Alors il la reprit dans ses bras. Zéïnis tenta encore de se dérober à ses transports, mais soit qu'elle ne voulût pas résister longtemps, soit que se faisant illusion à elle-même, en cédant, elle crût résister, Phéléas fut bientôt regardé aussi tendrement qu'il désirait de l'être.

Quoique les dernières bontés de Zéïnis l'eussent jetée dans une tendre langueur peu différente de celle où mes transports l'avaient plongée, et qu'elle regardât Phéléas avec toute la volupté qu'il avait désirée d'elle, elle parut se repentir de s'être trop livrée à son ardeur, et chercha à se retirer des bras de Phéléas. Ah Zéïnis ! lui dit-il, dans ce songe dont vous m'avez parlé, vous ne craigniez pas de me rendre heureux. Hélas ! répondit-elle, quel que soit mon amour pour vous, sans lui, sans le trouble qu'il a mis dans mes sens, vous n'en auriez pas tant obtenu.

Imaginez, Sire, quel fut mon chagrin, lorsque j'appris que c'était à moi seul que mon rival devait son bonheur. Vous devez être content de votre victoire, continua-t-elle, et vous ne pouvez, sans m'offenser, vouloir la pousser plus loin. J'ai fait plus que je ne devais pour vous prouver ma tendresse, mais... Ah Zéïnis ! interrompit l'impétueux Phéléas, s'il était vrai que tu m'aimasses, tu craindrais moins de me le dire, ou du moins, tu me le dirais mieux. Loin de ne te livrer à mon amour qu'avec timidité, tu t'abandonnerais à tous mes transports, que tu ne croirais pas encore faire assez pour moi. Viens, continua-t-il en s'élançant auprès d'elle avec une vivacité qui m'aurait fait mourir si une Ame était mortelle, viens, achève de me rendre heureux.

Ah Phéléas ! s'écria d'une voix tremblante, la timide Zéïnis, songes-tu que tu me perds ! Hélas ! Tu m'avais juré tant de respect ! Phéléas ! Est-ce ainsi qu'on respecte ce qu'on aime !

Les pleurs de Zéïnis, ses prières, ses ordres, ses menaces, rien n'arrêta Phéléas. Quoique la tunique de gaze qui était entre elle, et lui, ne le laissât jouir déjà que de trop de charmes, et que ses transports l'eussent remise comme elle était pendant le sommeil de Zéïnis, moins satisfait des beautés qu'elle offrait à sa vue, que transporté du désir de voir celles qu'elle lui dérobait encore, il écarta enfin ce voile que la pudeur de Zéïnis défendait encore faiblement, et se précipitant sur les charmes que sa témérité offrait à ses regards, il l'accabla de caresses si vives, et si pressantes, qu'il ne lui resta plus que la force de soupirer.

La pudeur, et l'amour combattaient cependant encore dans le cœur, et dans les yeux de Zéïnis. L'une refusait tout à l'Amant, l'autre ne lui laissait presque plus rien à désirer. Elle n'osait porter ses regards sur Phéléas, et lui rendait avec une tendresse extrême, tous les transports qu'elle lui inspirait. Elle défendait une chose pour en permettre une plus essentielle : elle voulait, et ne voulait plus ; cachait une de ses beautés pour en découvrir une autre ; elle repoussait avec

horreur, et se rapprochait avec plaisir. Le préjugé
quelquefois triomphait de l'amour, et lui était un instant après sacrifié, mais avec des réserves, et des précautions qui, tout vaincu qu'il avait paru, le faisaient
triompher encore. Zéïnis avait tour à tour honte de sa
facilité, et de ses répugnances. La crainte de déplaire à
Phéléas, l'émotion que lui causaient ses transports, et
l'épuisement où un combat aussi long l'avait jetée, la
forcèrent enfin à se rendre. Livrée elle-même à tous
les désirs qu'elle inspirait, ne supportant qu'impatiemment des plaisirs qui l'irritaient sans la satisfaire, elle
chercha la volupté qu'ils lui indiquaient, et ne lui
donnaient point.

En ce moment, outré du spectacle qui s'offrait à
mes yeux, et commençant à craindre à de certaines
idées de Phéléas qui me prouvaient son peu d'expérience, qu'il ne chassât mon Ame d'un lieu où malgré
les chagrins qu'on lui donnait, elle se plaisait à demeurer ; je voulus sortir pour quelques instants du Sopha
de Zéïnis, et éluder les décrets de Brama. Ce fut en
vain, cette même puissance qui m'y avait exilé,
s'opposa à mes efforts, et me contraignit d'attendre
dans le désespoir, la décision de ma destinée.

Phéléas... O souvenir affreux ! Moment cruel dont
l'idée ne s'effacera jamais de mon Ame ! Phéléas enivré d'amour, et maître, par les tendres complaisances
de Zéïnis, de tous les charmes que j'adorais, se prépara à achever son bonheur. Zéïnis se prêta volup-
tueusement aux transports de Phéléas, et si les nouveaux obstacles qui s'opposaient encore à sa félicité, la
retardèrent, ils ne la diminuèrent pas. Les beaux yeux
de Zéïnis versèrent des larmes, sa bouche voulut former quelques plaintes, et dans cet instant, sa tendresse
seule, ne lui fit point pousser des soupirs. Phéléas
auteur de tant de maux, n'en était cependant pas plus
haï ; Zéïnis, de qui Phéléas se plaignait, n'en fut que
plus tendrement aimée. Enfin, un cri plus perçant
qu'elle poussa, une joie plus vive que je vis briller dans
les yeux de Phéléas, m'annoncèrent mon malheur et
ma délivrance ; et mon Ame pleine de son amour, et

de sa douleur, alla en murmurant, recevoir les ordres de Brama, et de nouvelles chaînes.

Quoi ! c'est là tout ? demanda le Sultan ; ou vous avez été Sopha bien peu de temps, ou vous avez vu bien peu de chose, pendant que vous l'étiez. Ce serait vouloir ennuyer votre Majesté, que de lui raconter tout ce dont j'ai été témoin pendant mon séjour dans les Sophas, répondit Amanzéi ; et j'ai moins prétendu lui rendre toutes les choses que j'ai vues, que celles qui pouvaient l'amuser. Quand les choses que vous avez racontées, dit la Sultane, seraient plus brillantes que celles que vous avez supprimées, et je le crois (puisqu'il est impossible d'en faire la comparaison) on aurait toujours à vous reprocher de n'avoir amené sur la scène que quelques caractères, pendant que tous étaient entre vos mains, et d'avoir volontairement resserré un sujet qui, de lui-même est si étendu. J'ai tort sans doute, Madame, répondit Amanzéi, si tous les caractères sont agréables, ou marqués au même coin ; si j'ai pu les traiter tous, sans tomber dans l'inconvénient d'exposer à vos yeux, des traits communs, ou rebattus, et si j'ai pu m'étendre beaucoup sur une matière qui devait, quelque variété que j'eusse mise dans les caractères, devenir ennuyeuse par la répétition continuelle, et inévitable du fond.

En effet, dit le Sultan, je crois que si l'on voulait peser tout cela, il pourrait bien avoir raison, mais j'aime mieux qu'il ait tort que de me donner la peine d'examiner ce qui en est. Ah ! Ma grand-Mère ! continua-t-il en soupirant, ce n'était pas ainsi que vous contiez [78] !

FIN.

NOTES

1. *ne prennent rien* (sur le vulgaire) : ne font aucune impression, sont sans effet.

2. *le Ginnistan* : le fantaisiste pays des djinns, des génies.

3. *le Prince du monde le plus ignorant* : le prince le plus ignorant du monde.

4. L'ennui des Grands est un des thèmes favoris de la littérature du XVIIIᵉ siècle (cf. *L'Idée du bonheur au XVIIIᵉ siècle* de Robert Mauzi, p. 163). Ce lieu commun est relayé par le motif romanesque de l'ennui que finissent par sécréter l'« extrêmement bonne compagnie » et le libertinage (cf. notamment *Les Égarements du cœur et de l'esprit* de Crébillon, *Les Confessions du comte de **** de Duclos, et *Angola* de La Morlière).

5. *découpure* : « petit amusement qui a été jadis fort à la mode et qui consistait à découper, avec des ciseaux, des figures en papier, ou en velin, en suivant tous les traits de la peinture ou de la gravure. Dans le XVIIIᵉ siècle les femmes s'amusaient beaucoup à la découpure » (Littré). Au chapitre XIV des *Bijoux indiscrets*, Diderot fait lui aussi allusion à cette mode.

6. *connaissait* : ici, reconnaissait.

7. *Caillette* : « femme frivole et babillarde. *C'est une caillette*. On le dit aussi d'un homme » (Dictionnaire de l'Académie, éd. de 1762).

8. Dans certains chapitres de *Tanzaï et Néadarné*, Crébillon joue également de titres burlesques. La Morlière use à son tour du procédé dans *Angola*.

9. Les romans érotiques du XVIIIᵉ siècle prennent volontiers comme fond la transmigration d'une âme. Ainsi notamment du *Canapé couleur de feu*, attribué à Fougeret de Monbron (1741) : le roman est fondé, comme *Le Sopha*, sur les aventures d'une âme un moment prisonnière d'un meuble suggestif ; malgré ce que laisserait penser la date, ce n'est pas *Le Canapé* qui a donné des idées au *Sopha* : des copies de celui-ci avaient circulé quelques années avant sa parution.

10. On peut penser ici à la curiosité de Zeus et Héra, interrogeant Tirésias sur sa double expérience d'homme et de femme.

11. *mon air prude* : la prude (le mot sous-entend une femme qui

affiche, voire affecte, pudeur et vertu) relève des grandes catégories féminines du XVIII⁣ᵉ siècle. L'accompagnent la dévote, la femme tendre, la coquette, la galante... Dans *Les Bijoux indiscrets*, Diderot dit de la prude qu'elle est « celle qui fait semblant de ne pas écouter son bijou » (ch. XXV).

12. *d'abord que* : aussitôt que, dès que.

13. *propreté* : « manière honnête, convenable et bienséante dans les habits » (Acad., 1762).

14. *à tout événement* : à tout hasard.

15. Dans *Les Liaisons dangereuses*, Laclos se souviendra du portrait de Fatmé, la fausse prude. Cf. ce que la très supérieure marquise de Merteuil dira d'elle-même, dans sa célèbre lettre LXXXI.

16. Le motif de la médisance est insistant chez Crébillon (cf., pour le seul *Sopha*, les propos qu'échangent Mazulhim et Zulica, au chapitre XII). De façon plus générale, les allusions à la « méchanceté » d'un public perspicace ou médisant émaillent les romans de la mondanité au XVIII⁣ᵉ siècle.

17. Cette maxime rappelle certains aphorismes de La Rochefoucauld. Cf. « L'orgueil a plus de part que la bonté aux remontrances que nous faisons à ceux qui commettent des fautes ; et nous ne les reprenons pas tant pour les en corriger que pour leur persuader que nous en sommes exempts. » ; « Quelque bien qu'on nous dise de nous, on ne nous apprend rien de nouveau. » ; « On est d'ordinaire plus médisant par vanité que par malice. » (*Maximes*, éd. GF, nᵒˢ 37, 303, 483.)

18. Les scènes de jeu foisonnent, dans les romans de Crébillon, à l'image de la passion du jeu qui a saisi la France, et plus particulièrement la mondanité, au XVIII⁣ᵉ siècle. Dans les *Lettres persanes*, Montesquieu consacre une lettre à cette fureur du jeu (cf. L. LVI).

19. Crébillon est fort attaché à cet « art » érotique des gradations. Dans *Tanzaï et Néadarné*, le très savant Jonquille « connaît le prix des gradations » (Nizet, p. 262) ; de même, dans *Les Égarements*, madame de Lursay, initiatrice de Meilcour, lui fait « entrevoir de quelle nécessité étaient les gradations » (GF, p. 142).

20. *Petit-Maître* : « on appelle ainsi un jeune homme de Cour, qui se distingue par un air avantageux, par un ton décisif, par des manières libres et étourdies » (Acad., 1762). Le petit-maître est une des figures presque obligées des romans de la mondanité au XVIII⁣ᵉ siècle. (Cf. *Les Égarements*, avec, dans un registre supérieur, Versac, « le plus audacieux petit-maître qu'on eût jamais vu » (GF, p. 129), et sa pâle doublure, Pranzi. Cf. encore l'« Épître aux petites maîtresses » d'*Angola*, ou le chapitre XXXVI des *Bijoux indiscrets*, intitulé « Les petits-maîtres »).

21. Cette phrase est à relier — comme si le portrait d'Abdalathif permettait d'illustrer un propos général — aux réflexions que fait Amanzéi dans les premières pages du chapitre I : « A considérer, cependant, l'orgueil, la dureté, l'insolence de ces gens nés dans la bassesse, et élevés par la fortune, l'on peut croire, à la promptitude avec laquelle ils perdent le souvenir de leur premier état, que d'un corps à un autre, leur humiliation se déroberait plus rapidement encore à leurs yeux, et n'influerait en rien sur leur conduite. »

22. *ignoble* : au sens strict de non noble.

23. *Serrez ceci* : ici, au sens de mettez en lieu sûr, à l'abri.

24. L'emploi du vocabulaire courtois est ici doublement ironique : Abdalathif est « ignoble », et Amine abjecte.

25. *obséder* : au sens strict, assiéger (*obsidere*).

26. *Omra(h)* : « titre des grands seigneurs de la cour du Mogol » (Acad., 1762).

27. *Cadi* : « fonctionnaire musulman chargé de régler les contestations civiles et religieuses » (Littré).

28. *Guèbre* : « nom que portent les restes de l'ancienne nation persane, épars aujourd'hui en diverses contrées de la Perse et des Indes, où ce peuple esclave des mahométans, l'objet du mépris de ses maîtres, conserve encore la religion de Zoroastre » (Acad., 1762).

29. *refrognée* : variante, en français classique, de renfrognée.

30. Ce voyage achevé auprès de la bassesse aura permis à Crébillon-Amanzéi de faire, en contrepoint, l'éloge de l'élégance et de la noblesse — au moins dans les propos et les manières. (Cf., outre ce paragraphe, celui qui clôt le chapitre IV.)

31. La théorie du *moment* est chère à Crébillon. La page qui suit vient illustrer la puissance affirmée de ce « moment » durant lequel vacillent les vertus les plus sûres. Dans *Les Égarements*, le mot revient souvent, avec sa variante, « l'occasion ». Dans *La Nuit et le Moment*, le terme est porté par le titre même. Mais c'est dans *Le Hasard du coin du feu*, que l'on en trouve la définition la plus précise : il s'agit d'« une certaine disposition des sens aussi imprévue qu'elle est involontaire, qu'une femme peut voiler ; mais qui, si elle est aperçue, ou sentie par quelqu'un qui ait intérêt d'en profiter, la met dans le danger du monde le plus grand d'être un peu plus complaisante qu'elle ne croyait ni devoir, ni pouvoir l'être. » (GF, p. 169.) De façon générale, les érotiques du XVIIIe siècle insistent volontiers sur la force du moment ou de l'occasion (cf. en particulier La Morlière et Laclos).

32. Cf. La Rochefoucauld : « La plupart des honnêtes femmes sont des trésors cachés, qui ne sont en sûreté que parce qu'on ne les cherche pas. » (*Maximes*, GF, n° 368.)

33. Cette gaze posée sur un épisode très leste qui évoque maints passages de *La Nuit et le Moment*, peut être rapprochée de celle dont se joue La Morlière, dans *Angola* : « "Quel mortel serait plus heureux que moi, Madame, disait Angola, si vous daigniez partager des transports qui sont votre ouvrage, et dont je ne puis soutenir la violence ?" En même temps il la serrait dans ses bras. Elle ne disait mot, et le prince, s'imaginant que ce silence était causé par des doutes injurieux pour lui, trouva le moyen de la convaincre avec adresse de la vérité des choses dont il se plaignait, sans la révolter *par une évidence trop frappante*. Elle se rendit intérieurement à de si bonnes raisons » (éd. Desjonquères, p. 125).

34. Le propos évoque l'exigence de « repos » de la princesse de Clèves refusant de se donner à Nemours, et le besoin de « tranquillité » qu'affirmera la présidente de Tourvel, avant de s'abandonner à Valmont.

35. Dans *Les Liaisons dangereuses*, Valmont demandera aux yeux de

la timide présidente de Tourvel un même aveu : « la prudence m'était d'autant plus nécessaire, que j'avais surtout à redouter l'effroi que cet oubli d'elle-même ne manquerait pas de causer à ma tendre rêveuse. Aussi cet aveu que je demandais, je n'exigeais pas même qu'il fût prononcé ; un regard pouvait suffire ; un seul regard, et j'étais heureux ». (L. XCIX.)

36. La distinction entre *amour* et *goût* est très chère à Crébillon. Dans *Le Sopha,* on la retrouve au chapitre XVII. Cf. également *La Nuit et le Moment* (« On sait aujourd'hui que le goût seul existe ; et si l'on se dit encore qu'on s'aime, c'est bien moins parce qu'on le croit, que parce que c'est une façon plus polie de se demander réciproquement ce dont on sent qu'on a besoin. » GF, p. 48) ou *Les Égarements* (« A propos de quoi peut-elle croire que je lui dois mon cœur ? Votre cœur ! dit-il ; jargon de roman. Sur quoi supposez-vous qu'elle vous le demande ? Elle est incapable d'une prétention si ridicule. Que demande-t-elle donc ? répondis-je. Une sorte de commerce intime, reprit-il, une amitié vive qui ressemble à l'amour par les plaisirs, sans en avoir les sottes délicatesses. C'est, en un mot, du goût qu'elle a pour vous, et ce n'est que du goût que vous lui devez. » GF, p. 207). Cette distinction très « dix-huitième » se trouve aussi dans *Angola* de La Morlière (« il connut la différence de l'amour qu'il ressentait d'avec ce *goût du passage* qui l'avait livré jusqu'alors avec rapidité à toutes les femmes *qu'il avait trouvées sous sa main.* » Desjonquères, p. 132) ou dans *Les Liaisons dangereuses* (« si je n'avais pas pour vous qu'un goût ordinaire, que ce goût léger, enfant de la séduction et du plaisir, qu'aujourd'hui pourtant on nomme amour [...] » L. LXVIII).

37. *nous sommes fols :* au temps de Crébillon, la tournure est archaïsante.

38. Dans *Les Liaisons,* Valmont évoquera la défloration de Cécile Volanges en des termes fort proches : « portant toute son attention, toutes ses forces, à se défendre d'un baiser, qui n'était qu'une fausse attaque, tout le reste était laissé sans défense ; le moyen de n'en pas profiter ! » (L. XCVI.)

39. Type de remarque dont les romans de Crébillon sont prodigues. Cf. dans ce roman même, au milieu du chapitre suivant : « elle rougissait, et ce n'était plus la pudeur qui la faisait rougir » ; ou, dans *La Nuit et le Moment,* l'évocation, par Clitandre, de « cette rougeur que le désir, et l'attente du plaisir font naître, si différente de celle que l'on ne doit qu'à la seule pudeur » (GF, p. 102-103).

40. *gloire :* ici, honneur. Cf. aussi le très cornélien « il y allait de ma gloire » des *Égarements* (GF, p. 231).

41. *en cas que* (+ subj.) : au cas où.

42. Avec le fat Mazulhim, Crébillon fait entendre le style d'un libertin rompu au jargon à la mode dans l'« extrêmement bonne compagnie » du XVIIIe siècle français. Les italiques viennent ici souligner le pastiche. Mais c'est plus loin dans le roman, lorsqu'il aux prises Zulica et Mazulhim, que Crébillon déploie les codes et les tics d'un tel discours. On y reviendra.

43. Cette idée de lier impuissance et retenue amoureuse sera reprise dans le chapitre suivant par Mazulhim — ce qui n'invite pas, pour

autant, à interpréter de la sorte les fiascos fort peu stendhaliens du personnage fat et froid. (Pour Stendhal, cf. cet aphorisme : « S'il entre un grain de passion dans le cœur, il entre un grain de *fiasco* possible. » *De l'Amour*, GF, p. 328.)

44. Ces propos de Zéphis à Mazulhim peuvent être rapprochés de ceux que Néadarné tient à Tanzaï, dans des circonstances analogues : « pensez-vous que cet accident diminue l'amour que j'ai pour vous ? Non, prince, s'il ne vous affligeait pas tant, j'en bénirais le Ciel. Vos désirs satisfaits, vous m'auriez peut-être moins aimée [...]. Il m'aurait été plus doux de satisfaire votre passion : mais l'aurais-je pu sans risquer de la voir s'éteindre ? et quoi de plus flatteur pour moi que de vous voir m'aimer toujours ? Est-il pour des cœurs délicats une plus grande satisfaction ? » (*Tanzaï et Néadarné*, Nizet, p. 138).

45. *et si :* au sens ancien de et pourtant.

46. *carreaux :* coussins de forme carrée.

47. C'est ici que se développe, sur quelques pages, un pastiche serré du jargon à la mode. Avec Mazulhim et Zulica, dialoguent un petit-maître et une petite-maîtresse de la mondanité française du XVIIIᵉ siècle. Le jargon consiste en des mots et tournures fétiches, empruntés souvent au langage de la préciosité (hyperboles, petit lot d'adjectifs, adverbes volontiers antéposés...) : cf. ici, notamment, « joli », « divin », « charmant », « au vrai », « au possible », « exactement », « d'une folie qui ne ressemble à rien », « c'est que... ». Ce jargon est abondamment pastiché dans *Les Égarements*, avec les personnages de Versac et de madame de Senanges. Mais c'est surtout *Angola* qui en offre l'imitation : elle parcourt le roman de La Morlière, les italiques invitant le lecteur à en goûter le sel. Pour l'analyse des traits majeurs de ce discours, cf. Laurent Versini, *Laclos et la tradition*, p. 344 à 369.

48. *petite maison :* la référence aux petites maisons est systématique, dans les romans de la mondanité au XVIIIᵉ siècle (cf. la petite maison de Versac dans *Les Égarements*, celle de Clitandre dans *La Nuit et le Moment*, celles de la marquise de Merteuil et de Prévan dans *Les Liaisons*, celles des « jeunes seigneurs de la cour » dans *Les Bijoux indiscrets*...). Une définition de la « petite maison » est proposée, au chapitre XIII du *Sopha* : « c'est [...] une Maison écartée, où sans suite, et sans témoins, on va... ». Duclos, dans *Les Confessions du comte de ****, en dit beaucoup plus : « Le premier usage de ces maisons particulières, appelées communément petites maisons, s'introduisit à Paris par des amants qui étaient obligés de garder des mesures, et d'observer le mystère pour se voir, et par ceux qui voulaient avoir un asile pour faire des parties de débauche qu'ils auraient craint de faire dans des maisons publiques et dangereuses, et qu'ils auraient rougi de faire chez eux. Telle fut l'origine des petites maisons qui se multiplièrent dans la suite, et cessèrent d'être des asiles pour le mystère. On les eut d'abord pour dérober ses affaires au public ; mais bientôt plusieurs ne les prirent que pour faire croire celles qu'ils n'avaient pas. » (Pléiade, « Romanciers du XVIIIᵉ siècle » II, p. 234.)

49. La comédie érotique et le jargon sont analogues, dans une scène d'*Angola* : « Finissez donc, marquis, reprit la comtesse *quelques minutes après*, vous devenez *d'une folie qui ne ressemble à rien.* » (Desjonquères, p. 29.)

50. Cette association fantaisiste entre impuissance et « enchantement » peut être rapprochée de ce qui arrive, au soir de leurs noces, à Tanzaï chez Crébillon, et à Angola chez La Morlière : tous deux, frappés par un sort, se trouvent dans l'incapacité d'honorer leur épouse.

51. *sans monde* : sans connaissance des usages du monde (avoir du monde : être rompu aux usages du monde).

52. *feront les merveilleuses* : « dans le langage familier, un merveilleux, une merveilleuse, celui, celle qui affecte de belles manières, et qui a beaucoup de prétention » (Littré).

53. *sensible* : ici, comprendre sensuelle.

54. On a ici un des tics favoris du jargon à la mode. Cf., chez le seul Crébillon, « le petit Marquis » des *Égarements* (GF, p. 131), « la petite Comtesse » de *La Nuit et le Moment* (GF, p. 44), « le petit Frécourt » dans *Le Hasard du coin du feu* (GF, p. 145), le « cher petit Comte » des *Lettres de la marquise* (Nizet, p. 172).

55. Cf. *Angola* : « dans ce temps-là rien n'était *si ignoble* que d'avoir une bonne santé ». (Desjonquères, p. 40.)

56. *au mieux* : l'expression « être *au mieux* (avec quelqu'un) » appartient au jargon — d'où les italiques.

57. La dimension ironique de ce propos à double entente n'est pas sans évoquer la phrase ambiguë sur laquelle s'achève *La Nuit et le Moment* : « Adieu, puissiez-vous, s'il se peut, m'aimer autant que vous êtes aimée vous-même ! »

58. Plaidoyer *pro domo* de Crébillon. Le dialogue entre Nassès et Zulica, si piquant soit-il, pouvait paraître excessivement long et « minutieux ». Il fallait à la fois en justifier la nécessité, et le couper.

59. « ne pouvez-vous pas être content de mon amitié ? », réplique madame de Lursay à Meilcour, dans *Les Égarements* (GF, p. 245) ; « Devenez mon ami, si cela se peut, mais ne vous obstinez pas à vouloir être mon amant. », écrit l'héroïne des *Lettres de la marquise* (Nizet, p. 49). Dans *Les Liaisons dangereuses*, la présidente de Tourvel écrira de même à Valmont : « En vous offrant mon amitié, Monsieur, je vous donne tout ce qui est à moi, tout ce dont je puis disposer. » (L. LXVII) ; de cette offre, Valmont fait à la marquise de Merteuil la confidence décapée : « Celle-ci vient de m'envoyer un projet de capitulation. Toute sa lettre annonce le désir d'être trompée. Il est impossible d'en offrir un moyen plus commode et aussi plus usé. Elle veut que je sois *son ami*. Mais moi, qui aime les méthodes nouvelles et difficiles je ne prétends pas l'en tenir quitte à si bon marché ; et assurément je n'aurai pas pris tant de peine auprès d'elle, pour terminer par une séduction ordinaire. » (L. LXX.)

60. Les très lucides romans de Crébillon aiment à démonter le manège amoureux. Cf. *Tanzaï et Néadarné* : « Au milieu des rebuts étudiés d'une femme, on a toujours sa défaite en perspective ; qu'elle se précipite, ou qu'elle attende, elle arrive enfin » (Nizet, p. 190).

61. Exemple amusant de la sottise épaisse du Sultan, prenant pour tragédie ce qui est ici fine et cruelle comédie.

62. Plaisant pastiche, seulement amorcé, des généalogies bibliques (cf. Matthieu 1, 2 : « Abraham engendra Isaac ; Isaac engendra Jacob ; Jacob engendra Juda et ses frères »...).

63. La question de Nassès, avec ce qu'elle suggère (le dévoiement du verbe « aimer »), évoque cette réflexion des *Égarements* : « Ce qu'alors les deux sexes nommaient Amour, était une sorte de commerce, où l'on s'engageait, souvent même sans goût, où la commodité était toujours préférée à la sympathie, l'intérêt au plaisir, et le vice au sentiment. » (GF, p. 71.) Chez Zulica, « aimer » permet de gazer noblement les verbes les plus crus.

64. La riposte évoque ce propos de Clitandre sur les amants de « misérable santé » : « Vous conviendrez du moins que si ce n'est pas une raison de rejeter un homme, ce n'en est pas non plus une de le prendre. » (*La Nuit et le Moment*, GF, p. 52.)

65. *être prise* : ici, être surprise.

66. Crébillon insiste volontiers sur la vanité des hommes, qui leur fait, plus souvent que l'amour, désirer la conquête de femmes. Cf. la réflexion de Meilcour, dans *Les Égarements* : « il est bien plus important pour les femmes de flatter notre vanité, que de toucher notre cœur. » (GF, p. 117) ; ou celle de Clitandre, dans *La Nuit et le Moment* : « ils n'attaquent presque tous une femme, que par vanité ; et la vanité serait-elle satisfaite d'un triomphe qu'on ignorerait ? » (GF, p. 69.)

67. *la personne* : le corps. Cf. dans *Les Liaisons dangereuses* : « vous ne possédez absolument que sa personne ! je ne parle pas de son cœur, dont je me doute bien que vous ne vous souciez guère : mais vous n'occupez seulement pas sa tête. » (L. CXIII.)

68. Ce type de formulation tautologique revient avec insistance, jusqu'à former un tic dans le style balourd prêté au Sultan. Cf. dans l'Introduction : « Cela y jette un intérêt d'une vivacité... si vive ! » ; et au chapitre XV : « Les femmes sont d'une singularité... bien singulière ! »

69. On retrouve ici la distinction entre amour et goût chère à Crébillon. De façon plus large, on peut rapprocher ce propos développé par Nassès de maints passages des romans crébilloniens ; cf. notamment, dans les premières pages de *La Nuit et le Moment*, la célèbre tirade sur les vacuités du libertinage mondain : « On se plaît, on se prend. S'ennuie-t-on l'un avec l'autre ? on se quitte avec tout aussi peu de cérémonie que l'on s'est pris. Revient-on à se plaire ? on se reprend avec autant de vivacité que si c'était la première fois qu'on s'engageât ensemble. On se quitte encore, et jamais on ne se brouille. » ; ou encore ces paroles désabusées du même Clitandre : « Comment voulez-vous qu'on fasse ? On est dans le monde, on s'y ennuie, on voit des femmes, qui, de leur côté, ne s'y amusent guère : on est jeune ; la vanité se joint au désœuvrement. Si avoir une femme, n'est pas toujours un plaisir, du moins c'est toujours une sorte d'occupation. » (GF, p. 96.)

70. Cet itinéraire d'un adolescent qui prend les premiers émois des sens pour ceux du cœur est précisément celui de Meilcour, le héros des *Égarements*, face à madame de Lursay.

71. *manquer* (à quelqu'un) : manquer à ses devoirs face à quelqu'un.

72. *douteux* : ici, au sens de mal connus, incertains.

73. Petit clin d'œil aux *Mille et Une Nuits* et à leur sublime conteuse, maîtresse dans l'art de suspendre le récit. Crébillon s'amuse parfois de

ces effets de coupure et d'annonce ; cf., à la fin de la Ire partie de *Tanzaï et Néadarné* : « Le prince [...] enleva Néadarné dans ses bras, et se renferma dans son appartement pour y goûter les plaisirs dont on verra le détail dans la seconde partie de cette véridique histoire. »

74. Le persiflage de Mazulhim passe ici par un recours caricatural au jargon (cf. les hyperboles systématiques) soutenu par des rythmes ternaires sarcastiques à force d'être, eux aussi, insistants.

75. *à merveille* : une des hyperboles favorites du jargon à la mode, et, de façon générale, du XVIIIe siècle. Cf. notamment, dans *Les Liaisons dangereuses* : « A merveille Vicomte, et pour le coup, je vous aime à la fureur ! » (L. CVI) ; ou encore : « je sens à merveille que vos lettres ne peuvent pas être longues. » (L. CVIII). Dans *Le Sopha*, cf. également, au chapitre I : « A merveille, répondit la Sultane ».

76. *espèce* : le terme, évidemment dépréciatif (il désigne une personne dont on fait peu de cas), relève du jargon — d'où les italiques. On a ici un des mots favoris de la mondanité du XVIIIe siècle. Dans *La Nuit et le Moment*, Clitandre use du terme pour dépriser Araminte (GF, p. 41) ; la marquise de Merteuil fait de même, dans *Les Liaisons*, pour flétrir la présidente de Tourvel aux yeux de Valmont : « Croyez-moi, vicomte, quand une femme s'est *encroûtée* à ce point, il faut l'abandonner à son sort ; ce ne sera jamais qu'une *espèce*. » (L. V.)

77. Crébillon manifeste un goût prononcé pour les songes, et tout particulièrement pour les rêves érotiques de femmes. Cf., entre autres, les mensonges de Tanzaï, puis de Néadarné, chacun tâchant de faire croire à l'autre que son infidélité s'est accomplie sur le seul plan, imaginaire, d'un rêve ; ou encore, dans les *Lettres de la marquise*, les fréquentes allusions de l'héroïne à ses tendres songes.

78. Deux remarques sur ce dernier voyage. Frappe tout d'abord l'abondante ironie qui vise Amanzéi lui-même — son rôle dans le songe (l'agent du plaisir des autres), dans le trio (l'amoureux présent et floué, support matériel de la volupté du couple), sa délivrance qui fait son supplice ; on peut d'ailleurs noter que les dénouements des romans érotiques et spirituels du XVIIIe siècle manient volontiers l'ironie aux dépens de leur héros (cf. la fin en demi-teinte de *Tanzaï et Néadarné* ou d'*Angola*). D'autre part, le roman se referme comme il avait commencé : il évoque l'art du récit (égratignant au passage, ironie suprême, le conteur, c'est-à-dire, à travers Amanzéi, Crébillon lui-même) et se clôt sur un hommage à celle que chantait l'ouverture — « l'incomparable Schéhérazade ».

BIBLIOGRAPHIE

I. Œuvres de Crébillon

1re édition du *Sopha* :
Le Sopha, conte moral. A Gaznah, De l'Imprimerie du Très-Pieux, Très-Clément et Très-Auguste Sultan des Indes. L'an de l'Hégire 1120. (Parution en 1742. 2 volumes.)

Œuvres complètes :
Collection complète des œuvres de M. de Crébillon le fils, Londres, 1772 (7 volumes).
Collection complète des œuvres de M. de Crébillon le fils, Londres, 1777 (7 volumes).
Œuvres de Crébillon fils, éd. de Pierre Lièvre, « Le Livre du Divan », 1929-1930 (5 volumes).

En librairie :
Le Sopha, préface de Jean Sgard, Desjonquères, 1984.
Lettres de la marquise de M*** au comte de R***, présentation d'Ernest Sturm, Nizet, 1970.
Les Égarements du cœur et de l'esprit, éd. de Jean Dagen, GF Flammarion, 1985.
L'Écumoire ou Tansaï et Néadarné, éd. d'Ernest Sturm, Nizet, 1976.
La Nuit et le Moment, Le Hasard du coin du feu, éd. de Jean Dagen, GF Flammarion, 1993.

II. Quelques œuvres du XVIIIe siècle proches du Sopha

DIDEROT, *Les Bijoux indiscrets*, Pléiade « Diderot », Gallimard, 1951.

Duclos, *Les Confessions du comte de ****, Pléiade « Romanciers du xviiiᵉ siècle » II, Gallimard, 1965.

Laclos, *Les Liaisons dangereuses,* Pléiade « Laclos », Gallimard, 1951.

La Morlière, *Angola,* Desjonquères, 1991.

Montesquieu, *Lettres persanes,* Pléiade « Montesquieu. O.C. t. I », Gallimard, 1949.

Voltaire, Pléiade « Voltaire. Romans et Contes », Gallimard, 1979.

A noter également :

Le volume *Romans libertins du xviiiᵉ siècle* de la collection Bouquins, Laffont, 1993. (On y trouve d'ailleurs Crébillon, Duclos, La Morlière, mais aussi Fougeret de Monbron, Godard d'Aucour, Vivant Denon, Voisenon...)

Marivaux, *Le Paysan parvenu,* Pléiade « Marivaux. Romans », Gallimard, 1949. (Pour la riposte — dans la 4ᵉ partie du roman — aux taquineries de Crébillon.)

La libre traduction, par Antoine Galland, des *Mille et Une Nuits,* GF Flammarion, 1965 (3 tomes).

III. *Ouvrages consacrés à Crébillon*

Fort (Bernadette), *Le Langage de l'ambiguïté dans l'œuvre de Crébillon fils,* Klincksieck, 1978.

Funke (Hans-Günter), *Crébillon fils als Moralist und Gesellschaftskritiker,* Heidelberg, 1972.

Giard (Anne), *Savoir et récit chez Crébillon fils,* Slatkine, 1986.

Joseph (Jean R.), *Crébillon fils. Économie érotique et narrative,* French Forum, 1984.

Sgard (Jean), « La notion d'égarement chez Crébillon », *Dix-huitième siècle,* I (1969), p. 241-249.

Siemek (Andrzej), *La Recherche morale et esthétique dans le roman de Crébillon fils,* Studies on Voltaire, nº 200, 1981.

Sturm (Ernest), *Crébillon fils et le libertinage au xviiiᵉ siècle,* Nizet, 1970.

IV. *Ouvrages consacrés au xviiiᵉ siècle ou à l'érotisme*

Bataille (Georges), *L'Érotisme,* 10/18, Minuit, 1957.

Coulet (Henri), *Marivaux romancier,* A. Colin, 1975.

DUFRENOY (Marie-Louise), *L'Orient romanesque en France. 1704-1789*, Montréal, Beauchemin, 1946-1947.

MAUZI (Robert), *L'Idée du bonheur au XVIIIe siècle*, A. Colin, 1979 (réimpression de l'éd. de 1960).

REICHLER (Claude), *L'Age libertin*, Minuit, 1987.

STENDHAL, *De l'Amour*, GF Flammarion, 1965.

VERSINI (Laurent), *Laclos et la tradition*, Klincksieck, 1968.

CHRONOLOGIE

1707 (14 février) : Naissance, à Paris, de Claude Prosper Jolyot de Crébillon, fils de Prosper Jolyot de Crébillon, l'auteur tragique (1674-1762), et de Charlotte Péaget. Le mariage avait été célébré deux semaines auparavant.

1711 : Crébillon perd sa mère ; il a quatre ans.

1720-1730 : Très solides études, au collège Louis-le-Grand, chez les Jésuites qui lui proposent — mais il refuse — d'entrer dans les ordres. Il fréquente les acteurs de la Comédie-Française, ceux de la Comédie-Italienne, et compose avec ces derniers des parodies.

1730 : Crébillon publie sa première œuvre, *Le Sylphe* ; ce conte léger sur le thème d'un songe féminin paraît sans nom d'auteur.

1732 : Publication des *Lettres de la marquise de M*** au comte de R****. Crébillon reprendra la formule du roman épistolaire.

1733 : Il fonde, avec Piron et Collé, la Société des dîners du Caveau ; s'y rencontreront, notamment, Crébillon père, Duclos, Gresset, Boucher, Rameau. En même temps, il participe aux joyeux Dîners du bout du banc, qui réunissent, entre autres, chez le comte de Caylus ou chez l'actrice Mlle Quinault, Collé, Voisenon, Duclos ; on y pratique le bon mot, le propos libre et l'écrit collectif. Quelques années plus tard, Crébillon fréquentera également l'Académie de ces Dames et de ces Messieurs, et le salon de Mme de Tencin.

1734 : Publication et grand succès de *L'Écumoire ou Tanzaï et Néadarné*. Les impertinences de cette « histoire japo-

naise », et surtout ses allusions irrévérencieuses à l'antijansé-
niste bulle *Unigenitus*, valent à Crébillon cinq jours de prison
au château de Vincennes (il est libéré grâce à l'intervention
de la princesse de Conti).

1736-1738 : Publication de la Ire (1736), puis des IIe et
IIIe parties (1738) des *Égarements du cœur et de l'esprit* ; ces
« mémoires de M. de Meilcour » resteront inachevés.

1742 : Publication du *Sopha*, commencé en 1737 ; ce
« conte moral » avait déjà beaucoup circulé en manuscrit. Sa
liberté de ton vaut cette fois à Crébillon un exil, pour trois
mois, à trente lieues de Paris. La leçon porte : Crébillon
restera douze ans sans publier sous son nom.

1744 : Crébillon se lie, à trente-sept ans, avec une
Anglaise noble, douce, pauvre et laide, Marie Henriette de
Stafford, née en 1711 à Saint-Germain-en-Laye. (Ils auront
un fils en 1746, se marieront en 1748, perdront leur fils en
1750 ; Marie Henriette mourra en 1756.)

1754 : Publication des *Heureux Orphelins*, « histoire imitée
de l'anglais », et de *Ah, quel conte !*, très fantaisiste « conte
politique et astronomique ».

1755 : Publication de *La Nuit et le Moment*, bref et brillant
« dialogue » écrit vers 1737.

1759 : Grâce à la protection de Mme de Pompadour,
Crébillon obtient la charge (qu'exerçait son père et qu'il
sollicitait depuis longtemps) de censeur royal pour les belles-
lettres.

1762 : Mort de Crébillon père.

1763 : Publication du *Hasard du coin du feu*, « dialogue
moral » rédigé dans les années du *Sopha*.

1768 : Publication des *Lettres de la duchesse de* *** *au duc
de* ***.

1771 : Publication du dernier roman de Crébillon, *Lettres
athéniennes*, « extraites du portefeuille d'Alcibiade ».

1772 : Parution, à Londres, en sept volumes, d'une *Collection complète des œuvres de M. de Crébillon le fils*.

1777 (12 avril) : Crébillon meurt pauvre et relativement
délaissé.

TABLE

LE SOPHA

Première partie

GF Flammarion

04/03/105919-III-2004 – Impr. MAURY Eurolivres, 45300 Manchecourt.
N° d'édition FG084602. – Mars 1995. – Printed in France.